Petits *C*lassiques

LAROUSSE

Collection fondée par Félix Guirand,
Agrégé des Lettres

Lettres persanes

Montesquieu

D1456747

Roman épistolaire

Édition présentée,
annotée et commentée
par Violaine GÉRAUD,
agrégée de lettres modernes,
professeur à l'université Lyon-III Jean-Moulin

SOMMAIRE

Avant d'aborder l'œuvre

Lettres persanes
MONTESQUIEU

Pour approfondir

AVANT D'ABORDER L'ŒUVRE

Fiche d'identité de l'auteur

Montesquieu

Nom : Charles-Louis
de Secondat de La Brède,
dit Montesquieu.

Naissance :
le 18 janvier 1689
au château de La Brède,
près de Bordeaux.

Famille : vieille
noblesse provinciale
d'origine protestante.
Il sera baron
de La Brède. Il épouse
une protestante,
Jeanne de Lartigue.

Formation : élève
au collège oratorien
de Juilly (diocèse
de Meaux), puis études
de droit. Avocat,
conseiller au Parlement
de Bordeaux, il hérite
d'une charge de président
à mortier.

Début de sa carrière :
membre de l'Académie
des sciences de Bordeaux ;
ses discours ont
un grand succès.
En 1716, il conseille
au Régent d'amoindrir
les impôts.

Premiers succès : les *Lettres persanes*, écrites
entre 1717 et 1720, première œuvre de Montesquieu,
paraissent anonymement en 1721. Face à l'ampleur
du succès, alors qu'il fréquente les salons
parisiens, il s'en reconnaît l'auteur. En 1724,
il fait paraître *Le Temple de Gnide*, poème
en prose licencieux. En 1728, il est élu
à l'Académie française. Après un tour d'Europe,
il écrit *Considérations sur les causes
de la grandeur des Romains et de leur décadence*
(1734).

Publications majeures : *L'Esprit des lois*,
en 1748. Il publie anonymement cet ouvrage,
fondamental pour l'histoire du droit
et des idéaux démocratiques, qui est mis
à l'Index (le pape en interdit la lecture)
en 1751. Il participe à l'*Encyclopédie*
et rédige notamment l'article "Goût".

Mort : il meurt le 10 février 1755. Diderot est
le seul "philosophe" à suivre son enterrement.

Portrait de Montesquieu, peinture à l'huile de 1728,
école française du XVIIIe siècle.

Repères chronologiques

Vie et œuvres de Montesquieu	Événements politiques et culturels
1689 Naissance.	**1670** Querelle des Anciens et des Modernes. Chardin, *Le Récit du roi de Perse Soliman II*.
1700 Études au collège des Oratoriens de Juilly.	**1677** Tavernier, *Voyages en Turquie, en Perse et aux Indes*.
1705 Études de droit. Reçu avocat en 1708.	**1684** Louis XIV épouse secrètement Mme de Maintenon. Marana, *L'Espion du Grand Turc*.
1714 Reçu au Parlement de Bordeaux.	**1685** **Révocation de l'édit de Nantes.**
1715 Mariage avec Jeanne de Lartigue.	**1686** Chardin, *Voyages en Perse et aux Indes occidentales*.
1716 Naissance de son fils aîné. Hérite de la charge de président à mortier de son oncle. Discours de réception à l'Académie des sciences de Bordeaux. Il y parle en moderne.	**1694** Naissance de Voltaire.
1718 Discours sur la cause de l'écho ; Discours sur l'usage des glandes rénales.	**1695-1697** Bayle, *Dictionnaire historique et critique* (paraît jusqu'en 1697).
1721 **Les *Lettres persanes* (parution anonyme).** **Voyages et séjours à Paris, jusqu'en 1728.**	**1704** Contes des *Mille et Une Nuits* (début de la traduction de Galland).
1724 *Le Temple de Gnide*, poème en prose prétendument traduit du Grec.	**1711** Destruction de l'abbaye de Port-Royal des Champs, haut lieu du jansénisme.
1726 Vend sa charge de président à mortier.	**1712** Naissance de Rousseau.
	1713 Naissance de Diderot. Bulle *Unigenitus* du pape Clément XI condamnant le jansénisme.

Repères chronologiques

Vie et œuvres de Montesquieu	Événements politiques et culturels
1728 Élu à l'Académie française. **1728** Voyages en Europe jusqu'en 1731. **1734** *Considérations sur les causes de la grandeur des Romains et de leur décadence.* Se partage entre la Guyenne et Paris, jusqu'en 1748. **1748** Publication, à Genève, sans nom d'auteur, de *L'Esprit des lois*. Les jésuites attaquent le livre. **1750** *Défense de « L'Esprit des lois »*, contre les attaques des milieux cléricaux. **1751** ***L'Esprit des lois* est mis à l'index. J.-B. Gaultier s'en prend aux *Lettres persanes*.** **1753** Article « Goût » de l'*Encyclopédie*. **1754** Nouvelle édition des *Lettres persanes*. **1755** Mort de Montesquieu à Paris. **1758** Édition définitive des *Lettres persanes*, voulue par Montesquieu en 1754.	**1715** Arrivée à Paris du faux ambassadeur de Perse, Méhémet Riza Beg. Mort de Louis XIV. Régence de Philippe d'Orléans. **1716** Création par Law d'une banque privée. **1719** Faillite du système de Law. **1723** Mort du Régent. **1726** Le cardinal Fleury, précepteur de Louis XV devient Premier ministre. **1734** Voltaire, *Lettres philosophiques*. **1743** Mort du cardinal de Fleury. Mme de Pompadour favorite de Louis XV et protectrice des arts. **1746** Diderot, *Pensées philosophiques*. **1747** Voltaire, *Zadig*. **1748** Diderot, *Les Bijoux indiscrets*. **1751** **Premier volume de l'*Encyclopédie*.** **1758** Rousseau, *Lettre à d'Alembert sur les spectacles*. **1759** Voltaire, *Candide*.

Fiche d'identité de l'œuvre

Lettres persanes

Genre : roman épistolaire.

Auteur : Montesquieu, XVIIIᵉ siècle.

Objets d'étude : le conte philosophique ;
le narratif ;
le roman ;
un mouvement littéraire et culturel :
les Lumières ;
la délibération.

Registres : sérieux, grave, pathétique, comique, ironique, satirique. Varient en fonction de l'épistolier.

Structure : narration entrecoupée de "dissertations", de satires. Variété des sujets, des tonalités et des discours.

Principaux personnages : Usbek et Rica (les héros), Ibbi et Jaron (serviteurs), Fatmé, Roxane, Zachi, Zélis, Zéphis (épouses d'Usbek), Ibben, Mirza, Nargum, Nessir, Rhédi, Rustan (les amis), les eunuques, gardiens du sérail.

Sujet : à la fin du règne de Louis XIV et pendant la Régence, deux Persans, Rica et Usbek, voyagent en France et en Europe. À travers leurs lettres à leurs amis, ils posent un regard neuf, empli de distance critique, sur les défauts de la civilisation française du début du XVIIIᵉ siècle. Capable de hauteur de vue sur les préjugés de l'Occident, Usbek est cependant aveugle sur les siens : il règne en tyran sur un sérail qui se révolte, le roman s'achevant par le suicide de Roxane, son épouse préférée, rédigé "en direct" dans l'ultime lettre.

Lectures de l'œuvre : les *Lettres persanes* ont eu un succès à la hauteur du scandale qu'elles ont suscité lors de leur parution. Elles restent l'un des grands textes témoignant de la révolution intellectuelle propre à la philosophie des Lumières.

Frontispice de Charles Martin pour les *Lettres persanes.*
Estampe, 1926.

L'œuvre dans son siècle

Les Lettres persanes : *un roman novateur*

MONTESQUIEU choisit une nouvelle forme : le roman épisto-laire. Il a d'ailleurs écrit dans un fragment non publié : « Mes *Lettres persanes* apprirent à faire des romans en lettres. » Certes il y a déjà eu, en 1669, un précédent célèbre : les *Lettres portu-gaises*, attribuées à Guilleragues, mais c'est une correspon-dance monologue qui ne présente que les lettres qu'une reli-gieuse éplorée a écrites à l'amant qui l'a abandonnée. Les *Lettres persanes* présentent, elles, une correspondance avec plu-sieurs épistoliers, qu'on pourrait qualifier de « polyphonique » (à plusieurs voix). Il faut aussi ajouter qu'on a longtemps cru les *Lettres portugaises* authentiques, parce qu'elles étaient parues sans nom d'auteur, authenticité supposée qui va lancer la mode, au XVIIIe siècle, des romans épistolaires, qui peuvent pas-ser pour de vraies correspondances retrouvées dans une malle ou un grenier.

LE ROMAN, à l'aube des Lumières, est en crise : il est considéré comme un genre mineur, auquel on peut reprocher ses invrai-semblances et sa frivolité, un genre sans noblesse qui n'élève pas les mœurs. Pour échapper à ces accusations, les romanciers vont utiliser des formes qui déguiseront la fiction en témoi-gnage véritable, soit des correspondances, soit des mémoires, tels ceux d'un homme de qualité qui s'est retiré du monde chez l'abbé Prévost ou ceux de monsieur de Meilcour dans *Les Égare-ments du cœur et de l'esprit* de Crébillon fils. Les préfaces témoi-gnent aussi de la répudiation de la fiction romanesque : Montesquieu prétend n'être que l'éditeur d'une véritable cor-respondance dans la préface ajoutée en 1754 : « Les Persans qui écrivent ici étaient logés avec moi. Nous passions notre vie ensemble. [...] Ils me communiquaient la plupart de leurs lettres ; je les copiai. [...] Je ne fais donc office que de traducteur. Toute ma peine a été de mettre l'ouvrage à nos mœurs. »

L'œuvre dans son siècle

Les Lettres persanes *et la mode de l'Orient*

L ES *LETTRES PERSANES* sont aussi conçues comme un roman oriental. Sans remonter à François I^{er} et Soliman le Magnifique, des relations diplomatiques existent depuis longtemps entre la France et l'Orient. En outre, Mehemet Riza Beg, envoyé du Chah Hussein, entre à Paris le 6 février 1715 (fausse ambassade selon Saint-Simon) et stimule par l'exotisme de son allure la curiosité et l'imagination. D'autre part, des missions de savants vont rechercher des manuscrits anciens dans l'Empire ottoman. Nos missionnaires voyagent dans le Proche-, le Moyen- et l'Extrême-Orient. La littérature s'inspire de leurs récits de voyage. On peut évoquer *La Sultane* de Georges Bounyn, tragédie de 1651, et, plus près de Montesquieu, *Les Aventures du Grand Vizir Ibrahim Pacha et d'Isabelle de Monaco.* La polygamie du sérail, la sagesse orientale fascinent : en 1644, *Le Livre des Lumières ou la Conduite des rois,* écrit par un orientaliste français, Gaulmin, est censé avoir été écrit par un Persan. Ainsi l'Orient est-il à la mode depuis le siècle précédent et davantage encore au début du XVIII^e siècle, époque à laquelle sont traduits les *Contes des Mille et Une Nuits* par Galland et où fleurissent les récits de voyage peignant complaisamment les mœurs des Orientaux.

C E N'EST pourtant pas pour céder à cette vogue que le futur auteur de *L'Esprit des lois*, alors président à mortier (le mortier est un bonnet carré emblème des plus hautes fonctions juridiques) au Parlement de Bordeaux, utilise des héros persans. Du reste, il aurait pu se contenter des deux protagonistes masculins, le grave Usbek et l'enjoué Rica, et de quelques destinataires demeurés en Perse. Mais il a voulu que toute une partie de la fiction ait pour cadre le sérail. On pourrait penser qu'il a ainsi souhaité créer une atmosphère à la fois exotique et érotique, propice à la rêverie des lecteurs, qu'il a voulu joindre aux dissertations sérieuses un bien agréable divertissement. Mais, surtout, l'Orient lui fournit des personnages au regard néces-

sairement neuf, et donc critique. L'Orient a donc une fonction de mise à distance utile à l'entreprise de satire et de dénonciation des erreurs, manquements, superstitions et contradictions propres à l'Occident du début du XVIIIᵉ siècle. Il nourrit aussi une riche réflexion sur la tyrannie dont le sérail offre la plus terrifiante des incarnations : les femmes, absolument privées de liberté et transformées en objets de plaisir, montrent par leur unanime frustration toute l'inhumanité du despotisme. Le sérail est le lieu où le désir d'un seul frustre celui de tous, femmes et eunuques, un lieu où la passion a définitivement anéanti toute raison. Le sérail révèle à quelle impasse mène tout pouvoir, dès lors qu'il est absolu.

Un roman libertin

MAIS, PAR LE SÉRAIL OÙ les épouses rivalisent de charme pour séduire l'époux, notre roman se rattache aussi à la vogue naissante des romans licencieux qui éclosent au début du XVIIIᵉ siècle. La liberté de pensée que signifiait le terme « libertinage » s'infléchit, au XVIIIᵉ siècle, vers une liberté de mœurs dont témoignent certains romans. Certains titres sont particulièrement évocateurs : *La Nuit et le Moment* (1736), dialogue entre un homme et une femme, dans une chambre puis dans un lit, de Crébillon fils, *Le Sopha* (1742), du même auteur, lieu de multiples rencontres amoureuses, *Les Bijoux indiscrets* (1748), de Diderot, qui donnent la parole à des sexes. On peut aussi évoquer Duclos et les *Confessions du Comte de* *** (1741), Godar d'Aucour et *Thémidore* ou *Mon histoire et celle de ma maîtresse* (1745), et le *Point de lendemain* au titre provocateur, de Vivant Denon.

SOUS LA RÉGENCE, dans la haute société, il semble qu'on assiste à un relâchement des mœurs qui fait passer les grands sentiments éternels comme appartenant au bon vieux temps. Voici comment s'exprime Gabriel Mailhol dans *Le Cabriolet* (1754) : « Autrefois, s'il faut en croire les histoires, qui ne sont sans doute que des romans, un jeune homme frappé à la vue d'une

jeune fille soupirait et languissait longtemps avant d'oser lui faire l'aveu de sa passion. [...] Les mœurs ont bien changé de face. À peine trouve-t-on aujourd'hui dans quelques hameaux les traces des amours que je viens de vous peindre. Au lieu de soupirs et de sentiments, l'amour n'a plus que des désirs et des sensations. » C'est le triomphe de l'amour-goût, qui naît et meurt avec le moment. Son principe philosophique serait la primauté reconnue à la Nature, les écrivains libertins voulant établir une morale naturelle, reconnaissant, comme Diderot dans le *Supplément au voyage de Bougainville* (publié en 1773), que les besoins vitaux de l'homme doivent être satisfaits et même épanouis.

COMME DANS LES ROMANS LIBERTINS de Crébillon, de Diderot et de Laclos, Montesquieu pose dans ses *Lettres persanes* la question de l'amour, de ses discours et de sa réalité, et, au-delà, celle de l'humanité, déchirée entre sensibilité et raison, entre masculinité et féminité. Le sérail enferme et exhibe les affres du désir et les tourments de la jalousie, et surtout cette peur, viscérale, que les hommes ont des femmes. Montesquieu ose, en homme de son temps, aborder la question de la sexualité. Éros l'intéresse, comme il intéresse tous ceux qui ont décidé de penser l'homme autrement que par les dogmes et les préjugés religieux.

Un texte des Lumières

LA RÉFLEXION POLITIQUE occupe une grande place dans l'œuvre de Montesquieu et motive notamment les lettres consacrées à l'histoire des Troglodytes. C'est en juriste que Montesquieu réfléchit sur le processus de transformation de la monarchie féodale en royauté absolue. Pour Saint-Simon (1675-1755), c'est Louis XIV, le Roi-Soleil, qui porte la responsabilité de cette transformation qui est aussi un gauchissement. Cette métamorphose a fait suite à la Fronde, dont le souvenir conduit le roi à se méfier des aristocrates et à les transformer en domestiques. Mais, pour Montesquieu, l'origine de ce mouvement inexorable

est plus lointaine : c'est la lente dégénérescence d'une monarchie de plus en plus absolue, parce que rien ne la régule, si ce n'est la coutume.

MONTESQUIEU s'interroge sur le sens de l'histoire qui a conduit aux échecs financiers et militaires de la fin du règne de Louis XIV. Il se pose la question des droits originels et donc fondamentaux de la noblesse, du Tiers État, de l'Église, sur les conséquences de l'absolutisme royal, sur les différents régimes politiques envisageables. Si le Régent rend aux Parlements en 1715 leur droit de remontrance et institue la polysynodie, ou système des conseils, c'est parce qu'il ressent la montée d'une réflexion contestatrice dans la noblesse et chez les grands penseurs tels Montesquieu. Lequel s'est d'ailleurs permis de lui adresser en 1716 un *Mémoire sur les dettes de l'État* dans lequel il écrit : « Il serait à souhaiter que Votre Altesse Royale pût supprimer le dixième et la capitation. Elle sait combien ces impôts sont onéreux au peuple et injurieux à la noblesse. »

LES *LETTRES PERSANES* commentent l'actualité politique la plus brûlante : la lettre XLIX rappelle la révocation de l'édit de Nantes. La lettre XCII signale que le Régent lors de la minorité de Louis XV a été Philippe d'Orléans, mort le 2 décembre 1723. La lettre CXXXVIII traite de la banqueroute de Law (inventeur du papier-monnaie), qui provoqua une série de ruines individuelles. Tout en rendant compte de l'actualité, elles développent une pensée de l'histoire qui se développera dans *L'Esprit des lois* : « Les fleuves courent se mêler dans la mer : les monarchies vont se perdre dans le despotisme. » Montesquieu n'est pas plus optimiste sur la démocratie, qui, selon lui, ne peut reposer que sur la vertu pour demeurer stable et égalitaire.

EN FAIT LES *PERSANES* entremêlent des satires sociales et des dissertations politiques à des confidences de femmes et d'eunuques, mettant sur un même plan démonstrations de sagesse et preuves de folie, apologues et jeux d'esprit, posant, de multiples façons, les questions qui obsèdent le XVIIIe siècle,

de la liberté et de la tyrannie, de la vertu et du bonheur. Les épistoliers orientaux n'offrent donc pas seulement la vision critique d'un Occident rempli de préjugés et de contradictions ; ils renvoient l'homme à son énigme, que le dénouement ne résoudra pas, bien au contraire. Les *Lettres persanes* débordent le « roman du sérail » qui ne leur sert qu'en partie de cadre. Elles parcourent, quoique fugitivement, la Moscovie, l'Espagne, Venise et l'Angleterre. Elles sont délibérément dans la bigarrure, dans un désordre apparent qui recouvre *in extremis* la cohérence d'une pensée émancipatrice, parfois grave, parfois badine, mais toujours mue par une volonté de progrès et éclairée par ce qui s'épanouira en philosophie des Lumières.

Lire l'œuvre aujourd'hui

Une leçon de tolérance d'un libre-penseur

Ce qui fait des *Lettres persanes* une œuvre inaltérable, c'est son irrévérence et sa liberté de pensée à laquelle la polyphonie épistolaire confère un élan multidirectionnel. Montesquieu ose par exemple écrire au début du XVIIIe siècle que le pape « est une vieille idole qu'on encense par habitude » (lettre XXIV).

Pour Montesquieu, les religions rigidifient la pensée par le dogmatisme et l'intolérance ; elles divisent l'humanité et opposent civilisations et nations alors qu'elles devraient relier les hommes. Elles entravent la sexualité qui pourtant est destinée à assurer la survie de l'espèce. Plus généralement, elles discréditent le bonheur terrestre au profit de la vie éternelle. Montesquieu s'attache, par conséquent, à libérer la pensée de ce joug, sans ignorer, comme Voltaire, la fonction moralisatrice des religions. La diversité des coutumes et des religions doit conduire l'homme à fonder son éthique sur sa seule raison. Les *Lettres persanes* sont d'abord une leçon de tolérance et de mise en question des préjugés.

Une leçon de démocratie

Montesquieu ne se contente pas, en homme de son temps, de s'attaquer à la royauté, comme, par exemple, dans la lettre XXXVII sur Louis XIV : « Le Roi de France est vieux. Nous n'avons point d'exemple dans nos histoires d'un monarque qui ait si long-temps régné. [...] Il aime à gratifier ceux qui le servent ; mais il paye aussi libéralement les assiduités, ou plutôt l'oisiveté de ses courtisans, que les campagnes laborieuses de ses capitaines. »

Il réfléchit aussi sur la démocratie (lettre LXXX où Usbek écrit avoir « souvent recherché quel était le gouvernement le plus conforme à la raison »), et cette réflexion ne laisse pas d'être d'actualité : la démocratie exige, pour notre auteur, que chacun pratique la vertu, c'est-à-dire mette sincèrement le bien commun au-dessus de son intérêt propre. Aussi Montesquieu a-t-il des doutes sur sa pérennité : les hommes sont-ils, par

nature, assez vertueux pour être démocrates ? Or, sans la vertu, la démocratie a tôt fait de s'abîmer dans les intérêts des plus puissants et de se dénaturer.

Montesquieu s'est efforcé dans les *Lettres persanes* de mettre au jour le moment où une relation harmonieuse, amoureuse ou politique, bascule dans un rapport de force où l'un piétine la liberté de l'autre, où l'harmonie, par essence précaire, cède le pas à la tyrannie. L'apologue des Troglodytes (lettres XI à XIV) montre que le bonheur repose sur la vertu, sur la justice et sur l'équité. Les Troglodytes vivent dans un nouvel éden en se répartissant selon leurs besoins les produits dont les comble la Nature. Mais cet éden ne dure pas. Et Montesquieu pousse la lucidité jusqu'au pessimisme : le régime politique auquel les hommes sont naturellement enclins est le despotisme. Et, pourtant, en se fondant sur la raison et sur un idéal de justice qui transcende les lois, l'homme doit continuer à espérer le progrès de l'humanité.

Édition du texte

Les *Lettres persanes* paraissent anonymement et en Hollande en 1721. La première édition compte 150 lettres.

En 1754, Montesquieu, pour répondre à la multiplication des éditions contrefaites de son œuvre, donne une édition définitive (reproduite ici) comprenant une préface (*Quelques réflexions sur les* Lettres persanes) et onze nouvelles lettres.

LETTRES PERSANES.

TOME II.

A AMSTERDAM,

Chez PIERRE BRUNEL,

sur le Dam.

M. DCC. XXI.

Page de titre de l'édition originale des *Lettres persanes*,
1721.

Lettres persanes

Montesquieu

Roman épistolaire (1721)

Texte conforme
à l'édition de 1754

Quelques réflexions
sur les *Lettres persanes*

Je ne fais point ici d'Épître dédicatoire, et je ne demande point de protection pour ce livre : on le lira, s'il est bon ; et, s'il est mauvais, je ne me soucie pas qu'on le lise.

J'ai détaché ces premières lettres pour essayer le goût du public ; j'en ai un grand nombre d'autres dans mon portefeuille, que je pourrai lui donner dans la suite.

Mais c'est à condition que je ne serai pas connu car si l'on vient à savoir mon nom, dès ce moment je me tais. Je connais une femme[1] qui marche assez bien, mais qui boite dès qu'on la regarde. C'est assez des défauts de l'ouvrage sans que je présente encore à la critique ceux de ma personne. Si l'on savait qui je suis, on dirait : « Son livre jure avec son caractère ; il devrait employer son temps à quelque chose de mieux ; cela n'est pas digne d'un homme grave. » Les critiques ne manquent jamais ces sortes de réflexions, parce qu'on les peut faire sans essayer beaucoup son esprit.

Les Persans qui écrivent ici étaient logés avec moi ; nous passions notre vie ensemble. Comme ils me regardaient comme un homme d'un autre monde, ils ne me cachaient rien. En effet, des gens transplantés de si loin ne pouvaient plus avoir de secrets. Ils me communiquaient la plupart de leurs lettres ; je les copiai. J'en surpris même quelques-unes dont ils se seraient bien gardés de me faire confidence, tant elles étaient mortifiantes pour la vanité et la jalousie persane.

1. **Une femme :** on peut y voir une allusion à Jeanne de Lartigue, l'épouse de Montesquieu.

Je ne fais donc que l'office de traducteur : toute ma peine a été de mettre l'ouvrage à nos mœurs. J'ai soulagé le lecteur du langage asiatique[1] autant que je l'ai pu, et l'ai sauvé d'une infinité d'expressions sublimes, qui l'auraient envoyé jusque dans les nues.

Mais ce n'est pas tout ce que j'ai fait pour lui. J'ai retranché les longs compliments, dont les Orientaux ne sont pas moins prodigues que nous, et j'ai passé un nombre infini de ces minuties qui ont tant de peine à soutenir le grand jour, et qui doivent toujours mourir entre deux amis.

Si la plupart de ceux qui nous ont donné des recueils de lettres avaient fait de même, ils auraient vu leurs ouvrages s'évanouir.

Il y a une chose qui m'a souvent étonné : c'est de voir ces Persans quelquefois aussi instruits que moi-même des mœurs et des manières de la nation, jusqu'à en connaître les plus fines circonstances, et à remarquer des choses qui, je suis sûr, ont échappé à bien des Allemands qui ont voyagé en France. J'attribue cela au long séjour qu'ils y ont fait : sans compter qu'il est plus facile à un Asiatique de s'instruire des mœurs des Français dans un an, qu'il ne l'est à un Français de s'instruire des mœurs des Asiatiques dans quatre, parce que les uns se livrent autant que les autres se communiquent peu.

L'usage a permis à tout traducteur, et même au plus barbare commentateur, d'orner la tête de sa version, ou de sa glose, du panégyrique[2] de l'original, et d'en relever l'utilité, le mérite et l'excellence. Je ne l'ai point fait : on en devinera facilement les raisons. Une des meilleures est que ce serait une chose très ennuyeuse, placée dans un lieu déjà très ennuyeux de lui-même, je veux dire une Préface.

1. **J'ai soulagé le lecteur du langage asiatique :** Montesquieu n'imitera pas le style orné propre aux Orientaux. Il restera dans les limites du bel usage français.
2. **Panégyrique :** discours à la louange de quelqu'un (plus rarement, d'une cité ou d'une nation).

Lettre première

USBEK À SON AMI RUSTAN, À ISPAHAN

Nous n'avons séjourné qu'un jour à Com[1]. Lorsque nous eûmes fait nos dévotions sur le tombeau de la vierge[2] qui a mis au monde douze prophètes, nous nous remîmes en chemin, et hier, vingt-cinquième jour de notre départ d'Ispahan, nous arrivâmes à Tauris[3]. 5

Rica et moi sommes peut-être les premiers parmi les Persans que l'envie de savoir ait fait sortir de leur pays, et qui aient renoncé aux douceurs d'une vie tranquille pour aller chercher laborieusement la sagesse.

Nous sommes nés dans un royaume florissant ; mais 10
nous n'avons pas cru que ses bornes fussent celles de nos connaissances, et que la lumière orientale dût seule nous éclairer.

Mande-moi ce que l'on dit de notre voyage ; ne me flatte point : je ne compte pas sur un grand nombre 15
d'approbateurs. Adresse ta lettre à Erzeron[4], où je séjournerai quelque temps.

Adieu, mon cher Rustan ; sois assuré qu'en quelque lieu du monde où je sois tu as un ami fidèle.

De Tauris, le 15 de la lune de Saphar[5], 1711.

1. **Com :** aujourd'hui Qom, ville située au nord d'Ispahan.
2. **Vierge :** Fathmé, fille de Mahomet, et aïeule des douze califes chiites, est confondue avec Fathmé, fille d'un des douze califes ayant succédé à Mahomet : le tombeau de cette dernière était à Com. Elle est désignée comme « vierge » à partir de la traduction d'une prière.
3. **Tauris :** actuellement Tabriz.
4. **Erzeron :** ville située en Arménie turque.
5. **Saphar :** 14 avril, selon le calendrier musulman des mois lunaires.

Lettre II

Lettre II

USBEK AU PREMIER EUNUQUE NOIR,
À SON SÉRAIL D'ISPAHAN

Tu es le gardien fidèle des plus belles femmes de Perse ;
je t'ai confié ce que j'avais dans le monde de plus cher ; tu
tiens en tes mains les clefs de ces portes fatales qui ne
s'ouvrent que pour moi. Tandis que tu veilles sur ce dépôt
5 précieux de mon cœur, il se repose et jouit d'une sécurité
entière. Tu fais la garde dans le silence de la nuit, comme
dans le tumulte du jour ; tes soins infatigables soutiennent
la vertu lorsqu'elle chancelle. Si les femmes que tu gardes
voulaient sortir de leur devoir, tu leur en ferais perdre
10 l'espérance. Tu es le fléau du vice et la colonne de la fidélité.

Tu leur commandes, et leur obéis ; tu exécutes aveuglé-
ment toutes leurs volontés et leur fais exécuter de même
les lois du sérail. Tu trouves de la gloire à leur rendre les
services les plus vils ; tu te soumets avec respect et avec
15 crainte à leurs ordres légitimes ; tu les sers comme l'esclave
de leurs esclaves. Mais, par un retour d'empire, tu commandes
en maître comme moi-même, quand tu crains le relâche-
ment des lois de la pudeur et de la modestie.

Souviens-toi toujours du néant d'où je t'ai fait sortir,
20 lorsque tu étais le dernier de mes esclaves, pour te mettre
en cette place et te confier les délices de mon cœur : tiens-
toi dans un profond abaissement auprès de celles qui par-
tagent mon amour ; mais fais-leur en même temps sentir
leur extrême dépendance. Procure-leur tous les plaisirs
25 qui peuvent être innocents ; trompe leurs inquiétudes ;
amuse-les par la musique, les danses, les boissons déli-
cieuses ; persuade-leur de s'assembler souvent. Si elles
veulent aller à la campagne, tu peux les y mener ; mais
fais faire main basse sur[1] tous les hommes qui se présen-

1. **Faire main basse sur :** « s'emparer de ».

teront devant elles. Exhorte-les à la propreté, qui est
l'image de la netteté de l'âme. Parle-leur quelquefois de
moi. Je voudrais les revoir dans ce lieu charmant qu'elles
embellissent.

Adieu.

De Tauris, le 18 de la lune de Saphar, 1711.

Lettre III
ZACHI À USBEK, À TAURIS

Nous avons ordonné au chef des eunuques de nous
mener à la campagne ; il te dira qu'aucun accident ne
nous est arrivé. Quand il fallut traverser la rivière et quit-
ter nos litières, nous nous mîmes, selon la coutume, dans
des boîtes[1] : deux esclaves nous portèrent sur leurs épaules,
et nous échappâmes à tous les regards.

Comment aurais-je pu vivre, cher Usbek, dans ton sérail
d'Ispahan, dans ces lieux qui, me rappelant sans cesse mes
plaisirs passés, irritaient tous les jours mes désirs avec une
nouvelle violence ? J'errais d'appartements en appartements,
te cherchant toujours, et ne te trouvant jamais ; mais ren-
contrant partout un cruel souvenir de ma félicité passée.
Tantôt je me voyais en ce lieu où, pour la première fois de
ma vie, je te reçus dans mes bras ; tantôt, dans celui où tu
décidas cette fameuse querelle entre tes femmes. Chacune
de nous se prétendait supérieure aux autres en beauté. Nous
nous présentâmes devant toi après avoir épuisé tout ce que
l'imagination peut fournir de parures et d'ornements. Tu vis
avec plaisir les miracles de notre art ; tu admiras jusques où
nous avait emportées l'ardeur de te plaire. Mais tu fis bientôt
céder ces charmes empruntés à des grâces plus naturelles :
tu détruisis tout notre ouvrage. Il fallut nous dépouiller de

1. **Boîtes :** berceaux couverts et fermés portés à dos de chameaux.

ces ornements qui t'étaient devenus incommodes ; il fallut paraître à ta vue dans la simplicité de la nature. Je comptai
25 pour rien la pudeur ; je ne pensai qu'à ma gloire. Heureux Usbek, que de charmes furent étalés à tes yeux ! Nous te vîmes longtemps errer d'enchantements en enchantements : ton âme incertaine demeura longtemps sans se fixer ; chaque grâce nouvelle te demandait un tribut ; nous fûmes en
30 un moment toutes couvertes de tes baisers ; tu portas tes curieux regards dans les lieux les plus secrets ; tu nous fis passer en un instant dans mille situations différentes : toujours de nouveaux commandements et une obéissance toujours nouvelle. Je te l'avoue, Usbek : une passion encore plus
35 vive que l'ambition me fit souhaiter de te plaire. Je me vis insensiblement devenir la maîtresse de ton cœur ; tu me pris ; tu me quittas ; tu revins à moi, et je sus te retenir, le triomphe fut tout pour moi, et le désespoir pour mes rivales. Il nous sembla que nous fussions seuls dans le monde : tout ce qui
40 nous entourait ne fut plus digne de nous occuper. Plût au ciel que mes rivales eussent eu le courage de rester témoins de toutes les marques d'amour que je reçus de toi ! Si elles avaient bien vu mes transports, elles auraient senti la différence qu'il y a de mon amour au leur ; elles auraient vu que,
45 si elles pouvaient disputer avec moi de charmes, elles ne pouvaient pas disputer de sensibilité… Mais où suis-je ? Où m'emmène ce vain récit ? C'est un malheur de n'être point aimée ; mais c'est un affront de ne l'être plus. Tu nous quittes, Usbek, pour aller errer dans des climats barbares. Quoi ! tu
50 comptes pour rien l'avantage d'être aimé ? Hélas ! tu ne sais même pas ce que tu perds ! Je pousse des soupirs qui ne sont point entendus ; mes larmes coulent, et tu n'en jouis pas ; il semble que l'amour respire dans le sérail, et ton insensibilité t'en éloigne sans cesse ! Ah ! mon cher Usbek, si
55 tu savais être heureux !

Du sérail de Fatmé, le 21 de la lune de Maharram[1], 1711.

1. **Maharram :** mars.

Lettre IV
ZÉPHIS À USBEK, À ERZERON

Enfin ce monstre noir a résolu de me désespérer : il veut à toute force m'ôter mon esclave Zélide ; Zélide qui me sert avec tant d'affection, et dont les adroites mains portent partout les ornements et les grâces. Il ne lui suffit pas que cette séparation soit douloureuse : il veut encore qu'elle soit déshonorante[1]. Le traître veut regarder comme criminels les motifs de ma confiance, et, parce qu'il s'ennuie derrière la porte, où je le renvoie toujours, il ose supposer qu'il a entendu ou vu des choses que je ne sais pas même imaginer. Je suis bien malheureuse ! Ma retraite ni ma vertu ne sauraient me mettre à l'abri de ses soupçons extravagants : je ne veux d'autre garant de ma conduite que toi-même, que ton amour, que le mien, et, s'il faut te le dire, cher Usbek, que mes larmes.

Du sérail de Fatmé, le 29 de la lune de Maharram, 1711.

Lettre V
RUSTAN À USBEK, À ERZERON

Tu es le sujet de toutes les conversations d'Ispahan : on ne parle que de ton départ. Les uns l'attribuent à une légèreté d'esprit ; les autres à quelque chagrin. Tes amis seuls te défendent, et ils ne persuadent personne ; On ne peut comprendre que tu puisses quitter tes femmes, tes parents, tes amis, ta patrie pour aller dans des climats inconnus aux Persans. La mère de Rica est inconsolable ; elle te demande son fils, que tu lui as, dit-elle, enlevé. Pour moi,

1. **Déshonorante :** à en croire Chardin, les femmes orientales sont réputées être souvent tribades c'est-à-dire homosexuelles.

Lettre V

[annotation manuscrite : Rustan commends but cannot forgive this absense.]

mon cher Usbek, je me sens naturellement porté à approuver tout ce que tu fais, mais je ne saurais te pardonner ton absence, et, quelques raisons que tu m'en puisses donner, mon cœur ne les goûtera jamais.

Adieu ; aime-moi toujours.

D'Ispahan, le 28 de la lune de Rebiab 1[1], 1711.

[annotation manuscrite : beaucoup de doute dans son voyage.]

Lettre VI

USBEK À SON AMI NESSIR, À ISPAHAN

À une journée d'Érivan[2], nous quittâmes la Perse pour entrer dans les terres de l'obéissance des Turcs. Douze jours après, nous arrivâmes à Erzeron[3], où nous séjournerons trois ou quatre mois.

Il faut que je te l'avoue, Nessir : j'ai senti une douleur secrète quand j'ai perdu la Perse de vue, et que je me suis trouvé au milieu des perfides Osmanlins[4]. À mesure que j'entrais dans les pays de ces profanes, il me semblait que je devenais profane moi-même.

Ma patrie, ma famille, mes amis se sont présentés à mon esprit ; ma tendresse s'est réveillée ; une certaine inquiétude a achevé de me troubler, et m'a fait connaître que, pour mon repos, j'avais trop entrepris.

1. **Rebiab 1 :** mai.
2. **Érivan :** capitale d'Arménie.
3. **Erzeron :** ou Erzeroum, capitale de l'Arménie turque. Les voyageurs accomplissent le voyage de Tavernier mais en sens inverse.
4. **Osmanlins :** Turcs. Les Turcs sont sunnites : ils reconnaissent l'autorité d'Abou Bekr, beau-père de Mahomet. Les Persans sont chiites et ne reconnaissent qu'un seul successeur légitime de Mahomet, son gendre Ali.

Mais ce qui afflige le plus mon cœur, ce sont mes femmes : je ne puis penser à elles que je ne sois dévoré de chagrins.

Ce n'est pas, Nessir, que je les aime : je me trouve à cet égard dans une insensibilité qui ne me laisse point de désirs. Dans le nombreux[1] sérail où j'ai vécu, j'ai prévenu l'amour et l'ai détruit par lui-même ; mais, de ma froideur même, il sort une jalousie secrète, qui me dévore. Je vois une troupe de femmes laissées presque à elles-mêmes ; je n'ai que des âmes lâches qui m'en répondent. J'aurais peine à être en sûreté si mes esclaves étaient fidèles. Que sera-ce, s'ils ne le sont pas ? Quelles tristes nouvelles peuvent m'en venir dans les pays éloignés que je vais parcourir ! C'est un mal où mes amis ne peuvent porter de remède : c'est un lieu dont ils doivent ignorer les tristes secrets. Et qu'y pourraient-ils faire ? N'aimerais-je pas mille fois mieux une obscure impunité qu'une correction éclatante ? Je dépose en ton cœur tous mes chagrins, mon cher Nessir ; c'est la seule consolation qui me reste dans l'état où je suis.

D'Erzeron, le 10 de la lune de Rebiab 2[2], 1711.

Lettre VII

FATMÉ À USBEK, À ERZERON

Il y a deux mois que tu es parti, mon cher Usbek, et, dans l'abattement où je suis, je ne puis pas me le persuader encore. Je cours tout le sérail, comme si tu y étais ; je ne suis point désabusée. Que veux-tu que devienne une femme qui t'aime ; qui était accoutumée à te tenir dans ses bras ; qui n'était occupée que du soin de te donner des

1. **Nombreux :** peuplé de femmes.
2. **Rebiab 2 :** juin.

preuves de sa tendresse : libre par l'avantage de sa nais-
sance, esclave par la violence de son amour ?

Quand je t'épousai, mes yeux n'avaient point encore vu
10 le visage d'un homme ; tu es le seul encore dont la vue
m'ait été permise[1] : car je ne mets pas au rang des hommes
ces eunuques affreux dont la moindre imperfection est de
n'être point hommes. Quand je compare la beauté de ton
visage avec la difformité du leur, je ne puis m'empêcher de
15 m'estimer heureuse : mon imagination ne me fournit
point d'idée plus ravissante que les charmes enchanteurs
de ta personne. Je te le jure, Usbek : quand il me serait
permis de sortir de ce lieu où je suis enfermée par la
nécessité de ma condition ; quand je pourrais me dérober
20 à la garde qui m'environne ; quand il me serait permis de
choisir parmi tous les hommes qui vivent dans cette capi-
tale des nations : Usbek, je te le jure, je ne choisirais que
toi. Il ne peut y avoir que toi dans le monde qui mérites
d'être aimé.

25 Ne pense pas que ton absence m'ait fait négliger une
beauté qui t'est chère. Quoique je ne doive être vue de
personne, et que les ornements dont je me pare soient
inutiles à ton bonheur, je cherche cependant à m'entrete-
nir dans l'habitude de plaire. Je ne me couche point que je
30 ne me sois parfumée des essences les plus délicieuses. Je
me rappelle ce temps heureux où tu venais dans mes
bras ; un songe flatteur, qui me séduit, me montre ce cher
objet de mon amour ; mon imagination se perd dans ses
désirs, comme elle se flatte dans ses espérances. Je pense
35 quelquefois que, dégoûté d'un pénible voyage, tu vas reve-
nir à nous : la nuit se passe dans des songes qui n'appar-
tiennent ni à la veille ni au sommeil ; je te cherche à mes
côtés, et il me semble que tu me fuis ; enfin le feu qui me

1. **Quand je t'épousai [...] permise :** « Les femmes persanes sont encore
plus strictement gardées que les femmes turques et indiennes. » (Note
de Montesquieu.)

dévore dissipe lui-même ces enchantements et rappelle
mes esprits. Je me trouve pour lors si animée... Tu ne le
croirais pas, Usbek : il est impossible de vivre dans cet
état ; le feu coule dans mes veines. Que ne puis-je t'expri-
mer ce que je sens si bien ! et comment sens-je si bien ce
que je ne puis t'exprimer ? Dans ces moments, Usbek, je
donnerais l'empire du monde pour un seul de tes baisers.
Qu'une femme est malheureuse d'avoir des désirs si vio-
lents, lorsqu'elle est privée de celui qui peut seul les satis-
faire : que, livrée à elle-même, n'ayant rien qui puisse la
distraire, il faut qu'elle vive dans l'habitude des soupirs et
dans la fureur d'une passion irritée ; que, bien loin d'être
heureuse, elle n'a pas même l'avantage de servir à la féli-
cité d'un autre : ornement inutile d'un sérail, gardée pour
l'honneur, et non pas pour le bonheur de son époux !

Vous êtes bien cruels, vous autres hommes ! Vous êtes
charmés que nous ayons des passions que nous ne puis-
sions satisfaire ; vous nous traitez comme si nous étions
insensibles, et vous seriez bien fâchés que nous le fussions ;
vous croyez que nos désirs, si longtemps mortifiés[1], seront
irrités à votre vue. Il y a de la peine à se faire aimer ; il est
plus court d'obtenir du désespoir de nos sens ce que vous
n'osez attendre de votre mérite.

Adieu, mon cher Usbek, adieu. Compte que je ne vis
que pour t'adorer : mon âme est toute pleine de toi ; et ton
absence, bien loin de te faire oublier, animerait mon
amour, s'il pouvait devenir plus violent.

Du sérail d'Ispahan, le 12 de la lune de Rebiab 1, 1711.

1. **Mortifiés :** au premier sens « qui est rendu comme mort au péché »,
qu'on fait cruellement souffrir.

Lettre VIII

USBEK À SON AMI RUSTAN, À ISPAHAN

Ta lettre m'a été rendue à Erzeron, où je suis. Je m'étais bien douté que mon départ ferait du bruit ; je ne m'en suis point mis en peine. Que veux-tu que je suive, la prudence de mes ennemis, ou la mienne ?

5 Je parus à la cour dès ma plus tendre jeunesse. Je le puis dire : mon cœur ne s'y corrompit point ; je formai même un grand dessein : j'osai y être vertueux. Dès que je connus le vice, je m'en éloignai ; mais je m'en approchai ensuite pour le démasquer. Je portai la vérité jusques au 10 pied du trône : j'y parlai un langage jusqu'alors inconnu ; je déconcertai la flatterie, et j'étonnai en même temps les adorateurs et l'idole[1].

Mais, quand je vis que ma sincérité m'avait fait des ennemis ; que je m'étais attiré la jalousie des ministres, 15 sans avoir la faveur du Prince ; que, dans une cour corrompue, je ne me soutenais plus que par une faible vertu, je résolus de la quitter. Je feignis un grand attachement pour les sciences, et, à force de le feindre, il me vint réellement. Je ne me mêlai plus d'aucunes affaires, et je me reti-20 rai dans une maison de campagne. Mais ce parti même avait ses inconvénients : je restais toujours exposé à la malice de mes ennemis, et je m'étais presque ôté les moyens de m'en garantir. Quelques avis secrets me firent penser à moi sérieusement. Je résolus de m'exiler de ma 25 patrie, et ma retraite même de la cour m'en fournit un prétexte plausible. J'allai au roi ; je lui marquai l'envie que j'avais de m'instruire dans les sciences de l'Occident ; je lui insinuai qu'il pourrait tirer de l'utilité de mes voyages. Je trouvai grâce devant ses yeux ; je partis, et je dérobai une 30 victime à mes ennemis.

1. **Les adorateurs et l'idole :** les courtisans et le prince.

Voilà, Rustan, le véritable motif de mon voyage. Laisse parler Ispahan ; ne me défends que devant ceux qui m'aiment ; laisse à mes ennemis leurs interprétations malignes : je suis trop heureux que ce soit le seul mal qu'ils me puissent faire.

On parle de moi à présent. Peut-être ne serai-je que trop oublié, et que mes amis... Non, Rustan, je ne veux point me livrer à cette triste pensée : je leur serai toujours cher ; je compte sur leur fidélité, comme sur la tienne.

D'Erzeron, le 20 de la lune de Gemmadi 2[1], 1711.

Lettre IX
LE PREMIER EUNUQUE À IBBI, À ERZERON

Tu suis ton ancien maître dans ses voyages ; tu parcours les provinces et les royaumes ; les chagrins ne sauraient faire d'impression sur toi : chaque instant te montre des choses nouvelles ; tout ce que tu vois te récrée et te fait passer le temps sans le sentir.

Il n'en est pas de même de moi, qui, enfermé dans une prison affreuse, suis toujours environné des mêmes objets et dévoré des mêmes chagrins. Je gémis, accablé sous le poids des soins et des inquiétudes de cinquante années ; et, dans le cours d'une longue vie, je ne puis pas dire avoir eu un jour serein et un moment tranquille.

Lorsque mon premier maître eut formé le cruel projet de me confier ses femmes et m'eut obligé, par des séductions soutenues de mille menaces, de me séparer pour jamais de moi-même[2], las de servir dans les emplois les plus pénibles, je comptai sacrifier mes passions à mon repos et à ma for-

1. **Gemmadi 2 :** août.
2. **Me séparer pour jamais de moi-même :** périphrase désignant la castration.

tune. Malheureux que j'étais ! Mon esprit préoccupé me faisait voir le dédommagement, et non pas la perte : j'espérais que je serais délivré des atteintes de l'amour par l'impuis-
20 sance de le satisfaire. Hélas ! on éteignit en moi l'effet des passions, sans en éteindre la cause, et bien loin d'en être soulagé, je me trouvai environné d'objets qui les irritaient sans cesse. J'entrai dans le sérail, où tout m'inspirait le regret de ce que j'avais perdu : je me sentais animé à chaque
25 instant ; mille grâces naturelles semblaient ne se découvrir à ma vue que pour me désoler. Pour comble de malheurs, j'avais toujours devant les yeux un homme heureux. Dans ce temps de trouble, je n'ai jamais conduit une femme dans le lit de mon maître, je ne l'ai jamais déshabil-
30 lée, que je ne sois rentré chez moi la rage dans le cœur et un affreux désespoir dans l'âme.

Voilà comme j'ai passé ma misérable jeunesse. Je n'avais de confident que moi-même ; chargé d'ennuis[1] et de chagrins, il me les fallait dévorer, et ces mêmes femmes, que
35 j'étais tenté de regarder avec des yeux si tendres, je ne les envisageais qu'avec des regards sévères : j'étais perdu si elles m'avaient pénétré. Quel avantage n'en auraient-elles pas pris ?

Je me souviens qu'un jour que je mettais une femme
40 dans le bain, je me sentis si transporté que je perdis entièrement la raison, et que j'osai porter ma main dans un lieu redoutable. Je crus, à la première réflexion, que ce jour était le dernier de mes jours. Je fus pourtant assez heureux pour échapper à mille morts. Mais la beauté que
45 j'avais faite confidente de ma faiblesse me vendit bien cher son silence : je perdis entièrement mon autorité sur elle, et elle m'a obligé depuis à des condescendances qui m'ont exposé mille fois à perdre la vie.

Enfin, les feux de la jeunesse ont passé : je suis vieux, et
50 je me trouve à cet égard dans un état tranquille ; je

1. **Ennuis :** chagrins, le sens est ici celui, très fort, de la langue classique.

regarde les femmes avec indifférence, et je leur rends bien tous leurs mépris et tous les tourments qu'elles m'ont fait souffrir. Je me souviens toujours que j'étais né pour les commander, et il me semble que je redeviens homme dans les occasions où je leur commande encore. Je les hais depuis que je les envisage de sens froid, et que ma raison me laisse voir toutes leurs faiblesses. Quoique je les garde pour un autre, le plaisir de me faire obéir me donne une joie secrète : quand je les prive de tout, il me semble que c'est pour moi, et il m'en revient toujours une satisfaction indirecte. Je me trouve dans le sérail comme dans un petit empire, et mon ambition, la seule passion qui me reste, se satisfait un peu. Je vois avec plaisir que tout roule sur moi, et qu'à tous les instants je suis nécessaire. Je me charge volontiers de la haine de toutes ces femmes, qui m'affermit dans le poste où je suis. Aussi n'ont-elles pas affaire à un ingrat : elles me trouvent au-devant de tous leurs plaisirs les plus innocents. Je me présente toujours à elles comme une barrière inébranlable : elles forment des projets, et je les arrête soudain. Je m'arme de refus ; je me hérisse de scrupules ; je n'ai jamais dans la bouche que les mots de devoir, de vertu, de pudeur, de modestie. Je les désespère en leur parlant sans cesse de la faiblesse de leur sexe et de l'autorité du maître. Je me plains ensuite d'être obligé à tant de sévérité, et je semble vouloir leur faire entendre que je n'ai d'autre motif que leur propre intérêt et un grand attachement pour elles.

Ce n'est pas qu'à mon tour je n'aie un nombre infini de désagréments, et que tous les jours ces femmes vindicatives ne cherchent à renchérir sur ceux que je leur donne : elles ont des revers[1] terribles. Il y a entre nous comme un flux et un reflux d'empire[2] et de soumission. Elles font

1. **Revers :** coup donné de l'arrière de la main, châtiment au propre ou au figuré.
2. **Empire :** domination, commandement.

toujours tomber sur moi les emplois les plus humiliants ;
elles affectent un mépris qui n'a point d'exemple ; et, sans
85 égard pour ma vieillesse, elles me font lever la nuit dix fois
pour la moindre bagatelle. Je suis accablé sans cesse d'ordres,
de commandements, d'emplois, de caprices : il semble
qu'elles se relaient pour m'exercer, et que leurs fantaisies
se succèdent. Souvent elles se plaisent à me faire redou-
90 bler de soins ; elles me font faire de fausses confidences :
tantôt on vient me dire qu'il a paru un jeune homme
autour de ces murs ; une autre fois, qu'on a entendu du
bruit, ou bien qu'on doit rendre une lettre. Tout ceci me
trouble, et elles rient de ce trouble : elles sont charmées
95 de me voir ainsi me tourmenter moi-même. Une autre fois
elles m'attachent derrière leur porte, et m'y enchaînent
nuit et jour ; elles savent bien feindre des maladies, des
défaillances, des frayeurs ; elles ne manquent pas de pré-
texte pour me mener au point où elles veulent. Il faut,
100 dans ces occasions, une obéissance aveugle et une complai-
sance sans bornes : un refus, dans la bouche d'un homme
comme moi, serait une chose inouïe, et, si je balançais à
leur obéir, elles seraient en droit de me châtier. J'aimerais
autant perdre la vie, mon cher Ibbi, que de descendre à
105 cette humiliation.

Ce n'est pas tout : je ne suis jamais sûr d'être un instant
dans la faveur de mon maître ; j'ai autant d'ennemies dans
son cœur, qui ne songent qu'à me perdre. Elles ont des
quarts d'heure où je ne suis point écouté, des quarts
110 d'heure où l'on ne refuse rien, des quarts d'heure où j'ai
toujours tort. Je mène dans le lit de mon maître des femmes
irritées : crois-tu que l'on y travaille pour moi, et que mon
parti soit le plus fort ? J'ai tout à craindre de leurs larmes, de
leurs soupirs, de leurs embrassements, et de leurs plaisirs
115 mêmes : elles sont dans le lieu de leurs triomphes ; leurs
charmes me deviennent terribles ; les services présents effa-
cent dans un moment tous mes services passés, et rien ne
peut me répondre d'un maître qui n'est plus à lui-même.

Combien de fois m'est-il arrivé de me coucher dans la faveur et de me lever dans la disgrâce ? Le jour que je fus [120] fouetté si indignement autour du sérail, qu'avais-je fait ? je laisse une femme dans les bras de mon maître. Dès qu'elle le vit enflammé, elle versa un torrent de larmes : elle se plaignit, et ménagea si bien ses plaintes, qu'elles augmentaient à mesure de l'amour qu'elles faisaient naître. [125] Comment aurais-je pu me soutenir dans un moment si critique ? Je fus perdu lorsque je m'y attendais le moins ; je fus la victime d'une négociation amoureuse et d'un traité que les soupirs avaient fait. Voilà, cher Ibbi, l'état cruel dans lequel j'ai toujours vécu. [130]

Que tu es heureux ! Tes soins se bornent uniquement à la personne d'Usbek. Il t'est facile de lui plaire et de te maintenir dans sa faveur jusques au dernier de tes jours.

Du sérail d'Ispahan, le dernier de la lune de Saphar[1], 1711.

1. **Saphar :** avril.

Clefs d'analyse

Lettres I à IX.

Compréhension

La mise en place du roman du sérail

- Rechercher ce qui motive le voyage des Persans.
- Relever les moyens par lesquels on se situe dans l'espace et dans le temps.

Un exotisme voulu

- Mettre en relation l'écriture et ce qui en est dit dans la Préface.
- Chercher sur quels procédés se fonde l'érotisme de la lettre III.
- Dans la lettre VIII, dire si les souvenirs sont évoqués directement ou indirectement.

Réflexion

Du sérail à la critique du despotisme

- Relever dans la lettre II les expressions par lesquelles Usbek justifie l'emprisonnement de ses femmes.
- Dégager une leçon politique de la peinture que fait Montesquieu de la tyrannie intime du sérail.

Orient et Occident

- Rechercher les sources de la mode orientale en France.
- Identifier les utilisations du thème du sérail.
- Analyser le sens de l'étonnement de Rica et d'Usbek devant les coutumes occidentales.

À retenir :

Montesquieu peut être considéré comme l'inventeur en France du roman épistolaire à multiples épistoliers, « polyphonique ». Cette forme lui permet de varier les tons et de multiplier les points de vue sur l'action. Comme au théâtre, le lecteur est face à des discours entrecroisés dont aucun n'est pleinement assumé par un narrateur guide.

Lettre X
MIRZA À SON AMI USBEK, À ERZERON

Tu étais le seul qui pût me dédommager de l'absence de Rica, et il n'y avait que Rica qui pût me consoler de la tienne. Tu nous manques, Usbek : tu étais l'âme de notre Société. Qu'il faut de violence pour rompre les engagements que le cœur et l'esprit ont formés !

Nous disputons[1] ici beaucoup ; nos disputes roulent ordinairement sur la morale. Hier on mit en question si les hommes étaient heureux par les plaisirs et les satisfactions des sens, ou par la pratique de la vertu. Je t'ai souvent ouï dire que les hommes étaient nés pour être vertueux, et que la justice est une qualité qui leur est aussi propre que l'existence. Explique-moi, je te prie, ce que tu veux dire.

J'ai parlé à des mollaks[2], qui me désespèrent avec leurs passages de l'Alcoran[3] : car je ne leur parle pas comme vrai croyant, mais comme homme, comme citoyen, comme père de famille. Adieu.

D'Ispahan, le dernier de la lune de Saphar, 1711.

Lettre XI
USBEK À MIRZA, À ISPAHAN

Tu renonces à ta raison pour essayer la mienne ; tu descends jusqu'à me consulter ; tu me crois capable de t'instruire. Mon cher Mirza, il y a une chose qui me flatte

1. **Disputons :** discutons. La dispute est ici un débat d'idées (philosophiques, morales, ou encore théologiques, selon les cas).
2. **Mollaks :** mollahs, docteurs de la foi coranique.
3. **Alcoran :** Coran.

encore plus que la bonne opinion que tu as conçue de
5 moi : c'est ton amitié qui me la procure.

Pour remplir ce que tu me prescris, je n'ai pas cru devoir
employer des raisonnements fort abstraits : il y a certaines
vérités qu'il ne suffit pas de persuader, mais qu'il faut encore
faire sentir. Telles sont les vérités de morale. Peut-être que ce
10 morceau d'histoire te touchera plus qu'une philosophie subtile.

Il y avait en Arabie un petit peuple appelé *Troglodyte*[1],
qui descendait de ces anciens Troglodytes qui, si nous en
croyons les historiens[2], ressemblaient plus à des bêtes
qu'à des hommes. Ceux-ci n'étaient point si contrefaits :
15 ils n'étaient point velus comme des ours ; ils ne sifflaient
point ; ils avaient deux yeux ; mais ils étaient si méchants
et si féroces qu'il n'y avait parmi eux aucun principe
d'équité ni de justice.

Ils avaient un roi d'une origine étrangère, qui, voulant
20 corriger la méchanceté de leur naturel, les traitait sévère-
ment. Mais ils conjurèrent contre lui, le tuèrent et exter-
minèrent toute la famille royale.

Le coup étant fait, ils s'assemblèrent pour choisir un
gouvernement, et, après bien des dissensions, ils créèrent
25 des magistrats[3]. Mais, à peine les eurent-ils élus, qu'ils leur
devinrent insupportables, et ils les massacrèrent encore.

Ce peuple, libre de ce nouveau joug, ne consulta plus
que son naturel sauvage ; tous les particuliers convinrent
qu'ils n'obéiraient plus à personne ; que chacun veillerait
30 uniquement à ses intérêts, sans consulter ceux des autres.

Cette résolution unanime flattait extrêmement tous les
particuliers. Ils disaient : « Qu'ai-je affaire d'aller me tuer à
travailler pour des gens dont je ne me soucie point ? Je

1. **Troglodyte :** nom propre de peuple. En tant que nom commun, désigne
 les habitants d'excavations naturelles comme des grottes ou des cavernes.
2. **Historiens :** par exemple l'historien grec Hérodote (484-420 av. J.-C.),
 qui les situe en Libye.
3. **Magistrats :** au sens large de « personnes investies par l'autorité publique ».

penserai uniquement à moi ; je vivrai heureux. Que m'importe
que les autres le soient ? Je me procurerai tous mes 35
besoins, et, pourvu que je les aie, je ne me soucie point
que tous les autres Troglodytes soient misérables. »

On était dans le mois où l'on ensemence les terres.
Chacun dit : « Je ne labourerai mon champ que pour qu'il
me fournisse le blé qu'il me faut pour me nourrir ; une 40
plus grande quantité me serait inutile : je ne prendrai
point de la peine pour rien. »

Les terres de ce petit royaume n'étaient pas de même
nature : il y en avait d'arides et de montagneuses, et d'autres
qui, dans un terrain bas, étaient arrosées de plusieurs ruis- 45
seaux. Cette année, la sécheresse fut très grande, de
manière que les terres qui étaient dans les lieux élevés
manquèrent absolument, tandis que celles qui purent être
arrosées furent très fertiles. Ainsi les peuples des montagnes
périrent presque tous de faim par la dureté des autres, qui 50
leur refusèrent de partager la récolte.

L'année d'ensuite fut très pluvieuse ; les lieux élevés se
trouvèrent d'une fertilité extraordinaire, et les terres basses
furent submergées. La moitié du peuple cria une seconde
fois famine ; mais ces misérables trouvèrent des gens aussi 55
durs qu'ils l'avaient été eux-mêmes.

Un des principaux habitants avait une femme fort belle ;
son voisin en devint amoureux, et l'enleva. Il s'émut[1] une
grande querelle, et, après bien des injures et des coups, ils
convinrent de s'en remettre à la décision d'un Troglodyte 60
qui, pendant que la république subsistait, avait eu quelque
crédit. Ils allèrent à lui, et voulurent lui dire leurs raisons.
« Que m'importe, dit cet homme, que cette femme soit à
vous ou à vous ? J'ai mon champ à labourer ; je n'irai peut-
être pas employer mon temps à terminer vos différends et 65
à travailler à vos affaires, tandis que je négligerai les miennes.
Je vous prie de me laisser en repos et de ne m'importuner

1. **S'émut :** se mit en mouvement (sens vieilli), se déclencha.

plus de vos querelles. » Là-dessus il les quitta et s'en alla travailler sa terre. Le ravisseur, qui était le plus fort, jura
70 qu'il mourrait plutôt que de rendre cette femme ; et l'autre, pénétré de l'injustice de son voisin et de la dureté du juge, s'en retournait désespéré, lorsqu'il trouva dans son chemin une femme jeune et belle, qui revenait de la fontaine. Il n'avait plus de femme ; celle-là lui plut, et elle lui plut
75 bien davantage lorsqu'il apprit que c'était la femme de celui qu'il avait voulu prendre pour juge, et qui avait été si peu sensible à son malheur. Il l'enleva, et l'emmena dans sa maison.

Il y avait un homme qui possédait un champ assez fer-
80 tile, qu'il cultivait avec grand soin. Deux de ses voisins s'unirent ensemble, le chassèrent de sa maison, occupèrent son champ ; ils firent entre eux une union pour se défendre contre tous ceux qui voudraient l'usurper ; et effective- ment ils se soutinrent par là pendant plusieurs mois. Mais
85 un des deux, ennuyé de partager ce qu'il pouvait avoir tout seul, tua l'autre, et devint seul maître du champ. Son empire ne fut pas long : deux autres Troglodytes vinrent l'attaquer ; il se trouva trop faible pour se défendre, et il fut massacré.

90 Un Troglodyte presque tout nu vit de la laine qui était à vendre ; il en demanda le prix. Le marchand dit en lui- même : « Naturellement je ne devrais espérer de ma laine qu'autant d'argent qu'il en faut pour acheter deux mesures de blé ; mais je la vais vendre quatre fois davantage, afin
95 d'avoir huit mesures. » Il fallut en passer par là et payer le prix demandé. « Je suis bien aise, dit le marchand ; j'aurai du blé à présent. – Que dites-vous ? reprit l'acheteur. Vous avez besoin de blé ? J'en ai à vendre. Il n'y a que le prix qui vous étonnera peut-être : car vous saurez que le blé
100 est extrêmement cher, et que la famine règne presque par- tout. Mais rendez-moi mon argent, et je vous donnerai une mesure de blé : car je ne veux pas m'en défaire autre- ment, dussiez-vous crever de faim. »

Cependant une maladie cruelle ravageait la contrée. Un médecin habile y arriva du pays voisin et donna ses remèdes si à propos qu'il guérit tous ceux qui se mirent dans ses mains. Quand la maladie eut cessé, il alla chez tous ceux qu'il avait traités demander son salaire ; mais il ne trouva que des refus. Il retourna dans son pays, et il y arriva accablé des fatigues d'un si long voyage. Mais bientôt après il apprit que la même maladie se faisait sentir de nouveau et affligeait plus que jamais cette terre ingrate. Ils allèrent à lui cette fois, et n'attendirent pas qu'il vînt chez eux. « Allez, leur dit-il, hommes injustes ! Vous avez dans l'âme un poison plus mortel que celui dont vous voulez guérir ; vous ne méritez pas d'occuper une place sur la terre, parce que vous n'avez point d'humanité, et que les règles de l'équité vous sont inconnues. Je croirais offenser les dieux qui vous punissent, si je m'opposais à la justice de leur colère. »

D'Erzeron, le 3 de la lune de Gemmadi 2[1], 1711.

Lettre XII

Usbek au même, à Ispahan

Tu as vu, mon cher Mirza, comment les Troglodytes périrent par leur méchanceté même, et furent les victimes de leurs propres injustices. De tant de familles, il n'en resta que deux qui échappèrent aux malheurs de la Nation. Il y avait dans ce pays deux hommes bien singuliers : ils avaient de l'humanité ; ils connaissaient la justice ; ils aimaient la vertu. Autant liés par la droiture de leur cœur que par la corruption de celui des autres, ils voyaient la désolation[2] générale, et ne

1. **Gemmadi 2 :** août.
2. **Désolation :** action de ravager un pays, dévastation.

la ressentaient que par la pitié : c'était le motif d'une union
10 nouvelle. Ils travaillaient avec une sollicitude[1] commune
pour l'intérêt commun ; ils n'avaient de différends que ceux
qu'une douce et tendre amitié faisait naître ; et, dans l'endroit
du pays le plus écarté, séparés de leurs compatriotes indignes
de leur présence, ils menaient une vie heureuse et tran-
15 quille. La terre semblait produire d'elle-même, cultivée par
ces vertueuses mains.

Ils aimaient leurs femmes, et ils en étaient tendrement
chéris. Toute leur attention était d'élever leurs enfants à la
vertu. Ils leur représentaient sans cesse les malheurs de
20 leurs compatriotes et leur mettaient devant les yeux cet
exemple si triste ; ils leur faisaient surtout sentir que
l'intérêt des particuliers se trouve toujours dans l'intérêt
commun ; que vouloir s'en séparer, c'est vouloir se
perdre ; que la vertu n'est point une chose qui doive nous
25 coûter ; qu'il ne faut point la regarder comme un exercice
pénible ; et que la justice pour autrui est une charité pour
nous.

Ils eurent bientôt la consolation des pères vertueux, qui
est d'avoir des enfants qui leur ressemblent. Le jeune peuple
30 qui s'éleva sous leurs yeux s'accrut par d'heureux mariages :
le nombre augmenta, l'union fut toujours la même ; et la
vertu, bien loin de s'affaiblir dans la multitude, fut fortifiée,
au contraire, par un plus grand nombre d'exemples.

Qui pourrait représenter ici le bonheur de ces Troglodytes ?
35 Un peuple si juste devait être chéri des dieux. Dès qu'il
ouvrit les yeux pour les connaître, il apprit à les craindre,
et la religion vint adoucir dans les mœurs ce que la nature
y avait laissé de trop rude.

Ils instituèrent des fêtes en l'honneur des dieux : les jeunes
40 filles ornées de fleurs, et les jeunes garçons les célébraient
par leurs danses et par les accords d'une musique cham-

1. **Sollicitude :** attention soutenue et affectueuse.

pêtre. On faisait ensuite des festins où la joie ne régnait pas moins que la frugalité. C'était dans ces assemblées que parlait la nature naïve ; c'est là qu'on apprenait à donner le cœur et à le recevoir ; c'est là que la pudeur virginale faisait en rougissant un aveu surpris[1], mais bientôt confirmé par le consentement des pères ; et c'est là que les tendres mères se plaisaient à prévoir de loin une union douce et fidèle.

On allait au temple pour demander les faveurs des dieux ; ce n'était pas les richesses et une onéreuse abondance : de pareils souhaits étaient indignes des heureux Troglodytes ; ils ne savaient les désirer que pour leurs compatriotes. Ils n'étaient au pied des autels que pour demander la santé de leurs pères, l'union de leurs frères, la tendresse de leurs femmes, l'amour et l'obéissance de leurs enfants. Les filles y venaient apporter le tendre sacrifice de leur cœur, et ne leur demandaient d'autre grâce que celle de pouvoir rendre un Troglodyte heureux.

Le soir, lorsque les troupeaux quittaient les prairies, et que les bœufs fatigués avaient ramené la charrue, ils s'assemblaient, et, dans un repas frugal, ils chantaient les injustices des premiers Troglodytes et leurs malheurs, la vertu renaissante avec un nouveau peuple, et sa félicité. Ils célébraient les grandeurs des dieux, leurs faveurs toujours présentes aux hommes qui les implorent, et leur colère inévitable à ceux qui ne les craignent pas ; ils décrivaient ensuite les délices de la vie champêtre et le bonheur d'une condition toujours parée de l'innocence. Bientôt ils s'abandonnaient à un sommeil que les soins et les chagrins n'interrompaient jamais.

La nature ne fournissait pas moins à leurs désirs qu'à leurs besoins. Dans ce pays heureux, la cupidité était étrangère : ils se faisaient des présents où celui qui donnait croyait toujours avoir l'avantage. Le peuple troglodyte

1. **Surpris :** découvert malgré soi.

95 se regardait comme une seule famille ; les troupeaux étaient presque toujours confondus ; la seule peine qu'on s'épargnait ordinairement, c'était de les partager.

D'Erzeron, le 6 de la lune de Gemmadi 2, 1711.

Lettre XIII
USBEK AU MÊME

Je ne saurais assez te parler de la vertu des Troglodytes. Un d'eux disait un jour : « Mon père doit demain labourer son champ ; je me lèverai deux heures avant lui, et, quand il ira à son champ, il le trouvera tout labouré. »

5 Un autre disait en lui-même : « Il me semble que ma sœur a du goût pour un jeune Troglodyte de nos parents ; il faut que je parle à mon père, et que je le détermine à faire ce mariage. »

On vint dire à un autre que des voleurs avaient enlevé son troupeau : « J'en suis bien fâché, dit-il ; car il y avait une génisse toute blanche que je voulais offrir aux dieux. »

On entendait dire à un autre : « Il faut que j'aille au temple remercier les dieux : car mon frère que mon père aime tant, et que je chéris si fort, a recouvré la santé. »

15 Ou bien : « Il y a un champ qui touche celui de mon père, et ceux qui le cultivent sont tous les jours exposés aux ardeurs du soleil ; il faut que j'aille y planter deux arbres, afin que ces pauvres gens puissent aller quelquefois se reposer sous leur ombre. »

20 Un jour que plusieurs Troglodytes étaient assemblés, un vieillard parla d'un jeune homme qu'il soupçonnait d'avoir commis une mauvaise action, et lui en fit des reproches. « Nous ne croyons pas qu'il ait commis ce crime, dirent les jeunes Troglodytes, mais, s'il l'a fait, puisse-t-il mourir le dernier de sa famille ! »

25 On vint dire à un Troglodyte que des étrangers avaient pillé sa maison et avaient tout emporté. « S'ils n'étaient pas

injustes, répondit-il, je souhaiterais que les dieux leur en donnassent un plus long usage qu'à moi. »

Tant de prospérités ne furent pas regardées sans envie : les peuples voisins s'assemblèrent, et, sous un vain prétexte, ils résolurent d'enlever leurs troupeaux. Dès que cette résolution fut connue, les Troglodytes envoyèrent au-devant d'eux des ambassadeurs, qui leur parlèrent ainsi :

« Que vous ont fait les Troglodytes ? Ont-ils enlevé vos femmes, dérobé vos bestiaux, ravagé vos campagnes ? Non : nous sommes justes, et nous craignons les dieux. Que demandez-vous donc de nous ? Voulez-vous de la laine pour vous faire des habits ? Voulez-vous du lait pour vos troupeaux ou des fruits de nos terres ? Mettez bas les armes, venez au milieu de nous, et nous vous donnerons de tout cela. Mais nous jurons, par ce qu'il y a de plus sacré, que, si vous entrez dans nos terres comme ennemis, nous vous regarderons comme un peuple injuste, et que nous vous traiterons comme des bêtes farouches. »

Ces paroles furent renvoyées avec mépris ; ces peuples sauvages entrèrent armés dans la terre des Troglodytes, qu'ils ne croyaient défendus que par leur innocence.

Mais ils étaient bien disposés à la défense : ils avaient mis leurs femmes et leurs enfants au milieu d'eux. Ils furent étonnés de l'injustice de leurs ennemis, et non pas de leur nombre. Une ardeur nouvelle s'était emparée de leur cœur : l'un voulait mourir pour son père, un autre pour sa femme et ses enfants, celui-ci pour ses frères, celui-là pour ses amis, tous pour le peuple troglodyte. La place de celui qui expirait était d'abord prise par un autre, qui, outre la cause commune, avait encore une mort particulière à venger.

Tel fut le combat de l'injustice et de la vertu ; ces peuples lâches, qui ne cherchaient que le butin, n'eurent pas honte de fuir, et ils cédèrent à la vertu des Troglodytes, même sans en être touchés.

D'Erzeron, le 9 de la lune de Gemmadi 2, 1711.

Lettre XIV
Usbek au même

Comme le peuple grossissait tous les jours, les Troglodytes crurent qu'il était à propos de se choisir un roi. Ils convinrent qu'il fallait déférer la couronne à celui qui était le plus juste, et ils jetèrent tous les yeux sur un vieillard véné-
5 rable par son âge et par une longue vertu. Il n'avait pas voulu se trouver à cette assemblée ; il s'était retiré dans sa maison, le cœur serré de tristesse.

Lorsqu'on lui envoya des députés pour lui apprendre le choix qu'on avait fait de lui : « À Dieu ne plaise, dit-il, que
10 je fasse ce tort aux Troglodytes, que l'on puisse croire qu'il n'y a personne parmi eux de plus juste que moi ! Vous me déférez la couronne, et, si vous le voulez absolument, il faudra bien que je la prenne. Mais comptez que je mourrai de douleur d'avoir vu en naissant les Troglodytes libres et
15 de les voir aujourd'hui assujettis. » À ces mots, il se mit à répandre un torrent de larmes. « Malheureux jour, disait-il ; et pourquoi ai-je tant vécu ? » Puis il s'écria d'une voix sévère : « Je vois bien ce que c'est, ô Troglodytes ! votre vertu commence à vous peser. Dans l'état où vous êtes,
20 n'ayant point de chef, il faut que vous soyez vertueux malgré vous : sans cela vous ne sauriez subsister, et vous tomberiez dans le malheur de vos premiers pères. Mais ce joug vous paraît trop dur ; vous aimez mieux être soumis à un prince et obéir à ses lois, moins rigides que vos
25 mœurs. Vous savez que, pour lors, vous pourrez contenter votre ambition, acquérir des richesses et languir dans une lâche volupté ; et que, pourvu que vous évitiez de tomber dans les grands crimes, vous n'aurez pas besoin de la vertu. » Il s'arrêta un moment, et ses larmes coulèrent plus
30 que jamais. « Et que prétendez-vous que je fasse ? Comment se peut-il que je commande quelque chose à un Troglodyte ? Voulez-vous qu'il fasse une action vertueuse

parce que je la lui commande, lui qui la ferait tout de même sans moi et par le seul penchant de la nature ? Ô Troglodytes ! Je suis à la fin de mes jours, mon sang est glacé dans mes veines, je vais bientôt revoir vos sacrés aïeux. Pourquoi voulez-vous que je les afflige, et que je sois obligé de leur dire que je vous ai laissés sous un autre joug que celui de la vertu ? »

D'Erzeron, le 10 de la lune de Gemmadi 2, 1711.

Synthèse Les Troglodytes
(lettres XI à XIV)

Un intermède très politique

Montesquieu transforme en apologue une grande leçon de philosophie politique : la démocratie ne peut reposer que sur la vertu.

Personnages

Un peuple exemplaire

Les lettres sur les Troglodytes forment un récit enchâssé autonome à l'intérieur des *Lettres persanes*. C'est le récit de la destinée d'un peuple : la lettre XI qui ouvre la narration montre la déchéance des Troglodytes, livrés à leurs mauvais penchants et qui périssent de leur méchanceté. Aucun personnage ne prend un relief particulier, si ce n'est le médecin qui refuse de les soigner. La lettre XII isole deux chefs de famille : « Il y avait dans ce pays deux hommes bien singuliers : ils avaient de l'humanité ; ils connaissaient la justice ; ils aimaient la vertu ». Grâce à eux, un nouveau peuple, vertueux, se développe dans un parfait bonheur. À la lettre XIV, les Troglodytes deviennent des victimes : leur paradis est jalousé par des « peuples voisins ». Un Troglodyte y accède au rang de personnage : le bon vieillard que les Troglodytes veulent prendre pour roi. Il clôt l'histoire par sa harangue au peuple troglodyte.

Langage

Un apologue

L'histoire des Troglodytes est très célèbre. C'est un apologue, c'est-à-dire une fable à visée didactique, qui veut enseigner une leçon. Ce récit est destiné à éclairer la société d'intellectuels qu'ont quittée Rica et Usbek sur un problème de philosophie morale : il s'agissait de savoir si « les hommes étaient heureux par les plaisirs et les satisfactions des sens ou par la pratique de la vertu ». Pour Usbek, si l'on en croit Mirza, les hommes sont nés pour être vertueux : « la justice est une qualité qui leur est

aussi propre que l'existence » (lettre X). Les différentes étapes de l'histoire des Troglodytes illustrent cette thèse morale :

Lettre XI : les Troglodytes périssent du fait de leur méchanceté. En peignant la méchanceté des hommes, leur égoïsme, leur dépravation, cette lettre n'est pas sans rappeler certains épisodes bibliques : l'humanité d'avant le Déluge (Genèse VI-IX), la construction de la tour de Babel (Genèse XI), Sodome et Gomorrhe (Genèse XIX).

Lettre XII : deux familles (*cf.* Noé et son arche) échappent au malheur. Elles sont vertueuses, et leur vertu engendre le bonheur qui se transmet de génération en génération.

Lettre XIII : des peuples jaloux agressent les Troglodytes.

Lettre XIV : les Troglodytes veulent se donner pour roi un bon vieillard. Ce projet le fait pleurer parce qu'il signifie que les Troglodytes renoncent à n'avoir que la vertu pour maître.

Société

La fragilité de la démocratie

Cet apologue pourrait montrer que la situation la plus ordinaire aux hommes est la violence et l'agressivité. Montesquieu illustre aussi l'idée selon laquelle la démocratie ne se maintient que si les citoyens pratiquent la vertu. Sans la vertu unanimement pratiquée, la démocratie, montrée comme un bonheur égalitaire, ne peut tenir. Sa transformation en un autre régime de gouvernement va de pair avec l'abandon de la vertu. Le passage dans notre texte de la république vertueuse à la monarchie est présenté comme le passage d'un âge d'or à un âge de fer : c'est l'entrée dans la décadence, toute monarchie tendant ensuite à dégénérer en tyrannie. Montesquieu a travaillé sur le thème du renversement de la République en tyrannie, notamment en analysant la décadence des Romains dans ses *Considérations sur les causes de la grandeur des Romains et de leur décadence* (1734). C'est l'un de ses thèmes de prédilection, qui revient constamment dans son œuvre.

Lettre XV

LE PREMIER EUNUQUE À JARON,
EUNUQUE NOIR, À ERZERON

Je prie le Ciel qu'il te ramène dans ces lieux et te dérobe à tous les dangers.

Quoique je n'aie guère jamais connu cet engagement qu'on appelle amitié, et que je me sois enveloppé tout entier dans moi-même, tu m'as cependant fait sentir que j'avais encore un cœur, et pendant que j'étais de bronze pour tous ces esclaves qui vivaient sous mes lois, je voyais croître ton enfance avec plaisir.

Le temps vint où mon maître jeta sur toi les yeux. Il s'en fallait bien que la nature eût encore parlé lorsque le fer te sépara de la nature. Je ne te dirai point si je te plaignis, ou si je sentis du plaisir à te voir élevé jusqu'à moi. J'apaisai tes pleurs et tes cris. Je crus te voir prendre une seconde naissance et sortir d'une servitude où tu devais toujours obéir, pour entrer dans une servitude où tu devais commander. Je pris soin de ton éducation. La sévérité, toujours inséparable des instructions, te fit longtemps ignorer que tu m'étais cher. Tu me l'étais pourtant, et je te dirais que je t'aimais comme un père aime son fils, si ces noms de père et de fils pouvaient convenir à notre destinée.

Tu vas parcourir les pays habités par les chrétiens, qui n'ont jamais cru ; il est impossible que tu n'y contractes bien des souillures. Comment le Prophète pourrait-il te regarder au milieu de tant de millions de ses ennemis ? Je voudrais que mon maître fit, à son retour, le pèlerinage de la Mecque : vous vous purifieriez tous dans la terre des anges.

Du sérail d'Ispahan, le 10 de la lune de Gemmadi 2, 1711.

Lettre XVI
USBEK AU MOLLAK MÉHÉMET-HALI
GARDIEN DES TROIS TOMBEAUX, À COM

Pourquoi vis-tu dans les tombeaux[1], divin mollak[2] ? Tu es bien plus fait pour le séjour des étoiles. Tu te caches sans doute de peur d'obscurcir le soleil. Tu n'as point de taches comme cet astre ; mais, comme lui, tu te couvres
5 de nuages.

Ta science est un abîme plus profond que l'océan ; ton esprit est plus perçant que Zufagar, cette épée d'Hali[3] qui avait deux pointes ; tu sais ce qui se passe dans les neuf chœurs des puissances célestes ; tu lis l'Alcoran[4] sur la
10 poitrine de notre divin prophète ; et, lorsque tu trouves quelque passage obscur, un ange, par son ordre, déploie ses ailes rapides et descend du trône pour t'en révéler le secret.

Je pourrais par ton moyen avoir avec les séraphins[5] une
15 intime correspondance : car enfin, treizième iman, n'es-tu pas le centre où le ciel et la terre aboutissent, et le point de communication entre l'abîme et l'empyrée[6] ?

Je suis au milieu d'un peuple profane. Permets que je me purifie avec toi ; souffre que je tourne mon visage vers
20 les lieux sacrés que tu habites ; distingue-moi[7] des méchants, comme on distingue au lever de l'aurore le filet blanc d'avec le filet noir ; aide-moi de tes conseils ; prends soin de mon âme ; enivre-la de l'esprit des prophètes ;

1. **Tombeaux :** ceux de Fathmé (voir lettre 1) et de deux rois perses.
2. **Mollak :** mollah.
3. **Hali :** Ali, gendre de Mahomet.
4. **Alcoran :** Coran.
5. **Séraphins :** anges.
6. **Empyrée :** partie la plus élevée des quatre sphères célestes (selon les Anciens).
7. **Distingue-moi... :** expression empruntée à une traduction du Coran.

nourris-la de la science du paradis, et permets que je mette ses plaies à tes pieds. 25

Adresse tes lettres sacrées à Erzeron, où je resterai quelques mois.

D'Erzeron, le 11 de la lune de Gemmadi 2, 1711.

Lettre XVII
USBEK AU MÊME

Je ne puis, divin mollak, calmer mon impatience ; je ne saurais attendre ta sublime réponse. J'ai des doutes ; il faut les fixer. Je sens que ma raison s'égare ; ramène-la dans le droit chemin. Viens m'éclairer, source de lumière ; foudroie avec ta plume divine les difficultés que je vais te 5 proposer ; fais-moi pitié de moi-même et rougir de la question que je vais te faire.

D'où vient que notre législateur nous prive de la chair de pourceau et de toutes les viandes qu'il appelle *immondes*[1] ? D'où vient qu'il nous défend de toucher un corps mort, et 10 que, pour purifier notre âme, il nous ordonne de nous laver sans cesse le corps ? Il me semble que les choses ne sont en elles-mêmes ni pures ni impures : je ne puis concevoir aucune qualité inhérente au sujet qui puisse les rendre telles. La boue ne nous paraît sale que parce qu'elle 15 blesse notre vue ou quelque autre de nos sens ; mais, en elle-même, elle ne l'est pas plus que l'or et les diamants. L'idée de souillure contractée par l'attouchement d'un cadavre ne nous est venue que d'une certaine répugnance naturelle que nous en avons. Si les corps de ceux qui ne se 20 lavent point ne blessaient ni l'odorat ni la vue, comment aurait-on pu s'imaginer qu'ils fussent impurs ?

1. **Immondes :** impurs selon la loi religieuse.

Lettre XVII

Les sens, divin mollak[1], doivent donc être les seuls juges de la pureté ou de l'impureté des choses. Mais, comme les objets n'affectent point les hommes de la même manière, que ce qui donne une sensation agréable aux uns en produit une dégoûtante chez les autres, il suit que le témoignage des sens ne peut servir ici de règle, à moins qu'on ne dise que chacun peut, à sa fantaisie, décider ce point, et distinguer, pour ce qui le concerne, les choses pures d'avec celles qui ne le sont pas.

Mais cela même, sacré mollak, ne renverserait-il pas les distinctions établies par notre divin Prophète et les points fondamentaux de la Loi, qui a été écrite de la main des anges ?

D'Erzeron, le 20 de la lune de Gemmadi 2, 1711.

Lettre XVIII

MÉHÉMET-HALI, SERVITEUR DES PROPHÈTES,
À USBEK, À ERZERON

Vous nous faites toujours des questions qu'on a faites mille fois à notre saint Prophète[2]. Que ne lisez-vous les *Traditions* des Docteurs[3] ? Que n'allez-vous à cette source pure de toute intelligence ? Vous trouveriez tous vos doutes résolus.

Malheureux, qui, toujours embarrassés des choses de la terre, n'avez jamais regardé d'un œil fixe celles du ciel, et qui révérez la condition des mollaks, sans oser ni l'embrasser ni la suivre !

Profanes, qui n'entrez jamais dans les secrets de l'Éternel, vos lumières ressemblent aux ténèbres de l'abîme, et

1. **Mollak :** mollah.
2. **Notre saint Prophète :** Mahomet.
3. **Les *Traditions* des Docteurs :** recueil de commentaires du Coran.

les raisonnements de votre esprit sont comme la poussière que vos pieds font élever lorsque le soleil est dans son midi, dans le mois ardent de Chahban[1].

Aussi le zénith de votre esprit ne va pas au nadir[2] de celui du moindre des immaums[3]. Votre vaine philosophie est cet éclair qui annonce l'orage et l'obscurité ; vous êtes au milieu de la tempête, et vous errez au gré des vents.

Il est bien facile de répondre à votre difficulté ; il ne faut pour cela que vous raconter ce qui arriva un jour à notre saint Prophète, lorsque, tenté par les chrétiens, éprouvé par les Juifs, il confondit également les uns et les autres.

Le juif Abdias Ibesalon lui demanda pourquoi Dieu avait défendu de manger de la chair de pourceau. « Ce n'est pas sans raison, répondit Mahomet : c'est un animal immonde, et je vais vous en convaincre. » Il fit sur sa main, avec de la boue, la figure d'un homme ; il la jeta à terre et lui cria : « Levez-vous ! » Sur-le-champ, un homme se leva et dit : « Je suis Japhet, fils de Noé. — Avais-tu les cheveux aussi blancs quand tu es mort ? lui dit le saint Prophète. — Non, répondit-il ; mais, quand tu m'as réveillé, j'ai cru que le jour du jugement était venu, et j'ai eu une si grande frayeur que mes cheveux ont blanchi tout à coup. »

« Or çà, raconte-moi, lui dit l'envoyé de Dieu, toute l'histoire de l'arche de Noé. » Japhet obéit et détailla exactement tout ce qui s'était passé les premiers mois.

Après quoi il parla ainsi :

« Nous mîmes les ordures de tous les animaux dans un côté de l'arche ; ce qui la fit si fort pencher, que nous en eûmes une peur mortelle : surtout nos femmes, qui se lamentaient de la belle manière. Notre père Noé ayant été

1. **Chahban :** octobre.
2. **Nadir :** point céleste à l'opposé du zénith.
3. **Immaums :** imams, titre donné au successeur de Mahomet et à ceux d'Ali, chef de prières dans une mosquée.

au conseil de Dieu, il lui commanda de prendre l'éléphant et de lui faire tourner la tête vers le côté qui penchait. Ce
45 grand animal fit tant d'ordures qu'il en naquit un cochon. »

Croyez-vous, Usbek, que, depuis ce temps-là, nous nous en soyons abstenus, et que nous l'ayons regardé comme un animal immonde ?

Mais, comme le cochon remuait tous les jours ces ordures,
50 il s'éleva une telle puanteur dans l'arche, qu'il ne put lui-même s'empêcher d'éternuer, et il sortit de son nez un rat, qui allait rongeant tout ce qui se trouvait devant lui ; ce qui devint si insupportable à Noé, qu'il crut qu'il était à propos de consulter Dieu encore. Il lui ordonna de donner
55 au lion un grand coup sur le front, qui éternua aussi et fit sortir de son nez un chat. Croyez-vous que ces animaux soient encore immondes ? Que vous en semble ?

Quand donc vous n'apercevez pas la raison de l'impureté de certaines choses, c'est que vous en ignorez beau-
60 coup d'autres, et que vous n'avez pas la connaissance de ce qui s'est passé entre Dieu, les anges et les hommes. Vous ne savez pas l'histoire de l'éternité. Vous n'avez point lu les livres qui sont écrits au ciel : ce qui vous en a été révélé n'est qu'une petite partie de la bibliothèque divine ;
65 et ceux qui, comme nous, en approchent de plus près tandis qu'ils sont en cette vie, sont encore dans l'obscurité et les ténèbres[1].

Adieu ; Mahomet soit dans votre cœur.

De Com, le dernier de la lune de Chahban, 1711.

1. [...] **ténèbres** : « Tradition mahométane » (Note de Montesquieu.) Ce récit s'inspire d'un recueil d'Hermannus Dalmata, datant de 1550, dont Montesquieu possédait une traduction italienne.

Lettre XIX

USBEK À SON AMI RUSTAN, À ISPAHAN

Nous n'avons séjourné que huit jours à Tocat[1] ; après trente-cinq jours de marche, nous sommes arrivés a Smyrne.

De Tocat à Smyrne, on ne trouve pas une seule ville qui mérite qu'on la nomme. J'ai vu avec étonnement la fai- 5
blesse de l'empire des Osmanlins[2]. Ce corps malade ne se soutient pas par un régime doux et tempéré, mais par des remèdes violents, qui l'épuisent et le minent sans cesse.

Les bachas[3], qui n'obtiennent leurs emplois qu'à force d'argent, entrent ruinés dans les provinces, et les ravagent 10
comme des pays de conquête. Une milice insolente n'est soumise qu'à ses caprices. Les places sont démantelées, les villes désertes, les campagnes désolées, la culture des terres et le commerce, entièrement abandonnés.

L'impunité règne dans ce gouvernement sévère : les 15
chrétiens qui cultivent les terres, les Juifs qui lèvent les tri-buts[4], sont exposés à mille violences.

La propriété des terres est incertaine, et, par conséquent, l'ardeur de les faire valoir, ralentie : il n'y a ni titre ni pos-session qui vaille contre le caprice de ceux qui gouvernent. 20

Ces barbares ont tellement abandonné les arts[5] qu'ils ont négligé jusques à l'art militaire. Pendant que les nations d'Europe se raffinent tous les jours, ils restent dans leur ancienne ignorance, et ils ne s'avisent de prendre leurs nouvelles inventions qu'après qu'elles s'en sont servi 25
mille fois contre eux.

1. **Tocat :** ville de Cappadoce, étape entre la Perse et Smyrne.
2. **Osmanlins :** Turcs.
3. **Bachas :** pachas, gouverneurs d'une province de l'ancien Empire ottoman.
4. **Tributs :** contribution forcée imposée par le vainqueur au vaincu.
5. **Arts :** connaissances techniques.

Lettre XIX

Ils n'ont aucune expérience sur la mer, point d'habileté dans la manœuvre. On dit qu'une poignée de chrétiens[1] sortis d'un rocher font suer les Ottomans et fatiguent leur
30 empire.

Incapables de faire le commerce, ils souffrent presque avec peine que les Européens, toujours laborieux et entreprenants, viennent le faire : ils croient faire grâce à ces étrangers de permettre qu'ils les enrichissent.

35 Dans toute cette vaste étendue de pays que j'ai traversée, je n'ai trouvé que Smyrne qu'on puisse regarder comme une ville riche et puissante. Ce sont les Européens qui la rendent telle, et il ne tient pas aux Turcs qu'elle ne ressemble à toutes les autres.

40 Voilà, cher Rustan, une juste idée de cet empire, qui, avant deux siècles, sera le théâtre des triomphes de quelque conquérant.

De Smyrne, le 2 de la lune de Rhamazan[2], 1711.

Lettre XX
USBEK À ZACHI, SA FEMME, AU SÉRAIL D'ISPAHAN

Vous m'avez offensé, Zachi, et je sens dans mon cœur des mouvements que vous devriez craindre, si mon éloignement ne vous laissait le temps de changer de conduite et d'apaiser la violente jalousie dont je suis tourmenté.

5 J'apprends qu'on vous a trouvée seule avec Nadir, eunuque blanc, qui payera de sa tête son infidélité et sa perfidie. Comment vous êtes-vous oubliée jusqu'à ne pas sentir qu'il ne vous est pas permis de recevoir dans votre chambre un eunuque blanc, tandis que vous en avez de noirs destinés

1. **Une poignée de chrétiens :** « Ce sont apparemment les chevaliers de Malte. » (Note de Montesquieu.)
2. **Rhamazan :** novembre.

à vous servir[1] ? Vous avez beau me dire que des eunuques ne sont pas des hommes, et que votre vertu vous met au-dessus des pensées que pourrait faire naître en vous une ressemblance imparfaite : cela ne suffit ni pour vous ni pour moi : pour vous, parce que vous faites une chose que les lois du sérail vous défendent ; pour moi, en ce que vous m'ôtez l'honneur, en vous exposant à des regards... Que dis-je, à des regards ? Peut-être aux entreprises d'un perfide qui vous aura souillée par ses crimes, et plus encore par ses regrets et le désespoir de son impuissance.

Vous me direz peut-être que vous m'avez été toujours fidèle. Eh ! pouviez-vous ne l'être pas ? Comment auriez-vous trompé la vigilance des eunuques noirs, qui sont si surpris de la vie que vous menez ? Comment auriez-vous pu briser ces verrous et ces portes qui vous tiennent enfermée ? Vous vous vantez d'une vertu qui n'est pas libre, et peut-être que vos désirs impurs vous ont ôté mille fois le mérite et le prix de cette fidélité que vous vantez tant.

Je veux que vous n'ayez point fait tout ce que j'ai lieu de soupçonner ; que ce perfide n'ait point porté sur vous ses mains sacrilèges ; que vous ayez refusé de prodiguer à sa vue les délices de son maître ; que, couverte de vos habits, vous ayez laissé cette faible barrière entre lui et vous ; que, frappé lui-même d'un saint respect, il ait baissé les yeux ; que, manquant à sa hardiesse, il ait tremblé sur les châtiments qu'il se prépare. Quand tout cela serait vrai, il ne l'est pas moins que vous avez fait une chose qui est contre votre devoir. Et, si vous l'avez violé gratuitement, sans remplir vos inclinations déréglées, qu'eussiez-vous fait pour les satisfaire ? Que feriez-vous encore si vous pouviez sortir de ce lieu sacré, qui est pour vous une dure prison, comme il est pour vos compagnes un asile favo-

1. **[...] vous servir :** toutes ces connaissances sur la vie au sérail viennent de Chardin.

rable contre les atteintes du vice, un temple sacré où votre sexe perd sa faiblesse, et se trouve invincible, malgré tous les désavantages de la nature ? Que feriez-vous, si, laissée à vous-même, vous n'aviez pour vous défendre que votre amour pour moi, qui est si grièvement offensé, et votre devoir, que vous avez si indignement trahi ? Que les mœurs du pays où vous vivez sont saintes, qui vous arrachent aux attentats des plus vils esclaves ! Vous devez me rendre grâce de la gêne où je vous fais vivre, puisque ce n'est que par là que vous méritez encore de vivre.

Vous ne pouvez souffrir le chef des eunuques, parce qu'il a toujours les yeux sur votre conduite, et qu'il vous donne ses sages conseils. Sa laideur, dites-vous, est si grande que vous ne pouvez le voir sans peine ; comme si, dans ces sortes de postes, on mettait de plus beaux objets. Ce qui vous afflige est de n'avoir pas à sa place l'eunuque blanc qui vous déshonore.

Mais que vous a fait votre première esclave ? Elle vous a dit que les familiarités que vous preniez avec la jeune Zélide étaient contre la bienséance. Voilà la raison de votre haine.

Je devrais être, Zachi, un juge sévère ; je ne suis qu'un époux qui cherche à vous trouver innocente. L'amour que j'ai pour Roxane, ma nouvelle épouse, m'a laissé toute la tendresse que je dois avoir pour vous, qui n'êtes pas moins belle. Je partage mon amour entre vous deux, et Roxane n'a d'autre avantage que celui que la vertu peut ajouter à la beauté.

De Smyrne, le 12 de la lune de Zilcadé[1], 1711.

1. **Zilcadé** : janvier.

Lettre XXI
UShek au premier eunuque blanc

Vous devez trembler à l'ouverture de cette lettre ; ou plutôt vous le deviez lorsque vous souffrîtes la perfidie de Nadir. Vous qui, dans une vieillesse froide et languissante, ne pouvez sans crime lever les yeux sur les redoutables objets de mon amour ; vous à qui il n'est jamais permis de mettre un pied sacrilège sur la porte du lieu terrible qui les dérobe à tous les regards ; vous souffrez que ceux dont la conduite vous est confiée aient fait ce que vous n'auriez pas la témérité de faire ; et vous n'apercevez pas la foudre toute prête à tomber sur eux et sur vous ?

Et qui êtes-vous, que de vils instruments que je puis briser à ma fantaisie ; qui n'existez qu'autant que vous savez obéir ; qui n'êtes dans le monde que pour vivre sous mes lois ou pour mourir dès que je l'ordonne ; qui ne respirez qu'autant que mon bonheur, mon amour, ma jalousie même, ont besoin de votre bassesse ; et enfin, qui ne pouvez avoir d'autre partage que la soumission, d'autre âme que mes volontés, d'autre espérance que ma félicité ?

Je sais que quelques-unes de mes femmes souffrent impatiemment les lois austères du devoir ; que la présence continuelle d'un eunuque noir les ennuie ; qu'elles sont fatiguées de ces objets affreux, qui leur sont donnés pour les ramener à leur époux ; je le sais. Mais vous, qui vous prêtez à ce désordre, vous serez puni d'une manière à faire trembler tous ceux qui abusent de ma confiance.

Je jure par tous les prophètes du ciel, et par Hali[1], le plus grand de tous, que, si vous vous écartez de votre devoir, je regarderai votre vie comme celle des insectes que je trouve sous mes pieds.

De Smyrne, le 12 de la lune de Zilcadé, 1711.

1. **Hali :** Ali, gendre de Mahomet.

Lettre XXII

JARON AU PREMIER EUNUQUE

À mesure qu'Usbek s'éloigne du sérail, il tourne sa tête vers ses femmes sacrées ; il soupire, il verse des larmes ; sa douleur s'aigrit, ses soupçons se fortifient. Il veut augmenter le nombre de leurs gardiens. Il va me renvoyer, avec
5 tous les noirs qui l'accompagnent. Il ne craint plus pour lui : il craint pour ce qui lui est mille fois plus cher que lui-même.

Je vais donc vivre sous tes lois et partager tes soins. Grand Dieu ! qu'il faut de choses pour rendre un seul
10 homme heureux !

La nature semblait avoir mis les femmes dans la dépendance, et les en avoir retirées. Le désordre naissait entre les deux sexes, parce que leurs droits étaient réciproques. Nous sommes entrés dans le plan d'une nouvelle harmo-
15 nie : nous avons mis entre les femmes et nous la haine, et entre les hommes et les femmes l'amour.

Mon front va devenir sévère. Je laisserai tomber des regards sombres. La joie fuira de mes lèvres. Le dehors sera tranquille, et l'esprit inquiet. Je n'attendrai point les
20 rides de la vieillesse pour en montrer les chagrins.

J'aurais eu du plaisir à suivre mon maître dans l'Occident ; mais ma volonté est son bien. Il veut que je garde ses femmes ; je les garderai avec fidélité. Je sais comment je dois me conduire avec ce sexe, qui, quand on ne lui permet pas
25 d'être vain, commence à devenir superbe, et qu'il est moins aisé d'humilier que d'anéantir.

Je tombe sous tes regards.

De Smyrne, le 12 de la lune de Zilcadé, 1711.

Lettre XXIII
USBEK À SON AMI IBBEN, À SMYRNE

Nous sommes arrivés à Livourne[1] dans quarante jours de navigation. C'est une ville nouvelle ; elle est un témoignage du génie des ducs de Toscane, qui ont fait d'un village marécageux la ville d'Italie la plus florissante.

Les femmes y jouissent d'une grande liberté. Elles peuvent voir les hommes à travers certaines fenêtres qu'on nomme *jalousies* ; elles peuvent sortir tous les jours avec quelques vieilles qui les accompagnent ; elles n'ont qu'un voile[2]. Leurs beaux-frères, leurs oncles leurs neveux peuvent les voir sans que le mari s'en formalise presque jamais.

C'est un grand spectacle pour un mahométan de voir pour la première fois une ville chrétienne. Je ne parle pas des choses qui frappent d'abord tous les yeux, comme la différence des édifices, des habits, des principales coutumes. Il y a jusque dans les moindres bagatelles, quelque chose de singulier que je sens, et que je ne sais pas dire.

Nous partirons demain pour Marseille ; notre séjour n'y sera pas long. Le dessein de Rica et le mien est de nous rendre incessamment à Paris, qui est le siège de l'empire d'Europe. Les voyageurs cherchent toujours les grandes villes, qui sont une espèce de patrie commune à tous les étrangers.

Adieu ; sois persuadé que je t'aimerai toujours.

De Livourne, le 12 de la lune de Saphar, 1712.

1. **Livourne :** nouveau port toscan fondé par les ducs François et Ferdinand de Médicis.
2. **[...] elles n'ont qu'un voile :** « Les Persanes en ont quatre. » (Note de Montesquieu.)

Lettre XXIV
RICA À IBBEN, À SMYRNE

Nous sommes à Paris depuis un mois, et nous avons toujours été dans un mouvement continuel. Il faut bien des affaires avant qu'on soit logé, qu'on ait trouvé les gens à qui on est adressé, et qu'on se soit pourvu des choses
5 nécessaires, qui manquent toutes à la fois.

Paris est aussi grand qu'Ispahan. Les maisons y sont si hautes qu'on jurerait qu'elles ne sont habitées que par des astrologues. Tu juges bien qu'une ville bâtie en l'air, qui a six ou sept maisons les unes sur les autres, est extrême-
10 ment peuplée, et que, quand tout le monde est descendu dans la rue, il s'y fait un bel embarras.

Tu ne le croirais pas peut-être : depuis un mois que je suis ici, je n'y ai encore vu marcher personne. Il n'y a point de gens au monde qui tirent mieux parti de leur machine
15 que les Français : ils courent ; ils volent. Les voitures lentes d'Asie, le pas réglé de nos chameaux, les feraient tomber en syncope. Pour moi, qui ne suis point fait à ce train, et qui vais souvent à pied sans changer d'allure, j'enrage quelquefois comme un chrétien ; car encore passe qu'on
20 m'éclabousse depuis les pieds jusqu'à la tête ; mais je ne puis pardonner les coups de coude que je reçois régulière-ment et périodiquement. Un homme qui vient après moi, et qui me passe, me fait faire un demi-tour, et un autre, qui me croise de l'autre côté, me remet soudain où le pre-
25 mier m'avait pris ; et je n'ai pas fait cent pas, que je suis plus brisé que si j'avais fait dix lieues[1].

Ne crois pas que je puisse, quant à présent, te parler à fond des mœurs et des coutumes européennes : je n'en ai

1. **Nous sommes [...] dix lieues :** passage inspiré de Boileau, *Satire* VI, sur les embarras de Paris.

moi-même qu'une légère idée, et je n'ai eu à peine que le temps de m'étonner. 30

Le roi de France est le plus puissant prince de l'Europe. Il n'a point de mines d'or comme le roi d'Espagne son voisin ; mais il a plus de richesses que lui, parce qu'il les tire de la vanité de ses sujets, plus inépuisable que les mines. On lui a vu entreprendre ou soutenir de grandes guerres, 35 n'ayant d'autres fonds que des titres d'honneur[1] à vendre, et, par un prodige de l'orgueil humain, ses troupes se trouvaient payées, ses places munies, et ses flottes équipées.

D'ailleurs ce roi est un grand magicien : il exerce son empire sur l'esprit même de ses sujets ; il les fait penser 40 comme il veut. S'il n'a qu'un million d'écus dans son trésor, et qu'il en ait besoin de deux, il n'a qu'à leur persuader qu'un écu en vaut deux, et ils le croient. S'il a une guerre difficile à soutenir, et qu'il n'ait point d'argent, il n'a qu'à leur mettre dans la tête qu'un morceau de papier[2] est 45 de l'argent, et ils en sont aussitôt convaincus. Il va même jusqu'à leur faire croire qu'il les guérit[3] de toutes sortes de maux en les touchant, tant est grande la force et la puissance qu'il a sur les esprits.

Ce que je te dis de ce prince ne doit pas t'étonner : il y a 50 un autre magicien plus fort que lui, qui n'est pas moins maître de son esprit qu'il l'est lui-même de celui des autres. Ce magicien s'appelle le *pape*. Tantôt il lui fait croire que trois ne sont qu'un, que le pain qu'on mange n'est pas du pain, ou que le vin qu'on boit n'est pas du 55 vin[4], et mille autres choses de cette espèce.

1. **Titres d'honneur :** offices qui ennoblissent, titres de noblesse que l'on vend.
2. **Morceau de papier :** billet de monnaie.
3. **Il les guérit :** les rois de France étaient censés guérir les écrouelles qui étaient des sortes d'abcès.
4. Allusion au mystère de la transsubstantiation lors de l'Eucharistie : le pain et le vin, lors de la messe, deviennent le corps et le sang de Jésus Christ.

Lettre XXIV

Et pour le tenir toujours en haleine et ne point lui laisser perdre l'habitude de croire, il lui donne de temps en temps, pour l'exercer, de certains articles de croyance. Il y a deux ans qu'il lui envoya un grand écrit, qu'il appela Constitution[1], et voulut obliger, sous de grandes peines, ce prince et ses sujets de croire tout ce qui y était contenu. Il réussit à l'égard du prince, qui se soumit aussitôt et donna l'exemple à ses sujets. Mais quelques-uns d'entre eux se révoltèrent, et dirent qu'ils ne voulaient rien croire de tout ce qui était dans cet écrit. Ce sont les femmes qui ont été les motrices de toute cette révolte, qui divise toute la cour, tout le royaume et toutes les familles. Cette Constitution leur défend de lire un livre[2] que tous les chrétiens disent avoir été apporté du ciel : c'est proprement leur Alcoran. Les femmes, indignées de l'outrage fait à leur sexe, soulèvent tout contre la Constitution : elles ont mis les hommes de leur parti, qui, dans cette occasion, ne veulent point avoir de privilège. On doit pourtant avouer que ce moufti[3] ne raisonne pas mal, et, par le grand Hali, il faut qu'il ait été instruit des principes de notre sainte loi. Car, puisque les femmes sont d'une création inférieure à la nôtre, et que nos prophètes nous disent qu'elles n'entreront point dans le Paradis, pourquoi faut-il qu'elles se mêlent de lire un livre qui n'est fait que pour apprendre le chemin du Paradis ?

J'ai ouï raconter du roi des choses qui tiennent du prodige, et je ne doute pas que tu ne balances à les croire.

On dit que, pendant qu'il faisait la guerre à ses voisins, qui s'étaient tous ligués contre lui, il avait dans son royaume un nombre innombrable d'ennemis[4] invisibles qui l'entou-

1. **Constitution :** la bulle *Unigenitus* date du 8 septembre 1713 alors que Rica la renvoie à 1710. Le pape y condamne le jansénisme.
2. **Un livre :** la Bible, dont la lecture était interdite aux femmes par la bulle *Unigenitus*.
3. **Moufti :** mufti, théoricien et interprète du droit canonique musulman.
4. **Ennemis :** les jansénistes.

raient. On ajoute qu'il les a cherchés pendant plus de trente ans, et que, malgré les soins infatigables de certains dervis[1] qui ont sa confiance, il n'en a pu trouver un seul. Ils vivent avec lui : ils sont à sa cour, dans sa capitale, dans ses troupes, dans ses tribunaux ; et cependant on dit qu'il aura le chagrin de mourir sans les avoir trouvés. On dirait qu'ils existent en général, et qu'ils ne sont plus rien en particulier : c'est un corps, mais point de membres. Sans doute que le ciel veut punir ce prince de n'avoir pas été assez modéré envers les ennemis qu'il a vaincus, puisqu'il lui en donne d'invisibles, et dont le génie et le destin sont au-dessus du sien.

Je continuerai à t'écrire, et je t'apprendrai des choses bien éloignées du caractère et du génie persan. C'est bien la même terre qui nous porte tous deux ; mais les hommes du pays où je vis, et ceux du pays où tu es, sont des hommes bien différents.

De Paris, le 4 de la lune de Rebiab 2[2], 1712.

Malgré les différentes cultures, tous les hommes vivent ensemble dans le monde. C'est le concept de l'universalité

Lettre XXV
Usbek à Ibben, à Smyrne

J'ai reçu une lettre de ton neveu Rhédi : il me mande qu'il quitte Smyrne dans le dessein de voir l'Italie ; que l'unique but de son voyage est de s'instruire, et de se rendre par là plus digne de toi. Je te félicite d'avoir un neveu qui sera quelque jour la consolation de ta vieillesse.

1. **Dervis :** derviche, religieux musulman appartenant à une confrérie. Les dervis représentent dans ce passage les jésuites, opposés aux jansénistes.
2. **Rebiab 2 :** juin.

Lettre XXV

Rica t'écrit une longue lettre ; il m'a dit qu'il te parlait beaucoup de ce pays-ci. La vivacité de son esprit fait qu'il saisit tout avec promptitude. Pour moi, qui pense plus lentement, je ne suis en état de te rien dire.

Tu es le sujet de nos conversations les plus tendres : nous ne pouvons assez parler du bon accueil que tu nous as fait à Smyrne, et des services que ton amitié nous rend tous les jours.

Puisses-tu, généreux Ibben, trouver partout des amis aussi reconnaissants et aussi fidèles que nous ! Puissé-je te revoir bientôt et retrouver avec toi ces jours heureux qui coulent si doucement entre deux amis ! Adieu.

De Paris, le 4 de la lune de Rebiab 2, 1712.

Lettre XXVI
Usbek à Roxane, au sérail d'Ispahan

Que vous êtes heureuse, Roxane, d'être dans le doux pays de Perse, et non pas dans ces climats empoisonnés où l'on ne connaît ni la pudeur ni la vertu ! Que vous êtes heureuse ! Vous vivez dans mon sérail comme dans le séjour de l'innocence, inaccessible aux attentats de tous les humains ; vous vous trouvez avec joie dans une heureuse impuissance de faillir : jamais homme ne vous a souillée de ses regards lascifs ; votre beau-père même, dans la liberté des festins, n'a jamais vu votre belle bouche : vous n'avez jamais manqué de vous attacher un bandeau sacré pour la couvrir. Heureuse Roxane ! Quand vous avez été à la campagne, vous avez toujours eu des eunuques qui ont marché devant vous pour donner la mort à tous les téméraires qui n'ont pas fui à votre vue. Moi-même, à qui le ciel vous a donnée pour faire mon bonheur, quelle peine n'ai-je pas eue pour me rendre maître de ce trésor que vous défendiez avec tant de constance !

Quel chagrin pour moi, dans les premiers jours de notre mariage, de ne pas vous voir ! Et quelle impatience quand je vous eus vue ! Vous ne la satisfaisiez pourtant pas ; vous l'irritiez, au contraire, par les refus obstinés d'une pudeur alarmée : vous me confondiez avec tous ces hommes à qui vous vous cachez sans cesse. Vous souvient-il de ce jour où je vous perdis parmi vos esclaves qui me trahirent et vous dérobèrent à mes recherches ? Vous souvient-il de cet autre où, voyant vos larmes impuissantes, vous employâtes l'autorité de votre mère pour arrêter les fureurs de mon amour ? Vous souvient-il, lorsque toutes les ressources vous manquèrent, de celles que vous trouvâtes dans votre courage ? Vous prîtes un poignard et menaçâtes d'immoler un époux qui vous aimait, s'il continuait à exiger de vous ce que vous chérissiez plus que votre époux même. Deux mois se passèrent dans ce combat de l'amour et de la vertu. Vous poussâtes trop loin vos chastes scrupules : vous ne vous rendîtes pas même après avoir été vaincue ; vous défendîtes jusques à la dernière extrémité une virginité mourante ; vous me regardâtes comme un ennemi qui vous avait fait un outrage, non pas comme un époux qui vous avait aimée ; vous fûtes plus de trois mois que vous n'osiez me regarder sans rougir : votre air confus semblait me reprocher l'avantage que j'avais pris. Je n'avais pas même une possession tranquille : vous me dérobiez tout ce que vous pouviez de ces charmes et de ces grâces, et j'étais enivré des plus grandes faveurs, sans avoir obtenu les moindres.

Si vous aviez été élevée dans ce pays-ci, vous n'auriez pas été si troublée. Les femmes y ont perdu toute retenue ; elles se présentent devant les hommes à visage découvert, comme si elles voulaient demander leur défaite ; elles les cherchent de leurs regards ; elle les voient dans les mosquées, les promenades, chez elles-mêmes ; l'usage de se faire servir par des eunuques leur est inconnu. Au lieu de cette noble simplicité et de cette aimable pudeur qui

règne parmi vous, on voit une impudence brutale, à
55 laquelle il est impossible de s'accoutumer.

Oui, Roxane, si vous étiez ici, vous vous sentiriez outra-
gée dans l'affreuse ignominie où votre sexe est descendu ;
vous fuiriez ces abominables lieux, et vous soupireriez
pour cette douce retraite, où vous trouvez l'innocence, où
60 vous êtes sûre de vous-même, où nul péril ne vous fait
trembler, où enfin vous pouvez m'aimer sans craindre de
perdre jamais l'amour que vous me devez.

Quand vous relevez l'éclat de votre teint par les plus
belles couleurs ; quand vous vous parfumez tout le corps
65 des essences les plus précieuses ; quand vous vous parez
de vos plus beaux habits ; quand vous cherchez à vous
distinguer de vos compagnes par les grâces de la danse et
par la douceur de votre chant ; que vous combattez gra-
cieusement avec elles de charmes, de douceur et d'enjoue-
70 ment : je ne puis pas m'imaginer que vous ayez d'autre
objet que celui de me plaire ; et, quand je vous vois rougir
modestement, que vos regards cherchent les miens, que
vous vous insinuez dans mon cœur par des paroles douces
et flatteuses, je ne saurais, Roxane, douter de votre amour.
75 Mais que puis-je penser des femmes d'Europe ? L'art de
composer leur teint, les ornements dont elles se parent, les
soins qu'elles prennent de leur personne, le désir conti-
nuel de plaire qui les occupe, sont autant de taches faites
à leur vertu et d'outrages à leur époux.

80 Ce n'est pas, Roxane, que je pense qu'elles poussent
l'attentat aussi loin qu'une pareille conduite devrait le faire
croire, et qu'elles portent la débauche à cet excès horrible,
qui fait frémir, de violer absolument la foi conjugale. Il y a
bien peu de femmes assez abandonnées pour aller jusque-
85 là : elles portent toutes dans leur cœur un certain caractère
de vertu qui y est gravé, que la naissance donne, et que
l'éducation affaiblit, mais ne détruit pas. Elles peuvent bien
se relâcher des devoirs extérieurs que la pudeur exige ;
mais, quand il s'agit de faire les derniers pas, la nature se

révolte. Aussi, quand nous vous enfermons si étroitement, que nous vous faisons garder par tant d'esclaves, que nous gênons si fort vos désirs lorsqu'ils volent trop loin, ce n'est pas que nous craignions la dernière infidélité ; mais c'est que nous savons que la pureté ne saurait être trop grande, et que la moindre tache peut la corrompre.

Je vous plains, Roxane. Votre chasteté, si longtemps éprouvée, méritait un époux qui ne vous eût jamais quittée, et qui pût lui-même réprimer les désirs que votre seule vertu sait soumettre.

De Paris, le 7 de la lune de Rhegeb[1], 1712.

Lettre XXVII
Usbek à Nessir, à Ispahan

Nous sommes à présent à Paris, cette superbe rivale de la ville du soleil[2].

Lorsque je partis de Smyrne, je chargeai mon ami Ibben de te faire tenir une boîte où il y avait quelques présents pour toi ; tu recevras cette lettre par la même voie. Quoique éloigné de lui de cinq ou six cents lieues, je lui donne de mes nouvelles, et je reçois des siennes, aussi facilement que s'il était à Ispahan, et moi à Com. J'envoie mes lettres à Marseille, d'où il part continuellement des vaisseaux pour Smyrne ; de là, il envoie celles qui sont pour la Perse par les caravanes d'Arméniens qui partent tous les jours pour Ispahan.

Rica jouit d'une santé parfaite : la force de sa constitution, sa jeunesse et sa gaieté naturelle le mettent au-dessus de toutes les épreuves.

Mais, pour moi, je ne me porte pas bien : mon corps et mon esprit sont abattus ; je me livre à des réflexions qui

1. **Rhegeb :** septembre.
2. **Ville du soleil :** Ispahan. Le soleil est avec le lion l'emblème de la monarchie persane.

deviennent tous les jours plus tristes ; ma santé, qui s'affaiblit, me tourne vers ma patrie et me rend ce pays-ci plus étranger.

Mais, cher Nessir, je te conjure, fais en sorte que mes
20 femmes ignorent l'état où je suis : si elles m'aiment, je veux épargner leurs larmes, et, si elles ne m'aiment pas, je ne veux point augmenter leur hardiesse.

Si mes eunuques me croyaient en danger, s'ils pouvaient espérer l'impunité d'une lâche complaisance, ils cesseraient
25 bientôt d'être sourds à la voix flatteuse de ce sexe qui se fait entendre aux rochers et remue les choses inanimées.

Adieu, Nessir ; j'ai du plaisir à te donner des marques de ma confiance.

De Paris, le 5 de la lune de Chahban, 1712.

Lettre XXVIII
Rica à***

Je vis hier une chose assez singulière, quoiqu'elle se passe tous les jours à Paris.

Tout le peuple s'assemble sur la fin de l'après-dînée, et va jouer une espèce de scène que j'ai entendu appeler
5 *comédie*. Le grand mouvement est sur une estrade, qu'on nomme le *théâtre*. Aux deux côtés, on voit, dans de petits réduits qu'on nomme *loges*, des hommes et des femmes qui jouent ensemble des scènes muettes, à peu près comme celles qui sont en usage en notre Perse.

10 Ici, c'est une amante affligée qui exprime sa langueur ; une autre, plus animée, dévore des yeux son amant, qui la regarde de même : toutes les passions sont peintes sur les visages, et exprimées avec une éloquence qui, pour être muette, n'en est que plus vive. Là, les actrices ne paraissent
15 qu'à demi-corps, et ont ordinairement un manchon, par

modestie, pour cacher leurs bras. Il y a en bas une troupe de gens debout[1], qui se moquent de ceux qui sont en haut sur le théâtre, et ces derniers rient à leur tour de ceux qui sont en bas.

Mais ceux qui prennent le plus de peine sont quelques gens qu'on prend pour cet effet dans un âge peu avancé, pour soutenir la fatigue. Ils sont obligés d'être partout : ils passent par des endroits qu'eux seuls connaissent, montent avec une adresse surprenante d'étage en étage ; ils sont en haut, en bas, dans toutes les loges ; ils plongent, pour ainsi dire ; on les perd, ils reparaissent ; souvent ils quittent le lieu de la scène et vont jouer dans un autre. On en voit même qui, par un prodige qu'on n'aurait osé espérer de leurs béquilles, marchent et vont comme les autres. Enfin on se rend à des salles où l'on joue une comédie particulière : on commence par des révérences, on continue par des embrassades. On dit que la connaissance la plus légère met un homme en droit d'en étouffer un autre. Il semble que le lieu inspire de la tendresse. En effet, on dit que les princesses qui y règnent ne sont point cruelles, et, si on en excepte deux ou trois heures du jour, où elles sont assez sauvages, on peut dire que le reste du temps elles sont traitables, et que c'est une ivresse qui les quitte aisément.

Tout ce que je te dis ici se passe à peu près de même dans un autre endroit, qu'on nomme l'*Opéra* : toute la différence est qu'on parle à l'un, et que l'on chante à l'autre. Un de mes amis me mena l'autre jour dans la loge où se déshabillait une des principales actrices. Nous fîmes si bien connaissance, que le lendemain je reçus d'elle cette lettre :

1. **Debout :** les spectateurs du parterre étaient debout.

Lettre XXVIII

MONSIEUR,

Je suis la plus malheureuse fille du monde ; j'ai toujours été la plus vertueuse actrice de l'Opéra. Il y a sept ou huit
50 *mois que j'étais dans la loge où vous me vîtes hier. Comme je m'habillais en prêtresse de Diane, un jeune abbé vint m'y trouver, et, sans respect pour mon habit blanc, mon voile et mon bandeau, il me ravit mon innocence. J'ai beau lui exagérer le sacrifice que je lui ai fait ; il se met à rire et me sou-*
55 *tient qu'il m'a trouvée très profane. Cependant je suis si grosse que je n'ose plus me présenter sur le théâtre : car je suis, sur le chapitre de l'honneur, d'une délicatesse inconcevable, et je soutiens toujours qu'à une fille bien née il est plus facile de faire perdre la vertu que la modestie. Avec*
60 *cette délicatesse, vous jugez bien que ce jeune abbé n'eût jamais réussi, s'il ne m'avait promis de se marier avec moi : un motif si légitime me fit passer sur les petites formalités ordinaires et commencer par où j'aurais dû finir. Mais, puisque son infidélité m'a déshonorée, je ne veux plus vivre*
65 *à l'Opéra, où, entre vous et moi, l'on ne me donne guère de quoi vivre : car, à présent que j'avance en âge, et que je perds du côté des charmes, ma pension, qui est toujours la même, semble diminuer tous les jours. J'ai appris, par un homme de votre suite, que l'on faisait un cas infini, dans*
70 *votre pays, d'une bonne danseuse, et que, si j'étais à Ispahan, ma fortune serait aussitôt faite. Si vous vouliez m'accorder votre protection et m'emmener avec vous dans ce pays-là, vous auriez l'avantage de faire du bien à une fille qui, par sa vertu et sa conduite, ne se rendrait pas indigne de vos*
75 *bontés. Je suis...*

De Paris, le 2 de la lune de Chalval[1], 1712.

1. **Chalval :** décembre.

Synthèse

Un regard persan/perçant

Montesquieu choisit deux Persans pour fonder ses satires de l'Ancien Régime sur l'étonnement de deux étrangers qui posent un œil neuf sur les défauts de la société du début du XVIII^e siècle.

Personnages

L'enjoué Rica et le grave Usbek

Dans la lettre XXIV, Rica aborde plusieurs thèmes de grande importance : après une description humoristique des embarras de Paris rappelant la *Satire VI* de Boileau, il traite le roi de France Louis XIV de « grand magicien », parce qu'il fait croire à ses sujets qu'un écu en vaut deux. Il se moque avec le même humour irrévérencieux du pape qui fait accroire « que trois ne font qu'un, que le pain qu'on mange n'est pas du pain, ou que le vin qu'on boit n'est pas du vin ».

Dans la lettre XXVIII sur le théâtre, en se moquant des spectateurs qui transportent le théâtre de la scène à la salle, il fait apparaître la vie réelle comme un immense théâtre, une comédie. Les satires sont l'apanage de Rica, toujours de bonne humeur et enclin à la dérision. D'ailleurs, selon Usbek : « La vivacité de son esprit fait qu'il saisit tout avec promptitude. Pour moi, qui pense plus lentement, je ne suis en état de te rien dire. » (lettre XXV). Il précise plus loin : « Rica jouit d'une santé parfaite : la force de sa constitution, sa jeunesse et sa gaieté naturelle le mettent au-dessus de toutes les épreuves » (lettre XXVII).

Usbek est de tempérament plus mélancolique. Jaloux et soucieux de son sérail, il cherche gravement la vérité : dans les lettres XVI et XVII, il demande au mollak Méhémet-Hali les raisons de la pureté ou de l'impureté des choses. Dans la lettre XIX, il traite de la décadence de l'Empire turc. Dans la lettre XX, il reproche à l'une de ses épouses, Zachi, d'enfreindre les lois du sérail. Il fait aussi ces reproches au premier eunuque blanc. La lettre XXII nous dévoile sa jalousie croissante ; la lettre XXVI compare les femmes françaises et les femmes orientales.

Langage

L'ironie

L'opposition des caractères permet de varier les tonalités des lettres. Les lettres de Rica sont drôles et ironiques : la lettre XXIV décrit Paris de façon à faire sourire le lecteur, à l'amuser : « Les maisons y sont si hautes qu'on jurerait qu'elles ne sont habitées que par des astrologues », observation inattendue qui mêle la cocasserie à l'hyperbole. Rica présente ainsi la réalité d'une manière plaisante et souvent originale. Usbek est plus sérieux, on l'a dit. Il écrit parfois des lettres drôles, mais c'est alors l'ironie de Montesquieu qui s'exerce à l'insu de son héros, par exemple dans la lettre XVI qui parodie le style fleuri prêté aux Orientaux : « Ta science est un abîme plus puissant que l'Océan ; ton esprit est plus perçant que Zufagar, cette épée d'Hali qui avait deux pointes... ». L'ironie est l'arme principale de Montesquieu contre la superstition : ainsi, le seul but de la correspondance entre Usbek et le mollah Méhémet-Hali est de révéler l'irrationnalité des règles des religions.

Société

Remise en cause du pouvoir du roi et du pape

Montesquieu utilise le regard distanciateur des deux Persans pour traquer les préjugés et libérer la critique. Dans les lettres XVI, XVII et XVIII, il prend ses distances avec l'arbitraire de la religion. Les explications sur le pur et l'impur sont si absurdes qu'elles en deviennent cocasses. Ces lettres sont autant d'appels à la raison contre la superstition. On a déjà noté la hardiesse des lettres de Rica qui représentent le pape et le roi en magiciens pour les démystifier. Dans la lettre XXIV, Rica se moque même de l'eucharistie.

Lettre XXIX
RICA À IBBEN, À SMYRNE

Le pape est le chef des chrétiens. C'est une vieille idole qu'on encense par habitude. Il était autrefois redoutable aux princes même : car il les déposait aussi facilement que nos magnifiques sultans déposent les rois d'Irimette et de Géorgie. Mais on ne le craint plus. Il se dit successeur d'un des premiers chrétiens, qu'on appelle *saint Pierre*, et c'est certainement une riche succession : car il a des trésors immenses et un grand pays sous sa domination.

Les évêques sont des gens de loi qui lui sont subordonnés, et ont, sous son autorité, deux fonctions bien différentes : quand ils sont assemblés, ils font, comme lui, des articles de foi ; quand ils sont en particulier, ils n'ont guère d'autre fonction que de dispenser d'accomplir la loi. Car tu sauras que la religion chrétienne est chargée d'une infinité de pratiques très difficiles, et, comme on a jugé qu'il est moins aisé de remplir ses devoirs que d'avoir des évêques qui en dispensent, on a pris ce dernier parti pour l'utilité publique. De sorte que si l'on ne veut pas faire le rahmazan ; si on ne veut pas s'assujettir aux formalités des mariages ; si on veut rompre ses vœux ; si on veut se marier contre les défense de la loi ; quelquefois même, si on veut revenir contre son serment : on va à l'Évêque ou au Pape, qui donne aussitôt la dispense.

Les évêques ne font pas des articles de foi de leur propre mouvement. Il y a un nombre infini de docteurs, la plupart dervis, qui soulèvent entre eux mille questions nouvelles sur la religion. On les laisse disputer longtemps, et la guerre dure jusqu'à ce qu'une décision vienne la terminer.

Aussi puis-je t'assurer qu'il n'y a jamais eu de royaume où il y ait eu tant de guerres civiles que dans celui de Christ.

Ceux qui mettent au jour quelque proposition nouvelle sont d'abord appelés *hérétiques*. Chaque hérésie a son

nom, qui est, pour ceux qui y sont engagés, comme le mot de ralliement. Mais n'est hérétique qui ne veut : il n'y a
35 qu'à partager le différend par la moitié et donner une distinction à ceux qui accusent d'hérésie, et, quelle que soit la distinction, intelligible ou non, elle rend un homme blanc comme de la neige, et il peut se faire appeler *orthodoxe*.

Ce que je te dis est bon pour la France et l'Allemagne :
40 car j'ai ouï dire qu'en Espagne et en Portugal, il y a de certains dervis qui n'entendent point raillerie, et qui font brûler un homme comme de la paille. Quand on tombe entre les mains de ces gens-là, heureux celui qui a toujours prié Dieu avec de petits grains de bois à la main, qui a porté
45 sur lui deux morceaux de drap attachés à deux rubans, et qui a été quelquefois dans une province qu'on appelle *la Galice* ! Sans cela un pauvre diable est bien embarrassé. Quand il jurerait comme un païen qu'il est orthodoxe, on pourrait bien ne pas demeurer d'accord des qualités et le
50 brûler comme hérétique : il aurait beau donner sa distinction. Point de distinction ! Il serait en cendres avant que l'on eût seulement pensé à l'écouter.

Les autres juges présument qu'un accusé est innocent ; ceux-ci le présument toujours coupable : dans le doute, ils
55 tiennent pour règle de se déterminer du côté de la rigueur ; apparemment parce qu'ils croient les hommes mauvais. Mais, d'un autre côté, ils en ont si bonne opinion, qu'ils ne les jugent jamais capables de mentir : car ils reçoivent le témoignage des ennemis capitaux, des fem-
60 mes de mauvaise vie, de ceux qui exercent une profession infâme. Ils font dans leur sentence un petit compliment à ceux qui sont revêtus d'une chemise de soufre, et leur disent qu'ils sont bien fâchés de les voir si mal habillés, qu'ils sont doux, qu'ils abhorrent le sang, et sont au déses-
65 poir de les avoir condamnés. Mais, pour se consoler, ils confisquent tous les biens de ces malheureux à leur profit.

Heureuse la terre qui est habitée par les enfants des prophètes ! Ces tristes spectacles y sont inconnus. La sainte

religion que les anges y ont apportée se défend par sa
vérité même : elle n'a point besoin de ces moyens violents 70
pour se maintenir.

De Paris, le 4 de la lune de Chalval, 1712.

Synthèse Religion et fanatisme dans les *Lettres Persanes* (lettre XXIX)

Une lettre irrévérencieuse

Libre penseur, Montesquieu rejoint Voltaire dans la lutte contre les superstitions et le fanatisme, dans sa satire des clergés.

Personnages

Contre le pape

« Le pape est le chef des chrétiens. C'est une vieille idole qu'on encense par habitude. » Ces phrases de la lettre XXIX réduisent à néant le pouvoir du Pape.

Au-delà de la critique de « l'habitude » qui a remplacé la foi, Montesquieu dénonce l'intolérance, visant l'Inquisition et les guerres de religion qu'il aborde dans les lettres XXXV, LV et LXXXV : « J'avoue que les histoires sont remplies de guerres de religion. Mais, qu'on y prenne bien garde : ce n'est point la multiplicité des religions qui a produit ces guerres, c'est l'esprit d'intolérance, qui animait celle qui se croyait la dominante » (lettre LXXXV). Il se rapproche là du Voltaire du *Traité sur la tolérance* : les manifestations du fanatisme poussent les philosophes à lui préférer le pluralisme, facteur d'émulation pour les religions à pratiquer les bonnes mœurs.

Langage

Contre les casuistes

Montesquieu s'adonne à une satire ironique des dogmes et des rites religieux. La lettre XLIX s'en prend aux missions d'évangélisation. Avec une ironie cinglante, Rica (et derrière lui Montesquieu) affirme l'inutilité de ces missions qui cachent des désirs colonialistes. La lettre CLVII révèle aussi le manque de spiritualité des confesseurs qui, comme les « bons Pères », cibles de l'ironie de Pascal dans *Les Provinciales*, tolèrent les péchés lorsqu'ils sont commis par des gens puissants et fortunés, desquels ils tirent bien évidemment profit. La « casuistique » des jésuites est ainsi vilipendée : « Or tout notre art consiste à

Synthèse Religion et fanatisme
dans les *Lettres Persanes*
(lettre XXIX)

bien distinguer ces deux sortes de péchés (véniels et mortels) : car, à la réserve de quelques libertins, tous les chrétiens veulent gagner le Paradis ». Voici la réponse de Rica à ce confesseur qui est aussi un casuiste : « Mon père, lui dis-je, cela est fort bon ; mais comment vous accommodez-vous avec le ciel ? Si le Sophi avait à sa cour un homme qui fît à son égard ce que vous faites contre votre Dieu, qui mît de la différence entre ses ordres, et qui apprît à ses sujets dans quel cas ils doivent les exécuter, et dans quel autre ils peuvent les violer, il le ferait empaler sur l'heure. »

Dans la lettre CXXXIV, la mystique est présentée comme un délire : « Cet état est le délire de la dévotion. », fait dire Montesquieu à un Père avec lequel l'épistolier dialogue.

Société

Contre la superstition et les rites

Qu'il satirise la religion chrétienne ou musulmane, Montesquieu ne condamne pas le sentiment religieux, mais les superstitions et les rites. Il cherche à concilier foi et raison, religion et rationalité. Il se moque ainsi du mystère de la Trinité (que le Père, le Fils et le Saint-Esprit ne fassent qu'un) et de la transsubstantiation (le corps du Christ partagé dans le pain et le vin de la messe) dans la lettre XXIV. Il applique le même traitement à l'interdiction de consommer du porc de la religion musulmane en développant, dans la lettre XVIII, une histoire absurde de cochon qui, dans l'arche de Noé, serait né des ordures d'un éléphant.

Montesquieu rêve d'une religion éclairée et tolérante, réformée par la raison, ce qui le rapproche des protestants. Sans être athée, il s'est davantage intéressé à l'aspect moral, social et politique de la religion qu'à son aspect métaphysique. Dieu fut sans doute pour lui un principe de justice et de morale : « S'il y a un Dieu, mon cher Rhédi, il faut nécessairement qu'il soit juste : car, s'il ne l'était pas, il serait le plus mauvais et le plus imparfait de tous les êtres » (lettre LXXXIII).

Lettre XXX

RICA AU MÊME, À SMYRNE

Les habitants de Paris sont d'une curiosité qui va jusqu'à l'extravagance. Lorsque j'arrivai, je fus regardé comme si j'avais été envoyé du ciel : vieillards, hommes, femmes, enfants, tous voulaient me voir. Si je sortais, tout le monde se mettait aux fenêtres ; si j'étais aux Tuileries, je 5 voyais aussitôt un cercle se former autour de moi ; les femmes mêmes faisaient un arc-en-ciel nuancé de mille couleurs, qui m'entourait ; si j'étais aux spectacles, je trouvais d'abord cent lorgnettes dressées contre ma figure : enfin jamais homme n'a tant été vu que moi. Je souriais 10 quelquefois d'entendre des gens qui n'étaient presque jamais sortis de leur chambre, qui disaient entre eux : « Il faut avouer qu'il a l'air bien persan. » Chose admirable ! Je trouvais de mes portraits partout ; je me voyais multiplié dans toutes les boutiques, sur toutes les cheminées, tant 15 on craignait de ne m'avoir pas assez vu.

Tant d'honneurs ne laissent pas d'être à charge : je ne me croyais pas un homme si curieux et si rare ; et, quoique j'aie très bonne opinion de moi, je ne me serais jamais imaginé que je dusse troubler le repos d'une grande ville 20 où je n'étais point connu. Cela me fit résoudre à quitter l'habit persan et à en endosser un à l'européenne, pour voir s'il resterait encore dans ma physionomie quelque chose d'admirable. Cet essai me fit connaître ce que je valais réellement : libre de tous les ornements étrangers, je 25 me vis apprécié au plus juste. J'eus sujet de me plaindre de mon tailleur, qui m'avait fait perdre en un instant l'attention et l'estime publique : car j'entrai tout à coup dans un néant affreux. Je demeurais quelquefois une heure dans une compagnie sans qu'on m'eût regardé, et qu'on m'eût 30 mis en occasion d'ouvrir la bouche. Mais, si quelqu'un, par hasard, apprenait à la compagnie que j'étais Persan,

j'entendais aussitôt autour de moi un bourdonnement :
« Ah ! ah ! Monsieur est Persan ? c'est une chose bien
35 extraordinaire ! Comment peut-on être Persan ? »

De Paris, le 6 de la lune de Chalval, 1712.

Clefs d'analyse

Compréhension

▌ Être et paraître : l'habit fait-il le moine ?

- Dire comment est construite cette lettre XXX.
- Expliquer pourquoi les propos des Parisiens qui ferment cette lettre sont rapportés au discours direct.
- Relever et justifier l'emploi des temps verbaux.
- Rapprocher cette lettre d'autres textes qui opposeraient pareillement l'être et le paraître.
- Dire en quoi la leçon de cette lettre reste d'actualité.

Réflexion

▌ Humour et ironie

- Relever les images utilisées par l'auteur.
- Préciser le ton de l'exclamation : « chose admirable ! ».
- Relever les marques du haut degré dans le premier paragraphe. Dire à quoi elles servent.

▌ La rencontre de l'autre

- Montrer comment s'expriment l'engouement et sa brutale dissipation.
- Dire si les hommes, d'après cette lettre, sont prêts à concevoir l'altérité, à s'enrichir de la différence de l'autre.

À retenir :

L'ironie se définit comme le fait de dire le contraire de ce qu'on veut laisser entendre. L'ironie a une visée critique et agressive, contrairement à l'humour, plaisant mais sans agressivité et sans viser une cible. L'ironie, quant à elle, imite le discours de celui qu'elle raille, en en grossissant les traits les plus risibles ou les plus scandaleux pour s'en moquer et les dénoncer.

Lettre XXXI
RHÉDI À USBEK, À PARIS

Je suis à présent à Venise, mon cher Usbek. On peut avoir vu toutes les villes du monde et être surpris en arrivant à Venise : on sera toujours étonné de voir une ville, des tours et des mosquées sortir de dessous l'eau, et de trouver un peuple innombrable dans un endroit où il ne devrait y avoir que des poissons. 5

Mais cette ville profane manque du trésor le plus précieux qui soit au monde, c'est-à-dire d'eau vive ; il est impossible d'y accomplir une seule ablution légale. Elle est en abomination à notre saint Prophète ; il ne la regarde jamais, du haut du ciel, qu'avec colère. 10

Sans cela, mon cher Usbek, je serais charmé de vivre dans une ville où mon esprit se forme tous les jours. Je m'instruis des secrets du commerce, des intérêts des princes, de la forme de leur gouvernement ; je ne néglige pas même les superstitions européennes ; je m'applique à la médecine, à la physique, à l'astronomie ; j'étudie les arts ; enfin je sors des nuages qui couvraient mes yeux dans le pays de ma naissance. 15

De Venise, le 16 de la lune de Chalval, 1712.

Lettre XXXII
RICA À***

J'allai l'autre jour voir une maison où l'on entretient environ trois cents personnes assez pauvrement. J'eus bientôt fait : car l'église et les bâtiments ne méritent pas d'être regardés. Ceux qui sont dans cette maison étaient assez gais ; plusieurs d'entre eux jouaient aux cartes ou à 5

d'autres jeux que je ne connais point. Comme je sortais, un de ces hommes sortait aussi, et, m'ayant entendu demander le chemin du Marais, qui est le quartier le plus éloigné de Paris : « J'y vais, me dit-il, et je vous y conduirai ;
10 suivez-moi. » Il me mena à merveille, me tira de tous les embarras et me sauva adroitement des carrosses et des voitures. Nous étions prêts d'arriver, quand la curiosité me prit. « Mon bon ami, lui dis-je, ne pourrais-je point savoir qui vous êtes ? – Je suis aveugle, Monsieur, me répondit-il.
15 – Comment ! lui dis-je, vous êtes aveugle ! Et que ne priiez-vous cet honnête homme qui jouait aux cartes avec vous de nous conduire ? – Il est aveugle aussi, me répondit-il. Il y a quatre cents ans que nous sommes trois cents aveugles dans cette maison où vous m'avez trouvé. Mais il
20 faut que je vous quitte. Voilà la rue que vous demandiez. Je vais me mettre dans la foule ; j'entre dans cette église, où, je vous jure, j'embarrasserai plus les gens qu'ils ne m'embarrasseront. »

De Paris, le 17 de la lune de Chalval, 1712.

Lettre XXXIII
Usbek à Rhédi, à Venise

Le vin est si cher à Paris, par les impôts[1] que l'on y met, qu'il semble qu'on ait entrepris d'y faire exécuter les préceptes du divin Alcoran qui défend d'en boire.

Lorsque je pense aux funestes effets de cette liqueur, je
5 ne puis m'empêcher de la regarder comme le présent le plus redoutable que la nature ait fait aux hommes. Si quelque chose a flétri la vie et la réputation de nos monarques, ç'a été leur intempérance : c'est la source la plus empoisonnée de leurs injustices et de leurs cruautés.

1. **Impôts :** Montesquieu, producteur bordelais, se montre sensible aux taxes qui grèvent le transport du vin.

Je le dirai, à la honte des hommes : la Loi interdit à nos ₁₀ princes l'usage du vin, et ils en boivent avec un excès qui les dégrade de l'humanité même ; cet usage, au contraire, est permis aux princes chrétiens, et on ne remarque pas qu'il leur fasse faire aucune faute. L'esprit humain est la contradiction même : dans une débauche licencieuse, on ₁₅ se révolte avec fureur contre les préceptes, et la Loi, faite pour nous rendre plus justes, ne sert souvent qu'à nous rendre plus coupables.

Mais, quand je désapprouve l'usage de cette liqueur qui fait perdre la raison, je ne condamne pas de même ces ₂₀ boissons qui l'égaient. C'est la sagesse des Orientaux de chercher des remèdes contre la tristesse avec autant de soin que contre les maladies les plus dangereuses. Lorsqu'il arrive quelque malheur à un Européen, il n'a d'autre ressource que la lecture d'un philosophe qu'on appelle ₂₅ *Sénèque* ; mais les Asiatiques, plus sensés qu'eux, et meilleurs physiciens en cela, prennent des breuvages[1] capables de rendre l'homme gai et de charmer le souvenir de ses peines.

Il n'y a rien de si affligeant que les consolations tirées de ₃₀ la nécessité du mal, de l'inutilité des remèdes, de la fatalité du destin, de l'ordre de la Providence, et du malheur de la condition humaine. C'est se moquer de vouloir adoucir un mal par la considération que l'on est né misérable. Il vaut bien mieux enlever l'esprit hors de ses réflexions, et traiter ₃₅ l'homme comme sensible, au lieu de le traiter comme raisonnable.

L'âme, unie avec le corps, en est sans cesse tyrannisée. Si le mouvement du sang est trop lent ; si les esprits ne sont pas assez épurés ; s'ils ne sont pas en quantité suffisante, ₄₀ nous tombons dans l'accablement et dans la tristesse.

1. **Breuvages :** s'agit-il du café ? D'une décoction de coque et de graines de pavot appelée *coquenar* ?

Lettre XXXIII

Mais, si nous prenons des breuvages qui puissent changer cette disposition de notre corps, notre âme redevient capable de recevoir des impressions qui l'égaient, et elle sent un plaisir secret de voir sa machine reprendre, pour ainsi dire, son mouvement et sa vie.

De Paris, le 25 de la lune de Zilcadé, 1713.

Lettre XXXIV
USBEK À IBBEN, À SMYRNE

Les femmes de Perse sont plus belles que celles de France ; mais celles de France sont plus jolies. Il est difficile de ne point aimer les premières, et de ne se point plaire avec les secondes : les unes sont plus tendres et plus modestes ; les autres sont plus gaies et plus enjouées.

Ce qui rend le sang si beau en Perse, c'est la vie réglée que les femmes y mènent : elles ne jouent ni ne veillent ; elles ne boivent point de vin, et ne s'exposent presque jamais à l'air. Il faut avouer que le sérail est plutôt fait pour la santé que pour les plaisirs : c'est une vie unie, qui ne pique point ; tout s'y ressent de la subordination et du devoir ; les plaisirs mêmes y sont graves, et les joies, sévères ; et on ne les goûte presque jamais que comme des marques d'autorité et de dépendance.

Les hommes mêmes n'ont pas en Perse la gaieté qu'ont les Français : on ne leur voit point cette liberté d'esprit et cet air content que je trouve ici dans tous les états et dans toutes les conditions.

C'est bien pis en Turquie, où l'on pourrait trouver des familles où, de père en fils, personne n'a ri depuis la fondation de la monarchie.

Cette gravité des Asiatiques vient du peu de commerce qu'il y a entre eux : ils ne se voient que lorsqu'ils y sont forcés par la cérémonie. L'amitié, ce doux engagement du cœur, qui fait ici la douceur de la vie, leur est presque inconnue. Ils se retirent dans leurs maisons, où ils trouvent toujours une compagnie qui les attend ; de manière que chaque famille est, pour ainsi dire, isolée.

Un jour que je m'entretenais là-dessus avec un homme de ce pays-ci, il me dit : « Ce qui me choque le plus de vos mœurs, c'est que vous êtes obligés de vivre avec des esclaves, dont le cœur et l'esprit se sentent toujours de la bassesse de leur condition. Ces gens lâches affaiblissent en vous les sentiments de la vertu que l'on tient de la nature, et ils les ruinent, depuis l'enfance qu'ils vous obsèdent. Car, enfin, défaites-vous des préjugés. Que peut-on attendre de l'éducation qu'on reçoit d'un misérable qui fait consister son honneur à garder les femmes d'un autre, et s'enorgueillit du plus vil emploi qui soit parmi les humains ; qui est méprisable par sa fidélité même, qui est la seule de ses vertus, parce qu'il y est porté par envie, par jalousie et par désespoir ; qui, brûlant de se venger des deux sexes dont il est le rebut, consent à être tyrannisé par le plus fort, pourvu qu'il puisse désoler le plus faible ; qui, tirant de son imperfection, de sa laideur et de sa difformité, tout l'éclat de sa condition, n'est estimé que parce qu'il est indigne de l'être ; qui, enfin, rivé pour jamais à la porte où il est attaché, plus dur que les gonds et les verrous qui la tiennent, se vante de cinquante ans de vie dans ce poste indigne, où, chargé de la jalousie de son maître, il a exercé toute sa bassesse ? »

De Paris, le 14 de la lune de Zilhagé, 1713.

(annotation manuscrite : Un homme musulman)

Lettre XXXV

USBEK À GEMCHID, SON COUSIN,
DERVIS DU BRILLANT MONASTÈRE DE TAURIS

Que penses-tu des chrétiens, sublime dervis ? Crois-tu qu'au jour du Jugement ils seront comme les infidèles Turcs, qui serviront d'ânes aux Juifs et les mèneront au grand trot en enfer[1] ? Je sais bien qu'ils n'iront point dans
5 le séjour des prophètes, et que le grand Hali n'est point *(annotation : grand prophète musulman)* venu pour eux. Mais, parce qu'ils n'ont pas été assez heureux pour trouver des mosquées dans leur pays, crois-tu qu'ils soient condamnés à des châtiments éternels, et que Dieu les punisse pour n'avoir pas pratiqué une religion
10 qu'il ne leur a pas fait connaître ? Je puis te le dire : j'ai souvent examiné ces chrétiens ; je les ai interrogés pour voir s'ils avaient quelque idée du grand Hali, qui était le plus beau de tous les hommes : j'ai trouvé qu'ils n'en avaient jamais ouï parler.

15 Ils ne ressemblent point à ces infidèles que nos saints prophètes faisaient passer au fil de l'épée, parce qu'ils refusaient de croire aux miracles du ciel : ils sont plutôt comme ces malheureux qui vivaient dans les ténèbres de l'idolâtrie avant que la divine lumière vînt éclairer le
20 visage de notre grand Prophète.

D'ailleurs, si l'on examine de près leur religion, on y trouvera comme une semence de nos dogmes. J'ai souvent admiré les secrets de la Providence, qui semble les avoir voulu préparer par là à la conversion générale. J'ai ouï par-
25 ler d'un livre de leurs docteurs, intitulé *La Polygamie triomphante*[2], dans lequel il est prouvé que la polygamie

1. **Enfer :** les Turcs enseignent que les Juifs vont en enfer montés sur des Persans, selon Chardin.

2. ***La Polygamie triomphante :*** livre écrit par le protestant Johann Leiser.

est ordonnée aux chrétiens. Leur baptême est l'image de nos ablutions légales, et les chrétiens n'errent que dans l'efficacité qu'ils donnent à cette première ablution, qu'ils croient devoir suffire pour toutes les autres. Leurs prêtres ³⁰ et leurs moines prient comme nous sept fois le jour[1]. Ils espèrent de jouir d'un paradis où ils goûteront mille délices par le moyen de la résurrection des corps. Ils ont, comme nous, des jeûnes marqués, des mortifications avec lesquelles ils espèrent fléchir la miséricorde divine. Ils rendent un ³⁵ culte aux bons anges et se méfient des mauvais. Ils ont une sainte crédulité pour les miracles que Dieu opère par le ministère de ses serviteurs. Ils reconnaissent, comme nous, l'insuffisance de leurs mérites et le besoin qu'ils ont d'un intercesseur auprès de Dieu. Je vois partout le maho- ⁴⁰ métisme, quoique je n'y trouve point Mahomet. On a beau faire, la vérité s'échappe et perce toujours les ténèbres qui l'environnent. Il viendra un jour où l'Éternel ne verra sur la terre que de vrais croyants : le temps, qui consume tout, détruira les erreurs mêmes ; tous les hommes seront éton- ⁴⁵ nés de se voir sous le même étendard ; tout, jusques à la Loi, sera consommé : les divins exemplaires seront enlevés de la terre et portés dans les célestes archives.

De Paris, le 20 de la lune de Zilhagé, 1713.

Lettre XXXVI
Usbek à Rhédi, à Venise

Le café est très en usage à Paris : il y a un grand nombre de maisons publiques où on le distribue. Dans quelques-unes de ces maisons, on dit des nouvelles ; dans d'autres, on joue aux échecs. Il y en a une où l'on apprête le café de

1. **Sept fois le jour :** Chardin ne parlait que de cinq prières par jour. Montesquieu a corrigé son erreur dans *L'Esprit des Lois,* XXIV, 2.

5 telle manière qu'il donne de l'esprit à ceux qui en pren-
nent : au moins, de tous ceux qui en sortent, il n'y a per-
sonne qui ne croie qu'il en a quatre fois plus que lorsqu'il
y est entré[1].

Mais ce qui me choque de ces beaux esprits, c'est qu'ils
10 ne se rendent pas utiles à leur patrie, et qu'ils amusent
leurs talents à des choses puériles. Par exemple, lorsque
j'arrivai à Paris, je les trouvai échauffés sur une dispute la
plus mince qu'il se puisse imaginer : il s'agissait de la
réputation d'un vieux poète grec[2] dont, depuis deux mille
15 ans, on ignore la patrie, aussi bien que le temps de sa
mort. Les deux partis avouaient que c'était un poète excel-
lent ; il n'était question que du plus ou du moins de
mérite qu'il fallait lui attribuer. Chacun en voulait donner
le taux ; mais, parmi ces distributeurs de réputation, les
20 uns faisaient meilleur poids que les autres. Voilà la que-
relle[3] ! Elle était bien vive : car on se disait cordialement,
de part et d'autre, des injures si grossières, on faisait des
plaisanteries si amères, que je n'admirais pas moins la
manière de disputer, que le sujet de la dispute. « Si
25 quelqu'un, disais-je en moi-même, était assez étourdi pour
aller devant un de ces défenseurs du poète grec attaquer
la réputation de quelque honnête citoyen, il ne serait pas
mal relevé, et je crois que ce zèle, si délicat sur la réputa-
tion des morts, s'embraserait bien pour défendre celle des
30 vivants ! Mais, quoi qu'il en soit, ajoutais-je, Dieu me
garde de m'attirer jamais l'inimitié des censeurs de ce
poète, que le séjour de deux mille ans dans le tombeau n'a
pu garantir d'une haine si implacable ! Ils frappent à pré-

1. **Le café [...] entré :** allusion au café du Procope.
2. **Vieux poète grec :** Homère.
3. **Querelle :** la traduction de l'*Iliade* par Mme Dacier date de 1699. En
1713, Houdar de La Motte donne son *Iliade en douze chants accommo-
dée au goût du jour.* Mme Dacier prend cette traduction comme un
sacrilège, ce qui relance la querelle des Anciens et des Modernes.

sent des coups en l'air. Mais que serait-ce si leur fureur était animée par la présence d'un ennemi ? » 35

Ceux dont je te viens de parler disputent en langue vulgaire, et il faut les distinguer d'une autre sorte de disputeurs, qui se servent d'une langue barbare qui semble ajouter quelque chose à la fureur et à l'opiniâtreté des combattants. Il y a des quartiers[1] où l'on voit comme une 40 mêlée noire et épaisse de ces sortes de gens ; ils se nourrissent de distinctions ; ils vivent de raisonnements et de fausses conséquences. Ce métier, où l'on devrait mourir de faim, ne laisse pas de rendre : on a vu une nation entière[2], chassée de son pays, traverser les mers pour s'établir en 45 France, n'emportant avec elle, pour parer aux nécessités de la vie, qu'un redoutable talent pour la dispute.

Adieu.

De Paris, le dernier de la lune de Zilhagé, 1713.

Lettre XXXVII

USBEK À IBBEN, À SMYRNE

Le roi de France est vieux. Nous n'avons point d'exemple dans nos histoires d'un monarque qui ait si longtemps[3] régné. On dit qu'il possède à un très haut degré le talent de se faire obéir : il gouverne avec le même génie sa famille, sa cour, son État. On lui a souvent entendu dire 5 que, de tous les gouvernements du monde, celui des

1. **Quartiers :** le Quartier latin.
2. **Une nation entière :** il s'agirait des prêtres catholiques irlandais, réfugiés en France après la chute de Jacques II.
3. **Longtemps :** Louis XIV est né en 1638. En 1713, date de la lettre d'Usbek, il a donc 75 ans et règne depuis 70 ans.

Turcs, ou celui de notre auguste sultan, lui plairait le mieux, tant il fait cas de la politique orientale.

J'ai étudié son caractère, et j'y ai trouvé des contradictions qu'il m'est impossible de résoudre. Par exemple, il a un ministre[1] qui n'a que dix-huit ans, et une maîtresse[2] qui en a quatre-vingts ; il aime sa religion, et il ne peut souffrir ceux qui disent qu'il la faut observer à la rigueur ; quoiqu'il fuie le tumulte des villes, et qu'il se communique peu, il n'est occupé, depuis le matin jusques au soir, qu'à faire parler de lui ; il aime les trophées et les victoires, mais il craint autant de voir un bon général à la tête de ses troupes, qu'il aurait sujet de le craindre à la tête d'une année ennemie. Il n'est, je crois, jamais arrivé qu'à lui d'être, en même temps, comblé de plus de richesses qu'un prince n'en saurait espérer, et accablé d'une pauvreté qu'un particulier ne pourrait soutenir.

Il aime à gratifier ceux qui le servent ; mais il paye aussi libéralement les assiduités, ou plutôt l'oisiveté de ses courtisans, que les campagnes laborieuses de ses capitaines. Souvent il préfère un homme qui le déshabille, ou qui lui donne la serviette lorsqu'il se met à table, à un autre qui lui prend des villes ou lui gagne des batailles. Il ne croit pas que la grandeur souveraine doive être gênée dans la distribution des grâces, et, sans examiner si celui qu'il comble de biens est homme de mérite, il croit que son choix va le rendre tel : aussi lui a-t-on vu donner une petite pension à un homme qui avait fui deux lieues, et un beau gouvernement à un autre qui en avait fui quatre.

Il est magnifique, surtout dans ses bâtiments : il y a plus de statues dans les jardins de son palais que de citoyens

1. **Un ministre :** il s'agirait du marquis de Barbézieux, fils de Louvois, ou du marquis de Cany, fils de Chamillard.

2. **Une maîtresse :** Mme de Maintenon avait 78 ans ; Louis XIV l'avait épousée secrètement en 1684.

dans une grande ville. Sa garde est aussi forte que celle du prince devant qui les trônes se renversent ; ses armées sont aussi nombreuses, ses ressources aussi grandes, et ses finances aussi inépuisables.

40

De Paris, le 7 de la lune de Maharram, 1713.

Synthèse La politique
(lettre XXXVII)

La réflexion politique dans les Lettres persanes

Dans les *Lettres persanes,* le despotisme oriental répond à l'absolutisme de Louis XIV en Occident.

Personnages

Rois et tyrans

Les personnages de rois et de tyrans montrent les dysfonctionnements et l'absence de rationalité qui rapprochent despotisme oriental et monarchie occidentale. Montesquieu note, en ce qui concerne notre monarchie française, des aberrations : Louis XIV choisit une maîtresse de 80 ans et un ministre de 18 (lettre XXXVII). Les courtisans et les ministres sont particulièrement dangereux. Rica prend l'exemple du roi de Suède dans la lettre CXXVII pour affirmer que la méchanceté ne vient pas des princes eux-mêmes, mais de leurs conseillers : « l'ambition des princes n'est jamais si dangereuse que la bassesse d'âme de ses conseillers. » Sont également dangereux pour le prince les femmes et les confesseurs, surtout pour un jeune monarque : « On dit que l'on ne peut jamais connaître le caractère des rois d'Occident, jusqu'à ce qu'ils aient passé par les deux grandes épreuves, de leur maîtresse et de leur confesseur. »

La lettre XXXVII montre aussi que tout prince est déchiré entre l'ambition de ses ministres, le plaisir et la peur de Dieu. Le portrait par Usbek du vieux roi Louis XIV, qui récompense autant ceux qui le servent que ceux qui le flattent en témoigne.

Langage

Monarchie et despotisme

La plupart des gouvernements occidentaux sont monarchiques. Or toute monarchie est en danger de sombrer dans le despotisme, ce qui rapproche Orient et Occident (lettre CII). Montesquieu ne préconise pas pour autant la république, aussi

dangereuse que la tyrannie d'un roi : il rêve plutôt d'une monarchie éclairée et tempéré par des parlements.

Le roman oriental n'est pas seulement un ingrédient érotique, il participe à la réflexion sur le despotisme. Dans la lettre CIII, Montesquieu montre que, dans toute tyrannie, la violence engendre la violence et, au fil des lettres, il mène l'analyse des tares du despotisme dans de nombreux pays (Afrique et Asie, lettre CXXXI ; Russie, lettre LI, etc.). Ces questions préfigurent ici celles de son œuvre majeure, *L'Esprit des lois,* où il pense le pouvoir à l'échelle du monde et de l'Histoire.

Société

Les limites du pouvoir

Montesquieu pose la question des limites au pouvoir des rois. Hostile à l'idée d'une république, il va utiliser l'exemple de l'Angleterre (lettre CIV), mais sans en faire, comme Voltaire, un modèle à suivre.

Pour les Anglais, il est normal de renverser un prince qui ne se soucierait plus de ses sujets. Montesquieu fait indirectement allusion à Cromwell et à la révolution de 1648 : pour les partisans de Cromwell, Charles I^er avait rompu le contrat moral avec son peuple en lui retirant sa protection. Toutefois, l'exemple anglais est problématique et le message que délivre la lettre CIV est ambigu : donner du pouvoir aux sujets n'est pas sans danger, car, à donner trop de prérogatives aux citoyens, on risque l'anarchie, le pouvoir du peuple étant, comme tout pouvoir, prêt à s'affranchir de toute limite.

Tous les dangers viennent de cette maladie du pouvoir : il cherche naturellement à s'étendre. Il faut donc réfléchir à des limites solides, fixées par des corps constitués (des parlements) plutôt que par le peuple. Le pessimisme politique et le pessimisme religieux de Montesquieu se rejoignent : intolérance et tyrannie sont les deux menaces qui empêchent l'humanité de vivre en paix.

Lettre XXXVIII
RICA À IBBEN, À SMYRNE

C'est une grande question, parmi les hommes, de savoir s'il est plus avantageux d'ôter aux femmes la liberté, que de la leur laisser ; il me semble qu'il y a bien des raisons pour et contre. Si les Européens disent qu'il n'y a pas de générosité à rendre malheureuses les personnes que l'on aime, nos ⁵ Asiatiques répondent qu'il y a de la bassesse aux hommes de renoncer à l'empire que la nature leur a donné sur les femmes. Si on leur dit que le grand nombre de femmes enfermées est embarrassant, ils répondent que dix femmes qui obéissent embarrassent moins qu'une qui n'obéit pas. Que s'ils objectent ¹⁰ à leur tour que les Européens ne sauraient être heureux avec des femmes qui ne leur sont pas fidèles, on leur répond que cette fidélité, qu'ils vantent tant, n'empêche point le dégoût, qui suit toujours les passions satisfaites ; que nos femmes sont trop à nous ; qu'une possession si tranquille ne nous ¹⁵ laisse rien à désirer ni à craindre ; qu'un peu de coquetterie est un sel qui pique et prévient la corruption. Peut-être qu'un homme plus sage que moi serait embarrassé de décider : car, si les Asiatiques font fort bien de chercher des moyens propres à calmer leurs inquiétudes, les Européens font fort bien aussi ²⁰ de n'en point avoir.

« Après tout, disent-ils, quand nous serions malheureux en qualité de maris, nous trouverions toujours moyen de nous dédommager en qualité d'amants. Pour qu'un homme pût se plaindre avec raison de l'infidélité de sa ²⁵ femme, il faudrait qu'il n'y eût que trois personnes dans le monde ; ils seront toujours à but quand il y en aura quatre. »

C'est une autre question de savoir si la loi naturelle soumet les femmes aux hommes. « Non, me disait l'autre jour un philosophe très galant[1] : la nature n'a jamais dicté une ³⁰

1. **Un philosophe très galant :** Poullain de la Barre, philosophe cartésien (1647-1723), prônait l'égalité des sexes.

telle loi. L'empire que nous avons sur elles est une véritable tyrannie ; elles ne nous l'ont laissé prendre que parce qu'elles ont plus de douceur que nous, et par conséquent, plus d'humanité et de raison. Ces avantages, qui devaient
35 sans doute leur donner la supériorité, si nous avions été raisonnables, la leur ont fait perdre, parce que nous ne le sommes point. Or, s'il est vrai que nous n'avons sur les femmes qu'un pouvoir tyrannique, il ne l'est pas moins qu'elles ont sur nous un empire naturel : celui de la
40 beauté, à qui rien ne résiste. Le nôtre n'est pas de tous les pays ; mais celui de la beauté est universel. Pourquoi aurions-nous donc un privilège ? Est-ce parce que nous sommes les plus forts ? Mais c'est une véritable injustice. Nous employons toutes sortes de moyens pour leur abattre
45 le courage ; les forces seraient égales si l'éducation l'était aussi. Éprouvons-les dans les talents que l'éducation n'a point affaiblis et nous verrons si nous sommes si forts. »

Il faut l'avouer, quoique cela choque nos mœurs chez les peuples les plus polis, les femmes ont toujours eu de
50 l'autorité sur leurs maris. Elle fut établie par une loi chez les Égyptiens, en l'honneur d'Isis[1], et chez les Babyloniens, en l'honneur de Sémiramis[2]. On disait des Romains qu'ils commandaient à toutes les nations, mais qu'ils obéissaient à leurs femmes. Je ne parle point des Sauromates[3], qui
55 étaient véritablement dans la servitude de ce sexe : ils étaient trop barbares pour que leur exemple puisse être cité.

Tu vois, mon cher Ibben, que j'ai pris le goût de ce pays-ci, où l'on aime à soutenir des opinions extraordinaires et à réduire tout en paradoxe. Le Prophète a décidé la ques-
60 tion et a réglé les droits de l'un et de l'autre sexe : « Les

1. **Isis** : sœur et femme d'Osiris, mère d'Horus.
2. **Sémiramis** : reine légendaire d'Assyrie et de Babylonie, femme du gouverneur Omnès puis du roi Ninos.
3. **Sauromates** : Sarmates, peuple que les Anciens croyaient soumis aux femmes. Il serait situé entre la Baltique et la Caspienne.

femmes, dit-il, doivent honorer leurs maris ; leurs maris les doivent honorer : mais ils ont l'avantage d'un degré sur elles[1]. »

De Paris, le 26 de la lune de Gemmadi, 1713.

Lettre XXXIX
Hagi[2] Ibbi au Juif Ben Josué, Prosélyte Mahométan, à Smyrne

Il me semble, Ben Josué, qu'il y a toujours des signes éclatants qui préparent à la naissance des hommes extraordinaires, comme si la nature souffrait une espèce de crise, et que la puissance céleste ne produisît qu'avec effort.

Il n'y a rien de si merveilleux que la naissance de Mahomet[3]. Dieu qui, par les décrets de sa providence, avait résolu, dès le commencement, d'envoyer aux hommes ce grand prophète pour enchaîner Satan, créa une lumière deux mille ans avant Adam, qui, passant d'élu en élu, d'ancêtre en ancêtre de Mahomet, parvint enfin jusques à lui comme un témoignage authentique qu'il était descendu des patriarches[4].

Ce fut aussi à cause de ce même prophète que Dieu ne voulut pas qu'aucun enfant fût conçu que la femme ne cessât d'être immonde, et que l'homme ne fût livré à la circoncision.

1. **Les femmes [...] sur elles :** citation du Coran, chap. II, verset 228.
2. **Hagi :** « *Hagi* est un homme qui a fait le pèlerinage de la Mecque. » (Note de Montesquieu.)
3. **Il me semble [...] Mahomet :** l'origine de ces légendes serait chez Hermannus Dalmata.
4. **Patriarches :** pères de famille dans l'Ancien Testament, dotés d'une longévité et d'une fécondité extraordinaires (d'Abraham à Moïse).

Lettre XXXIX

Il vint au monde circoncis, et la joie parut sur son visage dès sa naissance, la terre trembla trois fois, comme si elle eût enfanté elle-même ; toutes les idoles se prosternèrent ;
20 les trônes des rois furent renversés ; Lucifer fut jeté au fond de la mer, et ce ne fut qu'après avoir nagé pendant quarante jours qu'il sortit de l'abîme et s'enfuit sur le mont Cabès[1], d'où, avec une voix terrible, il appela les anges.

Cette nuit, Dieu posa un terme entre l'homme et la
25 femme, qu'aucun d'eux ne put passer. L'art des magiciens et négromans se trouva sans vertu. On entendit une voix du ciel, qui disait ces paroles : « J'ai envoyé au monde mon ami fidèle. »

Selon le témoignage d'Isben Aben, historien arabe, les
30 générations des oiseaux, des nuées, des vents, et tous les escadrons des anges, se réunirent pour élever cet enfant, et se disputèrent cet avantage. Les oiseaux disaient, dans leurs gazouillements, qu'il était plus commode qu'ils l'élevassent, parce qu'ils pouvaient plus facilement rassembler
35 plusieurs fruits de divers lieux. Les vents murmuraient, et disaient : « C'est plutôt à nous, parce que nous pouvons lui apporter de tous les endroits les odeurs les plus agréables. — Non, non, disaient les nuées, non ; c'est à nos soins qu'il sera confié, parce que nous lui ferons part à tous les ins-
40 tants de la fraîcheur des eaux. » Là-dessus les anges indignés s'écriaient : « Que nous restera-t-il donc à faire ? » Mais une voix du Ciel fut entendue, qui termina toutes les disputes : « Il ne sera point ôté d'entre les mains des mortels, parce qu'heureuses les mamelles qui l'allaiteront, et
45 les mains qui le toucheront, et la maison qu'il habitera, et le lit où il reposera[2]. »

1. **Mont Cabès :** montagne qui domine La Mecque. La tradition y montre Mahomet errant en proie à des visions.
2. **[...] où il reposera :** Montesquieu suggère le parallèle entre Jésus et Mahomet.

Après tant de témoignages si éclatants, mon cher Josué, il faut avoir un cœur de fer pour ne pas croire sa sainte loi. Que pouvait faire davantage le ciel pour autoriser sa mission divine, à moins de renverser la nature et de faire 50 périr les hommes mêmes qu'il voulait convaincre ?

De Paris, le 20 de la lune de Rhégeb, 1713.

Lettre XL
USBEK À IBBEN, À SMYRNE

Dès qu'un grand est mort, on s'assemble dans une mosquée, et l'on fait son oraison funèbre, qui est un discours à sa louange, avec lequel on serait bien embarrassé de décider au juste du mérite du défunt.

Je voudrais bannir les pompes funèbres : il faut pleurer 5 les hommes à leur naissance, et non pas à leur mort. À quoi servent les cérémonies, et tout l'attirail lugubre qu'on fait paraître à un mourant dans ses derniers moments, les larmes mêmes de sa famille et la douleur de ses amis, qu'à lui exagérer la perte qu'il va faire ? 10

Nous sommes si aveugles que nous ne savons quand nous devons nous affliger, ou nous réjouir : nous n'avons presque jamais que de fausses tristesses ou de fausses joies.

Quand je vois le Mogol qui, toutes les années, va sottement se mettre dans une balance et se faire peser comme 15 un bœuf ; quand je vois les peuples se réjouir de ce que ce prince est devenu plus matériel, c'est-à-dire moins capable de les gouverner : j'ai pitié, Ibben, de l'extravagance humaine[1].

De Paris, le 20 de la lune de Rhégeb, 1713.

1. Deux sources pour cette anecdote concernant le grand Mogol Aureng Zeb : Bernier et Tavernier.

Lettre XLI
LE PREMIER EUNUQUE NOIR À USBEK

Ismaèl, un des eunuques noirs, vient de mourir, magnifique seigneur, et je ne puis m'empêcher de le remplacer. Comme les eunuques sont extrêmement rares à présent, j'avais pensé de me servir d'un esclave noir que tu as à la campagne ; mais je n'ai pu jusqu'ici le porter à souffrir qu'on le consacrât à cet emploi. Comme je vois qu'au bout du compte c'est son avantage, je voulus l'autre jour user à son égard d'un peu de rigueur, et, de concert avec l'intendant de tes jardins, j'ordonnai que, malgré lui, on le mît en état de te rendre les services qui flattent le plus ton cœur, et de vivre comme moi dans ces redoutables lieux qu'il n'ose pas même regarder. Mais il se mit à hurler comme si on avait voulu l'écorcher, et fit tant qu'il échappa de nos mains, et évita le fatal couteau. Je viens d'apprendre qu'il veut t'écrire pour te demander grâce, soutenant que je n'ai conçu ce dessein que par un désir insatiable de vengeance sur certaines railleries piquantes qu'il dit avoir faites de moi. Cependant je te jure par les cent mille prophètes que je n'ai agi que pour le bien de ton service, la seule chose qui me soit chère, et hors laquelle je ne regarde rien.

Je me prosterne à tes pieds.

Du sérail de Fatmé, le 7 de la lune de Maharram, 1713.

Lettre XLII
PHARAN À USBEK, SON SOUVERAIN SEIGNEUR

Si tu étais ici, magnifique Seigneur, je paraîtrais à ta vue tout couvert de papier blanc, et il n'y en aurait pas assez pour écrire toutes les insultes que ton premier eunuque noir, le plus méchant de tous les hommes, m'a faites depuis ton départ.

Sous prétexte de quelques railleries qu'il prétend que j'ai faites sur le malheur de sa condition, il exerce sur ma tête une vengeance inépuisable : il a animé contre moi le cruel intendant de tes jardins, qui, depuis ton départ, m'oblige à des travaux insurmontables, dans lesquels j'ai pensé mille fois laisser la vie, sans perdre un moment l'ardeur de te servir. Combien de fois ai-je dit en moi-même : « J'ai un maître rempli de douceur, et je suis le plus malheureux esclave qui soit sur la terre. »

Je te l'avoue, magnifique seigneur, je ne me croyais pas destiné à de plus grandes misères ; mais ce traître d'eunuque a voulu mettre le comble à sa méchanceté. Il y a quelques jours que, de son autorité privée, il me destina à la garde de tes femmes sacrées, c'est-à-dire à une exécution qui serait pour moi mille fois plus cruelle que la mort. Ceux qui, en naissant, ont eu le malheur de recevoir de leurs cruels parents un traitement pareil, se consolent peut-être sur ce qu'ils n'ont jamais connu d'autre état que le leur ; mais qu'on me fasse descendre de l'humanité, et qu'on m'en prive, je mourrais de douleur, si je ne mourais pas de cette barbarie.

J'embrasse tes pieds, sublime seigneur, dans une humilité profonde. Fais en sorte que je sente les effets de cette vertu si respectée, et qu'il ne soit pas dit que, par ton ordre, il y ait sur la terre un malheureux de plus.

Des jardins de Fatmé, le 7 de la lune de Maharram, 1713.

Lettre XLIII
Usbek à Pharan, aux jardins de Fatmé

Recevez la joie dans votre cœur, et reconnaissez ces sacrés caractères ; faites-les baiser au grand eunuque et à l'intendant de mes jardins. Je leur défends de rien entreprendre contre vous. Dites-leur d'acheter l'eunuque qui

113

Lettre XLIII

5 me manque. Acquittez-vous de votre devoir comme si vous m'aviez toujours devant les yeux : car sachez que, plus mes bontés sont grandes, plus vous serez puni si vous en abusez.

De Paris, le 25 de la lune de Rhégeb, 1713.

Lettre XLIV
USBEK À RHÉDI, À VENISE

Il y a en France trois sortes d'états : l'Église, l'épée et la robe. Chacun a un mépris souverain pour les deux autres : tel, par exemple, que l'on devrait mépriser parce qu'il est un sot, ne l'est souvent que parce qu'il est homme de robe.

5 Il n'y a pas jusqu'aux plus vils artisans qui ne disputent sur l'excellence de l'art qu'ils ont choisi ; chacun s'élève au-dessus de celui qui est d'une profession différente, à proportion de l'idée qu'il s'est faite de la supériorité de la sienne.

10 Les hommes ressemblent tous, plus ou moins, à cette femme de la province d'Érivan qui, ayant reçu quelque grâce d'un de nos monarques, lui souhaita mille fois, dans les bénédictions qu'elle lui donna, que le ciel le fit gouverneur d'Érivan.

15 J'ai lu, dans une relation[1], qu'un vaisseau français ayant relâché à la côte de Guinée, quelques hommes de l'équipage voulurent aller à terre acheter quelques moutons. On les mena au roi, qui rendait la justice à ses sujets sous un arbre. Il était sur son trône, c'est-à-dire sur un morceau de 20 bois, aussi fier que s'il eût été sur celui du Grand Mogol ; il avait trois ou quatre gardes avec des piques de bois ; un

1. **Relation :** *Relation d'un voyage aux côtes d'Afrique*, de Frager, 1698. Les récits de voyage sont à la mode au XVIIIᵉ siècle.

parasol en forme de dais le couvrait de l'ardeur du soleil ; tous ses ornements et ceux de la reine, sa femme, consistaient en leur peau noire et quelques bagues. Ce prince, plus vain encore que misérable, demanda à ces étrangers si on parlait beaucoup de lui en France. Il croyait que son nom devait être porté d'un pôle à l'autre ; et, à la différence de ce conquérant[1] de qui on a dit qu'il avait fait taire toute la terre, il croyait, lui, qu'il devait faire parler tout l'univers.

Quand le khan de Tartarie a dîné, un héraut crie que tous les princes de la terre peuvent aller dîner, si bon leur semble, et ce barbare, qui ne mange que du lait, qui n'a pas de maison, qui ne vit que de brigandage, regarde tous les rois du monde comme ses esclaves et les insulte régulièrement deux fois par jour[2].

De Paris, le 28 de la lune de Rhégeb, 1713.

Lettre XLV
RICA À USBEK, À***

Hier matin, comme j'étais au lit, j'entendis frapper rudement à ma porte, qui fut soudain ouverte ou enfoncée par un homme avec qui j'avais lié quelque société, et qui me parut tout hors de lui-même.

Son habillement était beaucoup plus que modeste ; sa perruque de travers n'avait pas même été peignée ; il n'avait pas eu le temps de faire recoudre son pourpoint noir, et il avait renoncé, pour ce jour-là, aux sages précautions avec lesquelles il avait coutume de déguiser le délabrement de son équipage[3].

1. **Ce conquérant :** Alexandre le Grand, dans la Bible, *Macchabées*, I, 1-8.
2. Anecdote venant de Thomas Herbert : *Relation du voyage de la Perse et des Indes*, 1663.
3. **Équipage :** accoutrement, costume.

« Levez-vous, me dit-il ; j'ai besoin de vous tout aujourd'hui : j'ai mille emplettes à faire, et je serai bien aise que ce soit avec vous. Il faut premièrement que nous allions à la rue Saint-Honoré parler à un notaire qui est

15 chargé de vendre une terre de cinq cent mille livres ; je veux qu'il m'en donne la préférence. En venant ici, je me suis arrêté un moment au faubourg Saint-Germain, où j'ai loué un hôtel deux mille écus, et j'espère passer le contrat aujourd'hui. »

20 Dès que je fus habillé, ou peu s'en fallait, mon homme me fit précipitamment descendre. « Commençons, dit-il, par acheter un carrosse, et établissons l'équipage. » En effet, nous achetâmes non seulement un carrosse, mais encore pour cent mille francs de marchandises en moins

25 d'une heure. Tout cela se fit promptement, parce que mon homme ne marchanda rien et ne compta jamais ; aussi ne déplaça-t-il pas[1]. Je rêvais sur tout ceci, et, quand j'examinais cet homme, je trouvais en lui une complication singulière de richesses et de pauvreté ; de manière que je ne

30 savais que croire. Mais enfin, je rompis le silence, et, le tirant à part, je lui dis : « Monsieur, qui est-ce qui payera tout cela ? – Moi, dit-il. Venez dans ma chambre : je vous montrerai des trésors immenses et des richesses enviées des plus grands monarques ; mais elles ne le seront pas de

35 vous, qui les partagerez toujours avec moi. » Je le suis. Nous grimpons à son cinquième étage, et, par une échelle, nous nous guindons[2] à un sixième, qui était un cabinet ouvert aux quatre vents, dans lequel il n'y avait que deux ou trois douzaines de bassins de terre remplis de diverses

40 liqueurs. « Je me suis levé de grand matin, me dit-il, et j'ai fait d'abord ce que je fais depuis vingt-cinq ans, qui est d'aller visiter mon œuvre. J'ai vu que le grand jour était

1. **Aussi ne déplaça-t-il pas :** sans se déplacer, donc sans rien changer.
2. **Guindons :** hissons.

venu, qui devait me rendre plus riche qu'homme qui soit sur la terre. Voyez-vous cette liqueur vermeille ? Elle a à présent toutes les qualités que les philosophes demandent pour faire la transmutation des métaux. J'en ai tiré ces grains que vous voyez, qui sont de vrai or par leur couleur, quoiqu'un peu imparfait par leur pesanteur. Ce secret, que Nicolas Flamel[1] trouva, mais que Raymond Lulle[2] et un million d'autres cherchèrent toujours, est venu jusques à moi, et je me trouve aujourd'hui un heureux adepte. Fasse le Ciel que je ne me serve de tant de trésors qu'il m'a communiqués, que pour sa gloire ! »

Je sortis, et je descendis, ou plutôt je me précipitai par cet escalier, transporté de colère, et laissai cet homme si riche dans son hôpital.

Adieu, mon cher Usbek. J'irai te voir demain, et, si tu veux, nous reviendrons ensemble à Paris.

De Paris, le dernier de la lune de Rhégeb, 1713.

Lettre XLVI
USBEK À RHÉDI, À VENISE

Je vois ici des gens qui disputent sans fin sur la religion ; mais il me semble qu'ils combattent en même temps à qui l'observera le moins.

Non seulement ils ne sont pas meilleurs chrétiens, mais même meilleurs citoyens, et c'est ce qui me touche : car, dans quelque religion qu'on vive, l'observation des lois, l'amour pour les hommes, la pitié envers les parents, sont toujours les premiers actes de religion.

1. **Nicolas Flamel :** alchimiste célèbre mort en 1418. Il aurait découvert la pierre philosophale.
2. **Raymond Lulle :** alchimiste de Majorque (1235-1315).

En effet, le premier objet d'un homme religieux ne doit-il
pas être de plaire à la divinité, qui a établi la religion qu'il
professe ? Mais le moyen le plus sûr pour y parvenir est sans
doute d'observer les règles de la société et les devoirs de
l'humanité ; car, en quelque religion qu'on vive, dès qu'on
en suppose une, il faut bien que l'on suppose aussi que Dieu
aime les hommes, puisqu'il établit une religion pour les ren-
dre heureux ; que s'il aime les hommes, on est assuré de lui
plaire en les aimant aussi, c'est-à-dire en exerçant envers
eux tous les devoirs de la charité et de l'humanité, et en ne
violant point les lois sous lesquelles ils vivent.

Par là, on est bien plus sûr de plaire à Dieu qu'en obser-
vant telle ou telle cérémonie : car les cérémonies n'ont point
un degré de bonté par elles-mêmes ; elles ne sont bonnes
qu'avec égard et dans la supposition que Dieu les a com-
mandées. Mais c'est la matière d'une grande discussion : on
peut facilement s'y tromper ; car il faut choisir les cérémo-
nies d'une religion entre celles de deux mille.

Un homme faisait tous les jours à Dieu cette prière :
« Seigneur, je n'entends rien dans les disputes que l'on fait
sans cesse à votre sujet. Je voudrais vous servir selon votre
volonté ; mais chaque homme que je consulte veut que je
vous serve à la sienne. Lorsque je veux vous faire ma prière,
je ne sais en quelle langue je dois vous parler. Je ne sais pas
non plus en quelle posture je dois me mettre : l'un dit que je
dois vous prier debout ; l'autre veut que je sois assis ; l'autre
exige que mon corps porte sur mes genoux. Ce n'est pas
tout : il y en a qui prétendent que je dois me laver tous les
matins avec de l'eau froide ; d'autres soutiennent que vous
me regarderez avec horreur si je ne me fais pas couper un
petit morceau de chair. Il m'arriva l'autre jour de manger un
lapin dans un caravansérail[1]. Trois hommes qui étaient

1. **Caravansérail :** vaste cour entourée de bâtiments où les caravanes
font halte.

auprès de là me firent trembler : ils me soutinrent tous trois que je vous avais grièvement offensé ; l'un[1], parce que cet animal était immonde[2] ; l'autre[3], parce qu'il était étouffé ; l'autre[4] enfin, parce qu'il n'était pas poisson. Un brachmane[5] qui passait par là, et que je pris pour juge, me dit : « Ils ont tort : car apparemment vous n'avez pas tué vous-même cet animal. – Si fait, lui dis-je. – Ah ! vous avez commis une action abominable, et que Dieu ne vous pardonnera jamais, me dit-il d'une voix sévère. Que savez-vous si l'âme de votre père n'était pas passée dans cette bête[6] ? » Toutes ces choses, seigneur, me jettent dans un embarras inconcevable : je ne puis remuer la tête que je ne sois menacé de vous offenser ; cependant je voudrais vous plaire et employer à cela la vie que je tiens de vous. Je ne sais si je me trompe ; mais je crois que le meilleur moyen pour y parvenir est de vivre en bon citoyen dans la société où vous m'avez fait naître, et en bon père dans la famille que vous m'avez donnée. »

De Paris, le 8 de la lune de Chahban, 1713.

Lettre XLVII
Zachi à Usbek, à Paris

J'ai une grande nouvelle à t'apprendre : je me suis réconciliée avec Zéphis ; le sérail, partagé entre nous, s'est réuni. Il ne manque que toi dans ces lieux, où la paix règne. Viens, mon cher Usbek, viens y faire triompher l'amour.

1. **L'un :** « Un juif. » (Note de Montesquieu.)
2. **Immonde :** impur.
3. **L'autre :** « Un Turc. » (Note de Montesquieu.)
4. **L'autre :** « Un Arménien. » (Note de Montesquieu.)
5. **Brachmane :** brahmane, membre de la caste sacerdotale, première caste en Inde.
6. **L'âme [...] bête :** allusion à la transmigration des âmes, ou métempsychose.

5 Je donnai à Zéphis un grand festin, où ta mère, tes femmes et tes principales concubines furent invitées ; tes tantes et plusieurs de tes cousines s'y trouvèrent aussi ; elles étaient venues à cheval, couvertes du sombre nuage de leurs voiles et de leurs habits.

10 Le lendemain, nous partîmes pour la campagne, où nous espérions être plus libres. Nous montâmes sur nos chameaux, et nous nous mîmes quatre[1] dans chaque loge. Comme la partie avait été faite brusquement, nous n'eûmes pas le temps d'envoyer à la ronde annoncer le courouc[2] ; mais le premier eunuque, toujours industrieux, prit une autre précaution : car il joignit à la toile qui nous empêchait d'être vues, un rideau si épais que nous ne pouvions absolument voir personne.

Quand nous fûmes arrivées à cette rivière qu'il faut traverser, chacune de nous se mit, selon la coutume, dans une boîte[3], et se fit porter dans le bateau : car on nous dit que la rivière était pleine de monde. Un curieux, qui s'approcha trop près du lieu où nous étions enfermées, reçut un coup mortel, qui lui ôta pour jamais la lumière du jour ; un autre, qu'on trouva se baignant tout nu sur le rivage, eut le même sort ; et tes fidèles eunuques sacrifièrent à ton honneur et au nôtre ces deux infortunés.

Mais écoute le reste de nos aventures. Quand nous fûmes au milieu du fleuve, un vent si impétueux s'éleva, et un nuage si affreux couvrit les airs, que nos matelots commencèrent à désespérer. Effrayées de ce péril, nous nous évanouîmes presque toutes. Je me souviens que j'entendis la voix et la dispute de nos eunuques, dont les uns disaient qu'il fallait nous avertir du péril et nous tirer

1. **Nous nous mîmes quatre :** on ne saurait placer quatre femmes dans chaque loge ; on en met seulement une.
2. **Courouc :** cri que poussent les eunuques, envoyés à l'avant et à l'arrière avec des bâtons pour obliger tout le monde à se retirer.
3. **Boîte :** sorte de berceau fermé par des rideaux.

de notre prison ; mais leur chef soutint toujours qu'il 35
mourrait plutôt que de souffrir que son maître fût ainsi
déshonoré, et qu'il enfoncerait un poignard dans le sein
de celui qui ferait des propositions si hardies. Une de mes
esclaves, toute hors d'elle, courut vers moi déshabillée,
pour me secourir, mais un eunuque noir la prit brutale- 40
ment et la fit rentrer dans l'endroit d'où elle était sortie.
Pour lors je m'évanouis, et ne revins à moi qu'après que le
péril fut passé.

Que les voyages sont embarrassants pour les femmes !
Les hommes ne sont exposés qu'aux dangers qui menacent 45
leur vie, et nous sommes, à tous les instants, dans la
crainte de perdre notre vie ou notre vertu.

Adieu, mon cher Usbek. Je t'adorerai toujours.

Du sérail de Fatmé, le 2 de la lune de Rhamazan, 1713.

saenfié

Clefs d'analyse

Lettre XLVII.

Compréhension

Une rupture

- Relever les thèmes de la lettre qui précède et de celle qui suit cette lettre.
- Montrer en quoi cette lettre suscite la surprise.

Une lettre narrative

- Identifier la construction et le mouvement de cette lettre.
- Rattacher cette lettre à l'ensemble du roman en vous demandant ce qu'elle apporte à la narration.

Réflexion

Le traitement de la couleur locale

- Imaginer en quoi la campagne est un lieu attractif pour les femmes.
- Rechercher ce qu'introduit l'évocation du « courouc ».
- Dire selon quels principes s'organise, dans les premières phrases, le tableau exotique.

La diversité des points de vue

- Chercher comment est fait le récit de la tempête, par quels yeux nous voyons les faits.
- Montrer que Zachi n'adhère pas au code d'honneur du sérail.
- Identifier la fonction du contraste des registres dans ce texte.
- Relever les passages qu'on peut suspecter de n'être pas sincères.
- Dire quelle opposition met en valeur le dernier paragraphe.

À retenir :

La focalisation désigne le point de vue adopté par le narrateur dans la conduite de son récit. La focalisation zéro (ou non-focalisation) est celle du narrateur omniscient. La focalisation interne restreint le point de vue à ce que voit un personnage. Dans la focalisation externe, le narrateur en sait moins que ses personnages.

Lettre XLVIII
Usbek à Rhédi, à Venise

Ceux qui aiment à s'instruire ne sont jamais oisifs quoique je ne sois chargé d'aucune affaire importante, je suis cependant dans une occupation continuelle. Je passe ma vie à examiner, j'écris le soir ce que j'ai remarqué, ce que j'ai vu, ce que j'ai entendu dans la journée. Tout m'intéresse, tout m'étonne : je suis comme un enfant, dont les organes encore tendres sont vivement frappés par les moindres objets.

Tu ne le croirais pas peut-être, nous sommes reçus agréablement dans toutes les compagnies et dans toutes les sociétés ; je crois devoir beaucoup à l'esprit vif et à la gaieté naturelle de Rica, qui fait qu'il recherche tout le monde, et qu'il en est également recherché. Notre air étranger n'offense plus personne ; nous jouissons même de la surprise où l'on est de nous trouver quelque politesse : car les Français n'imaginent pas que notre climat produise des hommes. Cependant, il faut l'avouer, ils valent la peine qu'on les détrompe.

J'ai passé quelques jours dans une maison de campagne auprès de Paris, chez un homme de considération, qui est ravi d'avoir de la compagnie chez lui. Il a une femme fort aimable, et qui joint à une grande modestie une gaieté que la vie retirée ôte toujours à nos dames de Perse.

Étranger que j'étais, je n'avais rien de mieux à faire que d'étudier cette foule de gens qui y abordait sans cesse, et qui me présentait toujours quelque chose de nouveau. Je remarquai d'abord un homme dont la simplicité me plut ; je m'attachai à lui, il s'attacha à moi ; de sorte que nous nous trouvions toujours l'un auprès de l'autre.

Un jour que, dans un grand cercle, nous nous entretenions en particulier, laissant les conversations générales à elles-mêmes : « Vous trouverez peut-être en moi, lui dis-je,

plus de curiosité que de politesse ; mais je vous supplie
d'agréer que je vous fasse quelques questions : car je
35 m'ennuie de n'être au fait de rien et de vivre avec des
gens que je ne saurais démêler. Mon esprit travaille depuis
deux jours : il n'y a pas un seul de ces hommes qui ne
m'ait donné deux cents fois la torture, et je ne les devine-
rais de mille ans : ils me sont plus invisibles que les femmes
40 de notre grand monarque. – Vous n'avez qu'à dire, me
répondit-il, et je vous instruirai de tout ce que vous souhai-
terez ; d'autant mieux que je vous crois homme discret, et
que vous n'abuserez pas de ma confiance.

« – Qui est cet homme, lui dis-je, qui nous a tant parlé
45 des repas qu'il a donnés aux grands, qui est si familier
avec vos ducs, et qui parle si souvent à vos ministres,
qu'on me dit d'être d'un accès si difficile ? Il faut bien que
ce soit un homme de qualité ; mais il a la physionomie si
basse qu'il ne fait guère honneur aux gens de qualité ; et,
50 d'ailleurs, je ne lui trouve point d'éducation. Je suis étran-
ger ; mais il me semble qu'il y a en général une certaine
politesse commune à toutes les nations ; je ne lui trouve
point de celle-là. Est-ce que vos gens de qualité sont plus
mal élevés que les autres ? – Cet homme, me répondit-il
55 en riant, est un fermier[1]. Il est autant au-dessus des autres
par ses richesses, qu'il est au-dessous de tout le monde
par sa naissance. Il aurait la meilleure table de Paris, s'il
pouvait se résoudre à ne manger jamais chez lui. Il est
bien impertinent, comme vous le voyez ; mais il excelle
60 par son cuisinier. Aussi n'en est-il pas ingrat : car vous
avez entendu qu'il l'a loué tout aujourd'hui.

« – Et ce gros homme vêtu de noir, lui dis-je, que cette
dame a fait placer auprès d'elle, comment a-t-il un habit si
lugubre avec un air si gai et un teint si fleuri ? Il sourit

1. **Un fermier :** un fermier général, qui, sous l'Ancien Régime, avançait
au roi l'argent des impôts et se chargeait ensuite de le récupérer, avec
bénéfice.

gracieusement dès qu'on lui parle ; sa parure est plus 65
modeste, mais plus arrangée que celle de vos femmes.
– C'est, me répondit-il, un prédicateur, et, qui pis est, un
directeur[1]. Tel que vous le voyez, il en sait plus que les
maris. Il connaît le faible des femmes ; elles savent aussi
qu'il a le sien. – Comment ? dis-je. Il parle toujours de 70
quelque chose qu'il appelle *la grâce*. – Non pas toujours,
me répondit-il. À l'oreille d'une jolie femme, il parle encore
plus volontiers de sa chute[2]. Il foudroie en public ; mais il
est doux comme un agneau en particulier. – Il me semble,
dis-je, qu'on le distingue beaucoup, et qu'on a de grands 75
égards pour lui. – Comment ! si on le distingue ? C'est un
homme nécessaire, il fait la douceur de la vie retirée :
petits conseils, soins officieux, visites marquées ; il dissipe
un mal de tête mieux qu'homme du monde ; il est excellent.

« – Mais, si je ne vous importune pas, dites-moi qui est 80
celui qui est vis-à-vis de nous, qui est si mal habillé ; qui fait
quelquefois des grimaces, et a un langage différent des
autres ; qui n'a pas d'esprit pour parler, mais qui parle pour
avoir de l'esprit ? – C'est, me répondit-il, un poète, et le gro-
tesque du genre humain. Ces gens-là disent qu'ils sont nés 85
ce qu'ils sont[3]. Cela est vrai, et aussi ce qu'ils seront toute
leur vie, c'est-à-dire presque toujours les plus ridicules de
tous les hommes. Aussi ne les épargne-t-on point : on verse
sur eux le mépris à pleines mains. La famine a fait entrer
celui-ci dans cette maison, et il y est bien reçu du maître et 90
de la maîtresse, dont la bonté et la politesse ne se démentent
à l'égard de personne. Il fit leur épithalame[4], lorsqu'ils se
marièrent. C'est ce qu'il a fait de mieux en sa vie ; car il s'est
trouvé que le mariage a été aussi heureux qu'il l'a prédit.

1. **Un directeur :** un directeur de conscience.
2. **Chute :** manquement à l'obligation de vertu.
3. Allusion à la citation latine anonyme : « On naît poète, on devient
 orateur ».
4. **Épithalame :** poème composé à l'occasion d'un mariage.

95 « Vous ne le croiriez pas peut-être, ajouta-t-il, entêté comme vous l'êtes des préjugés de l'Orient : il y a parmi nous des mariages heureux, et des femmes dont la vertu est un gardien sévère. Les gens dont nous parlons goûtent entre eux une paix qui ne peut être troublée ; ils sont
100 aimés et estimés de tout le monde. Il n'y a qu'une chose : c'est que leur bonté naturelle leur fait recevoir chez eux toute sorte de monde ; ce qui fait qu'ils ont quelquefois mauvaise compagnie. Ce n'est pas que je les désapprouve : il faut vivre avec les hommes tels qu'ils sont ; les gens
105 qu'on dit être de si bonne compagnie ne sont souvent que ceux dont les vices sont plus raffinés ; et peut-être en est-il comme des poisons, dont les plus subtils sont aussi les plus dangereux.

« – Et ce vieux homme, lui dis-je tout bas, qui a l'air si
110 chagrin ? je l'ai pris d'abord pour un étranger car, outre qu'il est habillé autrement que les autres, censure tout ce qui se fait en France, et n'approuve pas votre gouvernement. – C'est un vieux guerrier, me dit-il, qui se rend mémorable à tous ses auditeurs par la longueur de ses
115 exploits. Il ne peut souffrir que la France ait gagné des batailles où il ne se soit pas trouvé, ou qu'on vante un siège où il n'ait pas monté à la tranchée. Il se croit si nécessaire à notre histoire, qu'il s'imagine qu'elle finit où il a fini : il regarde quelques blessures qu'il a reçues, comme
120 la dissolution de la monarchie, et, à la différence de ces philosophes qui disent qu'on ne jouit que du présent, et que le passé n'est rien, il ne jouit, au contraire, que du passé, et n'existe que dans les campagnes qu'il a faites : il respire dans les temps qui se sont écoulés, comme les
125 héros doivent vivre dans ceux qui passeront après eux. – Mais pourquoi, dis-je, a-t-il quitté le service ? – Il ne l'a point quitté, me répondit-il ; mais le service l'a quitté : on l'a employé dans une petite place, où il racontera ses aventures le reste de ses jours ; mais il n'ira jamais plus loin : le
130 chemin des honneurs lui est fermé. – Et pourquoi ? lui

dis-je. – Nous avons une maxime en France, me répondit-il : c'est de n'élever jamais les officiers dont la patience a langui dans des emplois subalternes. Nous les regardons comme des gens dont l'esprit s'est rétréci dans les détails, et qui, par l'habitude des petites choses, sont devenus incapables des plus grandes. Nous croyons qu'un homme qui n'a pas les qualités d'un général à trente ans, ne les aura jamais ; que celui qui n'a pas ce coup d'œil qui montre tout d'un coup un terrain de plusieurs lieues dans toutes ses situations différentes, cette présence d'esprit qui fait que, dans une victoire, on se sert de tous ses avantages, et, dans un échec, de toutes ses ressources, n'acquerra jamais ces talents. C'est pour cela que nous avons des emplois brillants pour ces hommes grands et sublimes que le ciel a partagés non seulement d'un cœur, mais aussi d'un génie héroïque, et des emplois subalternes pour ceux dont les talents le sont aussi. De ce nombre sont ces gens qui ont vieilli dans une guerre obscure : ils ne réussissent tout au plus qu'à faire ce qu'ils ont fait toute leur vie, et il ne faut point commencer à les charger dans le temps qu'ils s'affaiblissent. »

Un moment après, la curiosité me reprit, et je lui dis : « Je m'engage à ne vous plus faire de questions, si vous voulez encore souffrir celle-ci. Qui est ce grand jeune homme qui a des cheveux, peu d'esprit et tant d'impertinence ? D'où vient qu'il parle plus haut que les autres et se sait si bon gré d'être au monde ? – C'est un homme à bonnes fortunes[1] », me répondit-il. À ces mots, des gens entrèrent, d'autres sortirent, on se leva ; quelqu'un vint parler à mon gentilhomme, et je restai aussi peu instruit qu'auparavant. Mais, un moment après, je ne sais par quel hasard ce jeune homme se trouva auprès de moi, et, m'adressant la parole : « Il fait beau. Voudriez-vous, Monsieur,

1. **Un homme à bonnes fortunes** : un homme qui a de nombreuses conquêtes féminines.

faire un tour dans le parterre ? » Je lui répondis le plus civilement qu'il me fut possible, et nous sortîmes ensemble.

165 « Je suis venu à la campagne, me dit-il, pour faire plaisir à la maîtresse de maison, avec laquelle je ne suis pas mal. Il y a bien certaine femme dans le monde qui ne sera pas de bonne humeur. Mais qu'y faire ? Je vois les plus jolies femmes de Paris ; mais je ne me fixe pas à une, et je leur en donne

170 bien à garder[1] : car entre vous et moi, je ne vaux pas grand-chose[2]. – Apparemment, Monsieur, lui dis-je, que vous avez quelque charge ou quelque emploi qui vous empêche d'être plus assidu auprès d'elles. – Non, Monsieur, je n'ai d'autre emploi que de faire enrager un mari ou dés-

175 espérer un père ; j'aime à alarmer une femme qui croit me tenir, et la mettre à deux doigts de ma perte. Nous sommes quelques jeunes gens qui partageons ainsi tout Paris, et l'inté-ressons à nos moindres démarches. – À ce que je comprends, lui dis-je, vous faites plus de bruit que le guerrier le plus

180 valeureux, et vous êtes plus considéré qu'un grave magis-trat. Si vous étiez en Perse, vous ne jouiriez pas de tous ces avantages : vous deviendriez plus propre à garder nos dames qu'à leur plaire. » Le feu me monta au visage, et je crois que pour peu que j'eusse parlé, je n'aurais pu m'empê-

185 cher de le brusquer.

Que dis-tu d'un pays où l'on tolère de pareilles gens, et où l'on laisse vivre un homme qui fait un tel métier ? où l'infidélité, la trahison, le rapt, la perfidie et l'injustice conduisent à la considération ? où l'on estime un homme

190 parce qu'il ôte une fille à son père, une femme à son mari, et trouble les sociétés les plus douces et les plus saintes ? Heureux les enfants d'Hali, qui défendent leurs familles de l'opprobre et de la séduction ! La lumière du jour n'est pas

1. **Je leur en donne bien à garder :** je leur en fais accroire, je leur raconte des mensonges.
2. **Pas grand-chose :** sans doute une allusion scabreuse à des défaillances physiques auprès des femmes.

plus pure que le feu qui brûle dans le cœur de nos femmes ; nos filles ne pensent qu'en tremblant au jour qui doit les priver de cette vertu qui les rend semblables aux anges et aux puissances incorporelles. Terre natale et chérie, sur qui le soleil jette ses premiers regards, tu n'es point souillée par les crimes horribles qui obligent cet astre à se cacher dès qu'il paraît dans le noir Occident ! [195]

[200]

De Paris, le 5 de la lune de Rhamazan, 1713.

Lettre XLIX

RICA À USBEK, À***

Étant l'autre jour dans ma chambre, je vis entrer un dervis[1] extraordinairement habillé : sa barbe descendait jusques à sa ceinture de corde ; il avait les pieds nus ; son habit était gris, grossier et, en quelques endroits, pointu. Le tout me parut si bizarre que ma première idée fut d'envoyer chercher un peintre pour en faire une fantaisie. [5]

Il me fit d'abord un grand compliment, dans lequel il m'apprit qu'il était homme de mérite, et de plus capucin[2]. « On m'a dit, ajouta-t-il, Monsieur, que vous retournez bientôt à la cour de Perse, où vous tenez un rang distingué ; je viens vous demander votre protection, et vous prier de nous obtenir du roi une petite habitation, auprès de Casbin, pour deux ou trois religieux. — Mon père, lui dis-je, vous voulez donc aller en Perse ? — Moi, Monsieur ! me dit-il ; je m'en donnerai bien de garde. Je suis ici provincial, et je ne troquerais pas ma condition contre celle de tous les capucins du monde. — Et que diable me demandez-vous donc ? — C'est, me répondit-il, que, si nous avions cet hospice, nos pères d'Italie y enverraient [10] [15]

1. **Dervis :** derviche.
2. **Capucin :** les Capucins possédaient une maison à Ispahan.

deux ou trois de leurs religieux. — Vous les connaissez apparemment, lui dis-je, ces religieux ? — Non, Monsieur, je ne les connais pas. — Eh morbleu ! que vous importe donc qu'ils aillent en Perse ? C'est un beau projet de faire respirer l'air de Casbin à deux capucins ! cela sera très utile et à l'Europe et à l'Asie ! il est fort nécessaire d'intéresser là-dedans les monarques ! Voilà ce qui s'appelle de belles colonies ! Allez ! Vous et vos semblables n'êtes point faits pour être transplantés, et vous ferez bien de continuer à ramper dans les endroits où vous vous êtes engendrés. »

De Paris, le 15 de la lune de Rhamazan, 1713.

Lettre L
RICA À***

J'ai vu des gens chez qui la vertu était si naturelle qu'elle ne se faisait pas même sentir : ils s'attachaient à leur devoir sans s'y plier, et s'y portaient comme par instinct. Bien loin de relever par leurs discours leurs rares qualités, il semblait qu'elles n'avaient pas percé jusques à eux. Voilà les gens que j'aime ; non pas ces hommes vertueux qui semblent être étonnés de l'être, et qui regardent une bonne action comme un prodige dont le récit doit surprendre.

Si la modestie est une vertu nécessaire à ceux à qui le ciel a donné de grands talents, que peut-on dire de ces insectes qui osent faire paraître un orgueil qui déshonorerait les plus grands hommes ?

Je vois de tous côtés des gens qui parlent sans cesse d'eux-mêmes : leurs conversations sont un miroir qui présente toujours leur impertinente figure. Ils vous parleront des moindres choses qui leur sont arrivées, et ils veulent que l'intérêt qu'ils y prennent les grossisse à vos yeux ; ils ont tout fait, tout vu, tout dit, tout pensé ; ils sont un modèle universel, un sujet de comparaisons inépuisable,

une source d'exemples qui ne tarit jamais. Oh ! que la ²⁰
louange est fade lorsqu'elle réfléchit vers le lieu d'où elle part !

Il y a quelques jours qu'un homme de ce caractère nous
accabla pendant deux heures de lui, de son mérite et de
ses talents. Mais, comme il n'y a point de mouvement per-
pétuel dans le monde, il cessa de parler ; la conversation ²⁵
nous revint donc, et nous la prîmes.

Un homme qui paraissait assez chagrin commença par
se plaindre de l'ennui répandu dans les conversations.
« Quoi ! toujours des sots qui se peignent eux-mêmes, et
qui ramènent tout à eux ? – Vous avez raison, reprit brus- ³⁰
quement notre discoureur. Il n'y a qu'à faire comme moi :
je ne me loue jamais ; j'ai du bien, de la naissance ; je fais
de la dépense ; mes amis disent que j'ai quelque esprit ;
mais je ne parle jamais de tout cela. Si j'ai quelques bonnes
qualités, celle dont je fais le plus de cas, c'est ma modestie. » ³⁵

J'admirais cet impertinent, et, pendant qu'il parlait tout
haut, je disais tout bas : « Heureux celui qui a assez de
vanité pour ne dire jamais de bien de lui, qui craint ceux qui
l'écoutent, et ne compromet point son mérite avec l'orgueil
des autres ! »
⁴⁰

De Paris, le 20 de la lune de Rhamazan, 1713.

Lettre LI
NARGUM, ENVOYÉ DE PERSE EN MOSCOVIE,
À USBEK, À PARIS

On m'a écrit d'Ispahan que tu avais quitté la Perse, et que
tu étais actuellement à Paris. Pourquoi faut-il que j'apprenne
de tes nouvelles par d'autres que par toi ?

Les ordres du roi des rois me retiennent depuis cinq ans
dans ce pays-ci, où j'ai terminé plusieurs négociations ⁵
importantes.

30 Tu sais que le Czar est le seul des princes chrétiens dont les intérêts soient mêlés avec ceux de la Perse, parce qu'il est ennemi des Turcs comme nous.

Son empire est plus grand que le nôtre : car on compte mille lieues[1] depuis Moscou jusqu'à la dernière place de 35 ses États du côté de la Chine.

Il est le maître absolu de la vie et des biens de ses sujets, qui sont tous esclaves, à la réserve de quatre familles. Le lieutenant des prophètes, le roi des rois, qui a le ciel pour marchepied, ne fait pas un exercice plus redoutable de sa puissance.

40 À voir le climat affreux de la Moscovie, on ne croirait jamais que ce fût une peine d'en être exilé ; cependant, dès qu'un grand est disgracié, on le relègue en Sibérie.

Comme la loi de notre prophète nous défend de boire du vin, celle du prince le défend aux Moscovites.

45 Ils ont une manière de recevoir leurs hôtes qui n'est point du tout persane. Dès qu'un étranger entre dans une maison, le mari lui présente sa femme ; l'étranger la baise ; et cela passe pour une politesse faite au mari.

Quoique les pères, au contrat de mariage de leurs filles, 50 stipulent ordinairement que le mari ne les fouettera pas, cependant on ne saurait croire combien les femmes moscovites aiment à être battues[2] : elles ne peuvent comprendre qu'elles possèdent le cœur de leur mari, s'il ne les bat comme il faut. Une conduite opposée, de sa part, est une 55 marque d'indifférence impardonnable.

Voici une lettre qu'une d'elles écrivit dernièrement à sa mère :

MA CHÈRE MÈRE,
Je suis la plus malheureuse femme du monde ! Il n'y a rien
60 *que je n'aie fait pour me faire aimer de mon mari, et je n'ai*

1. **Lieue :** environ 4 kilomètres.
2. « Ces mœurs sont changées. » (Note de Montesquieu.)

*jamais pu y réussir. Hier, j'avais mille affaires dans la mai-
son ; je sortis, et je demeurai tout le jour dehors. le crus, à
mon retour, qu'il me battrait bien fort ; mais il ne me dit pas
un seul mot. Ma sœur est bien autrement traitée : son mari
la bat tous les jours ; elle ne peut pas regarder un homme,* 65
*qu'il ne l'assomme soudain. Ils s'aiment beaucoup aussi, et
ils vivent de la meilleure intelligence du monde.*

*C'est ce qui la rend si fière. Mais je ne lui donnerai pas
longtemps sujet de me mépriser. J'ai résolu de me faire aimer
de mon mari, à quelque prix que ce soit : je le ferai si bien* 70
*enrager qu'il faudra bien qu'il me donne des marques
d'amitié. Il ne sera pas dit que je ne serai pas battue, et que
je vivrai dans la maison sans que l'on pense à moi. La
moindre chiquenaude qu'il me donnera, je crierai de toute
ma force, afin qu'on s'imagine qu'il y va tout de bon, et je* 75
*crois que, si quelque voisin venait au secours, je l'étrangle-
rais. Je vous supplie, ma chère mère, de vouloir bien repré-
senter à mon mari qu'il me traite d'une manière indigne.
Mon père, qui est un si honnête homme, n'agissait pas de
même, et il me souvient, lorsque j'étais petite fille, qu'il me* 80
semblait quelquefois qu'il vous aimait trop.

Je vous embrasse, ma chère mère.

Les Moscovites ne peuvent point sortir de l'empire, fût-
ce pour voyager. Ainsi, séparés des autres nations par les
lois du pays, ils ont conservé leurs anciennes coutumes 85
avec d'autant plus d'attachement qu'ils ne croyaient pas
qu'il fût possible d'en avoir d'autres.

Mais le prince[1] qui règne à présent a voulu tout changer :
il a eu de grands démêlés avec eux au sujet de leur barbe ;
le clergé et les moines n'ont pas moins combattu en faveur 90
de leur ignorance.

1. **Le prince :** le tsar Pierre le Grand (1672-1725) qui avait visité Paris en
1717.

Lettre LI

Il s'attache à faire fleurir les arts, et ne néglige rien pour porter dans l'Europe et l'Asie la gloire de sa nation, oubliée jusques ici et presque uniquement connue d'elle-même.

95 Inquiet et sans cesse agité, il erre dans ses vastes États, laissant partout des marques de sa sévérité naturelle.

Il les quitte, comme s'ils ne pouvaient le contenir, et va chercher dans l'Europe d'autres provinces et de nouveaux royaumes.

100 Je t'embrasse, mon cher Usbek. Donne-moi de tes nouvelles, je te conjure.

De Moscou, le 2 de la lune de Chalval, 1713.

Lettre LII
RICA À USBEK, À***

J'étais l'autre jour dans une société où je me divertis assez bien. Il y avait là des femmes de tous les âges : une de quatre-vingts ans, une de soixante, une de quarante, qui avait une nièce de vingt à vingt-deux. Un certain instinct me fit

5 approcher de cette dernière, et elle me dit à l'oreille : « Que dites-vous de ma tante, qui, à son âge, veut avoir des amants et fait encore la jolie ? — Elle a tort, lui dis-je : c'est un dessein qui ne convient qu'à vous. » Un moment après, je me trouvai auprès de sa tante, qui me dit : « Que dites-vous de

10 cette femme, qui a pour le moins soixante ans, qui a passé aujourd'hui plus d'une heure à sa toilette ? — C'est du temps perdu, lui dis-je, et il faut avoir vos charmes pour devoir y songer. » J'allai à cette malheureuse femme de soixante ans, et la plaignais dans mon âme, lorsqu'elle me dit à l'oreille :

15 « Y a-t-il rien de si ridicule ? Voyez cette femme qui a quatre-vingts ans, et qui met des rubans couleur de feu ; elle veut faire la jeune, et elle y réussit : car cela approche de l'enfance. — Ah ! bon Dieu, dis-je en moi-même, ne sentirons-nous jamais que le ridicule des autres ? C'est peut-être un bon-

20 heur, disais-je ensuite, que nous trouvions de la consolation

dans les faiblesses d'autrui. » Cependant j'étais en train de me divertir, et je dis : « Nous avons assez monté ; descendons à présent, et commençons par la vieille qui est au sommet. — Madame, vous vous ressemblez si fort, cette dame à qui je viens de parler et vous, qu'il me semble que vous soyez deux sœurs, et je vous crois à peu près de même âge. — Vraiment, Monsieur, me dit-elle, lorsque l'une mourra, l'autre devra avoir grand-peur : je ne crois pas qu'il y ait d'elle à moi deux jours de différence. »

Quand je tins cette femme décrépite, j'allai à celle de soixante ans. « Il faut, Madame, que vous décidiez un pari que j'ai fait : j'ai gagé que cette dame et vous – lui montrant la femme de quarante ans – étiez de même âge. — Ma foi, dit-elle, je ne crois pas qu'il y ait six mois de différence. — Bon, m'y voilà ; continuons. » Je descendis encore, et j'allai à la femme de quarante ans. « Madame, faites-moi la grâce de me dire si c'est pour rire que vous appelez cette demoiselle, qui est à l'autre table, votre nièce ? Vous êtes aussi jeune qu'elle ; elle a même quelque chose dans le visage de passé, que vous n'avez certainement pas, et ces couleurs vives qui paraissent sur votre teint... Attendez, me dit-elle : je suis sa tante ; mais sa mère avait pour le moins vingt-cinq ans de plus que moi : nous n'étions pas de même lit ; j'ai ouï dire à feu ma sœur que sa fille et moi naquîmes la même année. — Je le disais bien, Madame, et je n'avais pas tort d'être étonné. »

Mon cher Usbek, les femmes qui se sentent finir d'avance par la perte de leurs agréments voudraient reculer vers la jeunesse[1]. Eh ! comment ne chercheraient-elles pas à tromper les autres ? Elles font tous leurs efforts pour se tromper elles-mêmes et se dérober à la plus affligeante de toutes les idées.

De Paris, le 3 de la lune de Chalval[2], 1713.

1. Lettre qui rappelle le personnage de Lise dans La Bruyère, *Caractères*, III, 8.
2. **Chalval :** décembre.

Lettre LIII
ZÉLIS À USBEK, À PARIS

Jamais passion n'a été plus forte et plus vive que celle de Cosrou, eunuque blanc, pour mon esclave Zélide : il la demande en mariage avec tant de fureur que je ne puis la lui refuser. Et pourquoi ferais-je de la résistance, lorsque

5 ma mère n'en fait pas, et que Zélide elle-même paraît satisfaite de l'idée de ce mariage imposteur et de l'ombre vaine qu'on lui présente ?

Que veut-elle faire de cet infortuné, qui n'aura d'un mari que la jalousie, qui ne sortira de sa froideur que pour

10 entrer dans un désespoir inutile ; qui se rappellera toujours la mémoire de ce qu'il a été, pour la faire souvenir de ce qu'il n'est plus ; qui, toujours prêt à se donner et ne se donnant jamais, se trompera, la trompera sans cesse, et lui fera essuyer à chaque instant tous les malheurs de sa

15 condition ?

Et quoi ! être toujours dans les images et dans les fantômes ! ne vivre que pour imaginer ! se trouver toujours auprès des plaisirs, et jamais dans les plaisirs ! languissante dans les bras d'un malheureux, au lieu de répondre à ses sou-

20 pirs, ne répondre qu'à ses regrets !

Quel mépris ne doit-on pas avoir pour un homme de cette espèce, fait uniquement pour garder, et jamais pour posséder ? Je cherche l'amour, et je ne le vois pas.

Je te parle librement, parce que tu aimes ma naïveté, et

25 que tu préfères mon air libre et ma sensibilité pour les plaisirs, à la pudeur feinte de mes compagnes.

Je t'ai ouï dire mille fois que les eunuques goûtent avec les femmes une sorte de volupté qui nous est inconnue ; que la nature se dédommage de ses pertes ; qu'elle a des

30 ressources qui réparent le désavantage de leur condition ; qu'on peut bien cesser d'être homme, mais non pas d'être sensible ; et que, dans cet état, on est comme dans un troi-

sième sens, où l'on ne fait, pour ainsi dire, que changer de plaisirs.

Si cela était, je trouverais Zélide moins à plaindre : c'est 35 quelque chose de vivre avec des gens moins malheureux.

Donne-moi tes ordres là-dessus, et fais-moi savoir si tu veux que le mariage s'accomplisse dans le sérail.

Adieu.

Du sérail d'Ispahan, le 5 de la lune de Chalval, 1713.

Lettre LIV
RICA À USBEK, À***

J'étais ce matin dans ma chambre, qui, comme tu sais, n'est séparée des autres que par une cloison fort mince, et percée en plusieurs endroits ; de sorte qu'on entend tout ce qui se dit dans la chambre voisine. Un homme, qui se promenait à grands pas, disait à un autre : « Je ne sais ce 5 que c'est, mais tout tourne contre moi : il y a plus de trois jours que je n'ai rien dit qui m'ait fait honneur, et je me suis trouvé confondu pêle-mêle dans toutes les conversations, sans qu'on ait fait la moindre attention à moi, et qu'on m'ait deux fois adressé la parole. J'avais préparé 10 quelques saillies pour relever mon discours ; jamais on n'a voulu souffrir que je les fisse venir. J'avais un conte fort joli à faire ; mais, à mesure que j'ai voulu l'approcher, on l'a esquivé comme si on l'avait fait exprès. J'ai quelques bons mots, qui, depuis quatre jours, vieillissent dans ma 15 tête, sans que j'en aie pu faire le moindre usage. Si cela continue, je crois qu'à la fin je serai un sot : il semble que ce soit mon étoile, et que je ne puisse m'en dispenser. Hier, j'avais espéré de briller avec trois ou quatre vieilles femmes, qui certainement ne m'en imposent point, et je devais dire 20 les plus jolies choses du monde : je fus plus d'un quart d'heure à diriger ma conversation ; mais elles ne tinrent

jamais un propos suivi, et elles coupèrent, comme des Parques[1] fatales, le fil de tous mes discours. Veux-tu que je
25 te dise ? La réputation de bel esprit coûte bien à soutenir[2]. Je ne sais comment tu as fait pour y parvenir. — Il me vient une pensée, reprit l'autre ; travaillons de concert à nous donner de l'esprit ; associons-nous pour cela. Chaque jour, nous nous dirons de quoi nous devons parler, et nous
30 nous secourrons si bien que, si quelqu'un vient nous interrompre au milieu de nos idées, nous l'attirerons nous-mêmes, et, s'il ne veut pas venir de bon gré, nous lui ferons violence. Nous conviendrons des endroits où il faudra approuver, de ceux où il faudra sourire, des autres où
35 il faudra rire tout à fait et à gorge déployée. Tu verras que nous donnerons le ton à toutes les conversations, et qu'on admirera la vivacité de notre esprit et le bonheur de nos reparties. Nous nous protégerons par des signes de tête mutuels. Tu brilleras aujourd'hui, demain tu seras mon
40 second. J'entrerai avec toi dans une maison, et je m'écrierai en te montrant : « Il faut que je vous dise une réponse bien plaisante que Monsieur vient de faire à un homme que nous avons trouvé dans la rue. » Et je me tournerai vers toi : « Il ne s'y attendait pas, il a été bien étonné. » Je
45 réciterai quelques-uns de mes vers, et tu diras : « J'y étais quand il les fit ; c'était dans un souper, et il ne rêva pas un moment. » Souvent même nous nous raillerons, toi et moi, et l'on dira : « Voyez comme ils s'attaquent, comme ils se défendent ! Ils ne s'épargnent pas. Voyons comment il sor-
50 tira de là. À merveille ! Quelle présence d'esprit ! Voilà une véritable bataille. » Mais on ne dira pas que nous nous étions escarmouchés[3] la veille. Il faudra acheter de cer-

1. **Parques :** dans l'Antiquité, les trois déesses de la Destinée (Chloto, Achésis, Atropos) qui filent et tranchent le fil de la vie.

2. **La réputation [...] soutenir :** on peut penser au Cydias de La Bruyère, *Les Caractères,* V, 75.

3. **Escarmouchés :** accrochés. L'escarmouche est une petite lutte.

tains livres qui sont des recueils de bons mots composés à l'usage de ceux qui n'ont point d'esprit, et qui en veulent 55 contrefaire : tout dépend d'avoir des modèles. Je veux qu'avant six mois nous soyons en état de tenir une conversation d'une heure toute remplie de bons mots. Mais il faudra avoir une attention : c'est de soutenir leur fortune. Ce n'est pas assez de dire un bon mot ; il faut le 60 répandre et le semer partout. Sans cela, autant de perdu ; et je t'avoue qu'il n'y a rien de si désolant que de voir une jolie chose qu'on a dite mourir dans l'oreille d'un sot qui l'entend. Il est vrai que souvent il y a une compensation, et que nous disons aussi bien des sottises qui passent 65 *incognito* ; et c'est la seule chose qui peut nous consoler dans cette occasion. Voilà, mon cher, le parti qu'il nous faut prendre. Fais ce que je te dirai, et je te promets avant six mois une place à l'Académie. C'est pour te dire que le travail ne sera pas *long* : car pour lors tu pourras renoncer 70 à ton art ; tu seras homme d'esprit malgré que tu en aies. On remarque en France que, dès qu'un homme entre dans une compagnie, il prend d'abord ce qu'on appelle *l'esprit du corps*. Tu seras de même, et je ne crains pour toi que l'embarras des applaudissements. »

De Paris, le 6 de la lune de Zilcadé, 1714.

Lettre LV
RICA À IBBEN, À SMYRNE

Chez les peuples d'Europe, le premier quart d'heure du mariage aplanit toutes les difficultés : les dernières faveurs sont toujours de même date que la bénédiction nuptiale ; les femmes n'y font point comme nos Persanes, qui disputent

⁵ le terrain quelquefois des mois entiers ; il n'y a rien de si plénier[1] : si elles ne perdent rien, c'est qu'elles n'ont rien à perdre ; mais on sait toujours, chose honteuse ! le moment de leur défaite, et, sans consulter les astres, on peut prédire au juste l'heure de la naissance de leurs enfants.

¹⁰ Les Français ne parlent presque jamais de leurs femmes : c'est qu'ils ont peur d'en parler devant des gens qui les connaissent mieux qu'eux.

Il y a parmi eux des hommes très malheureux que personne ne console : ce sont les maris jaloux. Il y en a que tout ¹⁵ le monde hait : ce sont les maris jaloux. Il y en a que tous les hommes méprisent : ce sont encore les maris jaloux.

Aussi n'y a-t-il point de pays où ils soient en si petit nombre que chez les Français. Leur tranquillité n'est pas fondée sur la confiance qu'ils ont en leurs femmes ; c'est, ²⁰ au contraire, sur la mauvaise opinion qu'ils en ont. Toutes les sages précautions des Asiatiques, les voiles qui les couvrent, les prisons où elles sont détenues, la vigilance des eunuques, leur paraissent des moyens plus propres à exercer l'industrie de ce sexe qu'à la lasser. Ici les maris prennent leur parti de ²⁵ bonne grâce, et regardent les infidélités comme des coups d'une étoile[2] inévitable. Un mari qui voudrait seul posséder sa femme serait regardé comme un perturbateur de la joie publique, et comme un insensé qui voudrait jouir de la lumière du soleil à l'exclusion des autres hommes.

³⁰ Ici un mari qui aime sa femme est un homme qui n'a pas assez de mérite pour se faire aimer d'une autre ; qui abuse de la nécessité de la loi pour suppléer aux agréments qui lui manquent ; qui se sert de tous ses avantages au préjudice d'une société entière ; qui s'approprie ce qui ³⁵ ne lui avait été donné qu'en engagement, et qui agit autant qu'il est en lui pour renverser une convention tacite qui fait le bonheur de l'un et de l'autre sexe. Ce titre

1. **Plénier :** sans difficulté (expression gasconne).
2. **Étoile :** fatalité.

de mari d'une jolie femme, qui se cache en Asie avec tant de soin, se porte ici sans inquiétude : on se sent en état de faire diversion partout. Un prince se console de la perte d'une place par la prise d'une autre. Dans le temps que le Turc nous prenait Bagdat, n'enlevions-nous pas au Mogol la forteresse de Candahar[1] ?

Un homme qui, en général, souffre les infidélités de sa femme n'est point désapprouvé ; au contraire, on le loue de sa prudence : il n'y a que les cas particuliers qui déshonorent.

Ce n'est pas qu'il n'y ait des dames vertueuses, et on peut dire qu'elles sont distinguées : mon conducteur me les faisait toujours remarquer. Mais elles étaient toutes si laides qu'il faut être un saint pour ne pas haïr la vertu.

Après ce que je t'ai dit des mœurs de ce pays-ci, tu t'imagines facilement que les Français ne s'y piquent guère de constance. Ils croient qu'il est aussi ridicule de jurer à une femme qu'on l'aimera toujours, que de soutenir qu'on se portera toujours bien, ou qu'on sera toujours heureux. Quand ils promettent à une femme qu'ils l'aimeront toujours, ils supposent qu'elle, de son côté, leur promet d'être toujours aimable, et, si elle manque à sa parole, ils ne se croient plus engagés à la leur.

De Paris, le 7 de la lune de Zilcadé, 1714.

Lettre LVI
USBEK À IBBEN, À SMYRNE

Le jeu est très en usage en Europe : c'est un état que d'être joueur ; ce seul titre tient lieu de naissance, de bien, de probité : il met tout homme qui le porte au rang des honnêtes gens, sans examen, quoiqu'il n'y ait personne

1. **Candahar :** allusion à la prise de Bagdad par les Turcs (1638) et à celle de Kandahar par les Persans (1649). Le Grand Mogol règne en Inde.

5 qui ne sache qu'en jugeant ainsi, il s'est trompé très souvent ; mais on est convenu d'être incorrigible.

Les femmes y sont surtout très adonnées. Il est vrai qu'elles ne s'y livrent guère dans leur jeunesse que pour favoriser une passion plus chère ; mais, à mesure qu'elles
10 vieillissent, leur passion pour le jeu semble rajeunir, et cette passion remplit tout le vide des autres.

Elles veulent ruiner leurs maris et, pour y parvenir, elles ont des moyens pour tous les âges, depuis la plus tendre jeunesse jusques à la vieillesse la plus décrépite : les
15 habits et les équipages commencent le dérangement ; la coquetterie l'augmente ; le jeu l'achève.

J'ai vu souvent neuf ou dix femmes, ou plutôt neuf ou dix siècles rangés autour d'une table ; je les ai vues dans leurs espérances, dans leurs craintes, dans leurs joies, sur-
20 tout dans leurs fureurs. Tu aurais dit qu'elles n'auraient jamais le temps de s'apaiser, et que la vie allait les quitter avant leur désespoir ; tu aurais été en doute si ceux qu'elles payaient étaient leurs créanciers ou leurs légataires[1].

Il semble que notre saint prophète ait eu principalement
25 en vue de nous priver de tout ce qui peut troubler notre raison : il nous a interdit l'usage du vin, qui la tient ensevelie ; il nous a, par un précepte exprès, défendu les jeux de hasard[2] ; et, quand il lui a été impossible d'ôter la cause des passions, il les a amorties. L'amour, parmi nous, ne
30 porte ni trouble ni fureur ; c'est une passion languissante, qui laisse notre âme dans le calme : la pluralité des femmes nous sauve de leur empire ; elle tempère la violence de nos désirs.

De Paris, le 10 de la lune de Zilhagé, 1714.

1. **Leurs légataires :** leurs héritiers.
2. **Il semble [...] hasard :** « Ô croyants, le vin, les jeux de hasard, les statues et le sort des flèches sont une abomination inventée par Satan. Abstenez-vous-en. » Coran, V, 92.

Lettre LVII
Usbek à Rhédi, à Venise

Les libertins entretiennent ici un nombre infini de filles de joie, et les dévots, un nombre innombrable de dervis[1]. Ces dervis font trois vœux : d'obéissance, de pauvreté et de chasteté. On dit que le premier est le mieux observé de tous ; quant au second, je te réponds qu'il ne l'est point ; je te laisse à juger du troisième.

Mais, quelque riches que soient ces dervis, ils ne quittent jamais la qualité de pauvres ; notre glorieux sultan renoncerait plutôt à ses magnifiques et sublimes titres. Ils ont raison : car ce titre de pauvre les empêche de l'être.

Les médecins et quelques-uns de ces dervis qu'on appelle *confesseurs* sont toujours ici ou trop estimés ou trop méprisés ; cependant on dit que les héritiers s'accommodent mieux des médecins que des confesseurs.

Je fus l'autre jour dans un couvent de ces dervis. Un d'entre eux, vénérable par ses cheveux blancs, m'accueillit fort honnêtement ; il me fit voir toute la maison ; nous entrâmes dans le jardin, et nous nous mîmes à discourir. « Mon père, lui dis-je, quel emploi avez-vous dans la communauté ? – Monsieur, me répondit-il avec un air très content de ma question, je suis casuiste[2]. – Casuiste ? repris-je : depuis que je suis en France, je n'ai pas ouï parler de cette charge. – Quoi ! vous ne savez pas ce que c'est qu'un casuiste ? Eh bien ! écoutez : je vais vous en donner une idée qui ne vous laissera rien à désirer. Il y a deux sortes de péchés : de mortels, qui excluent absolument du Paradis ; et de véniels, qui offensent Dieu à la vérité, mais ne l'irritent pas au point de nous priver de la béatitude. Or

1. **Dervis :** derviches. Religieux musulmans appartenant à une confrérie. Ce terme désigne ici les religieux du clergé catholique.
2. **Casuiste :** théologien qui s'applique à résoudre les cas de conscience.

tout notre art consiste à bien distinguer ces deux sortes de
30 péchés : car, à la réserve de quelques libertins, tous les
chrétiens veulent gagner le Paradis ; mais il n'y a guère
personne qui ne le veuille gagner à meilleur marché qu'il
est possible. Quand on connaît bien les péchés mortels, on
tâche de ne pas commettre de ceux-là, et l'on fait son
35 affaire. Il y a des hommes qui n'aspirent pas à une si
grande perfection, et, comme ils n'ont point d'ambition, ils
ne se soucient pas des premières places. Aussi entrent-ils
en Paradis le plus juste qu'ils peuvent ; pourvu qu'ils y
soient, cela suffit : leur but est de n'en faire ni plus ni
40 moins[1]. Ce sont des gens qui ravissent le ciel, plutôt qu'ils
ne l'obtiennent, et qui disent à Dieu : « Seigneur, j'ai
accompli les conditions à la rigueur ; vous ne pouvez vous
empêcher de tenir vos promesses : comme je n'en ai pas
fait plus que vous n'en avez demandé, je vous dispense de
45 m'en accorder plus que vous n'en avez promis. » Nous
sommes donc des gens nécessaires, Monsieur. Ce n'est pas
tout pourtant ; vous allez bien voir autre chose. L'action
ne fait pas le crime, c'est la connaissance de celui qui la
commet : celui qui fait un mal, tandis qu'il peut croire que
50 ce n'en est pas un, est en sûreté de conscience ; et comme
il y a un nombre infini d'actions équivoques, un casuiste
peut leur donner un degré de bonté qu'elles n'ont point,
en les déclarant bonnes ; et, pourvu qu'il puisse persuader
qu'elles n'ont pas de venin, il le leur ôte tout entier. Je
55 vous dis ici le secret d'un métier où j'ai vieilli ; je vous en
fais voir les raffinements : il y a un tour à donner à tout,
même aux choses qui en paraissent les moins susceptibles.
– Mon père, lui dis-je, cela est fort bon ; mais comment
vous accommodez-vous avec le ciel ? Si le Sophi[2] avait à

1. **Aussi entrent-ils [...] ni plus ni moins :** on peut penser aux
Provinciales de Pascal, où les casuistes sont accusés de complaisance à
l'égard des plus fortunés.
2. **Sophi :** prince de la Perse.

sa cour un homme qui fit à son égard ce que vous faites 60
contre votre Dieu, qui mît de la différence entre ses
ordres, et qui apprît à ses sujets dans quel cas ils doivent
les exécuter, et dans quel autre ils peuvent les violer, il le
ferait empaler sur l'heure. » Je saluai mon dervis et le quit-
tai sans attendre sa réponse. 65

De Paris, le 23 de la lune de Maharram, 1714.

Clefs d'analyse

Lettre LVII.

Compréhension

La réflexion sur la religion dans les Lettres persanes

- Préciser le thème et la tonalité de cette lettre.
- Définir l'objectif majeur de cette lettre.
- Relier cette lettre à celles qui la précèdent.

Réflexion

Les tonalités du texte

- Dire la fonction du mot « dervis » dans cette lettre.
- Rechercher le procédé d'écriture sur lequel se fonde le premier paragraphe de cette lettre.

Ironie et critique

- Dire si la critique paraît violente ou modérée, en examinant l'écriture des deux premiers paragraphes.
- Préciser la fonction du discours direct employé ensuite.
- Montrer l'importance de l'emploi du discours direct par le père jésuite.

La défense du jansénisme

- Préciser les raisons pour lesquelles Montesquieu, sans être janséniste, se range pourtant au côté de Pascal par sa critique du clergé catholique et des jésuites.
- Rechercher dans la biographie de Montesquieu à quelle obédience religieuse il appartient par ses origines familiales et par son mariage.

À retenir :

Le jansénisme est une pensée chrétienne issue du théologien d'origine néerlandaise Jansen (1585-1638), évêque d'Ypres à sa mort (de la peste). Dans son ouvrage l'Augustinus (1628), il cherche à rétablir la doctrine de saint Augustin sur la grâce, une doctrine qui enseigne la prédestination des âmes. Clément XI condamne le jansénisme par la bulle Unigenitus datée de 1713. Le jansénisme a inspiré Racine. Son grand défenseur fut Pascal.

Lettre LVIII
RICA À RHÉDI, À VENISE

À Paris, mon cher Rhédi, il y a bien des métiers. Là un homme obligeant vient, pour un peu d'argent, vous offrir le secret de faire de l'or.

Un autre vous promet de vous faire coucher avec les Esprits aériens, pourvu que vous soyez seulement trente ans sans voir de femmes.

Vous trouverez encore des devins si habiles qu'ils vous diront toute votre vie, pourvu qu'ils aient seulement eu un quart d'heure de conversation avec vos domestiques.

Des femmes adroites font de la virginité une fleur qui fleurit et renaît tous les jours, et se cueille la centième fois plus douloureusement que la première.

Il y en a d'autres qui, réparant par la force de leur art toutes les injures du temps, savent rétablir sur un visage une beauté qui chancelle, et même rappeler une femme du sommet de la vieillesse pour la faire redescendre jusqu'à la jeunesse la plus tendre.

Tous ces gens-là vivent, ou cherchent à vivre dans une ville qui est la mère de l'invention.

Les revenus des citoyens ne s'y afferment point : ils ne consistent qu'en esprit et en industrie ; chacun a la sienne, qu'il fait valoir de son mieux.

Qui voudrait nombrer tous les gens de loi qui poursuivent le revenu de quelque mosquée, aurait aussitôt compté les sables de la mer et les esclaves de notre monarque.

Un nombre infini de maîtres de langues, d'arts et de sciences, enseignent ce qu'ils ne savent pas, et ce talent est bien considérable : car il ne faut pas beaucoup d'esprit pour montrer ce qu'on sait ; mais il en faut infiniment pour enseigner ce qu'on ignore.

On ne peut mourir ici que subitement ; la mort ne saurait autrement exercer son empire : car il y a dans tous les

coins des gens qui ont des remèdes infaillibles contre toutes les maladies imaginables.

35 Toutes les boutiques sont tendues de fils invisibles, où se vont prendre tous les acheteurs. L'on en sort pourtant quelquefois à bon marché : une jeune marchande cajole un homme une heure entière pour lui faire acheter un paquet de cure-dents.

40 Il n'y a personne qui ne sorte de cette ville plus précautionné qu'il n'y est entré : à force de faire part de son bien aux autres, on apprend à le conserver ; seul avantage des étrangers dans cette ville enchanteresse.

De Paris, le 10 de la lune de Saphar, 1714.

Lettre LIX
RICA À USBEK, À***

J'étais l'autre jour dans une maison où il y avait un cercle de gens de toute espèce : je trouvai la conversation occupée par deux vieilles femmes, qui avaient en vain travaillé tout le matin à se rajeunir. « Il faut avouer, disait une d'entre
5 elles, que les hommes d'aujourd'hui sont bien différents de ceux que nous voyions dans notre jeunesse : ils étaient polis, gracieux, complaisants. Mais, à présent, je les trouve d'une brutalité insupportable. – Tout est changé, dit pour lors un homme qui paraissait accablé de goutte. Le temps
10 n'est plus comme il était : il y a quarante ans, tout le monde se portait bien ; on marchait ; on était gai ; on ne demandait qu'à rire et à danser. À présent, tout le monde est d'une tristesse insupportable » Un moment après, la conversation tourna du côté de la politique. « Morbleu !
15 dit un vieux seigneur, l'État n'est plus gouverné : trouvez-moi à présent un ministre comme M. Colbert. Je le connaissais beaucoup, ce M. Colbert : il était de mes amis ; il me faisait toujours payer de mes pensions avant qui que

ce fût. Le bel ordre qu'il y avait dans les finances ! Tout le monde était à son aise. Mais aujourd'hui je suis ruiné. — Monsieur, dit pour lors un ecclésiastique, vous parlez là du temps le plus miraculeux de notre invincible monarque. Y a-t-il rien de si grand que ce qu'il faisait alors pour détruire l'hérésie[1] ? — Et comptez-vous pour rien l'abolition des duels ? dit, d'un air content, un autre homme qui n'avait point encore parlé. — La remarque est judicieuse, me dit quelqu'un à l'oreille : cet homme est charmé de l'édit, et il l'observe si bien qu'il y a six mois qu'il reçut cent coups de bâton pour ne le pas violer. »

Il me semble, Usbek, que nous ne jugeons jamais des choses que par un retour secret que nous faisons sur nous-mêmes. Je ne suis pas surpris que les nègres peignent le diable d'une blancheur éblouissante et leurs dieux noirs comme du charbon ; que la Vénus de certains peuples ait des mamelles qui lui pendent jusques aux cuisses ; et qu'enfin tous les idolâtres aient représenté leurs dieux avec une figure humaine et leur aient fait part de toutes leurs inclinations. On a dit fort bien que, si les triangles faisaient un dieu, ils lui donneraient trois côtés[2].

Mon cher Usbek, quand je vois des hommes qui rampent sur un atome, c'est-à-dire la terre, qui n'est qu'un point de l'univers, se proposer directement pour modèles de la Providence, je ne sais comment accorder tant d'extravagance avec tant de petitesse.

De Paris, le 14 de la lune de Saphar, 1714.

1. **L'hérésie :** notamment le protestantisme et le jansénisme.
2. **Je ne suis pas surpris [...] trois côtés :** attaque contre l'anthropomorphisme. Elle vient de Spinoza.

Lettre LX
USBEK À IBBEN, À SMYRNE

Tu me demandes s'il y a des Juifs en France ? Sache que, partout où il y a de l'argent, il y a des Juifs. Tu me demandes ce qu'ils y font ? Précisément ce qu'ils font en Perse : rien ne ressemble plus à un Juif d'Asie qu'un Juif européen.

5 Ils font paraître chez les chrétiens, comme parmi nous, une obstination invincible pour leur religion, qui va jusques à la folie.

La religion juive est un vieux tronc qui a produit deux branches qui ont couvert toute la terre : je veux dire le mahométisme et le christianisme ; ou plutôt c'est une 10 mère qui a engendré deux filles qui l'ont accablée de mille plaies : car, en fait de religion, les plus proches sont les plus grandes ennemies. Mais, quelque mauvais traitements qu'elle en ait reçus, elle ne laisse pas de se glorifier de les avoir mises au monde ; elle se sert de l'une et de 15 l'autre pour embrasser le monde entier, tandis que, d'un autre côté, sa vieillesse vénérable embrasse tous les temps.

Les Juifs se regardent donc comme la source de toute sainteté et l'origine de toute religion. Ils nous regardent, au contraire, comme des hérétiques qui ont changé la loi, 20 ou plutôt, comme des Juifs rebelles.

Si le changement s'était fait insensiblement, ils croient qu'ils auraient été facilement séduits ; mais, comme il s'est fait tout à coup et d'une manière violente, comme ils peuvent marquer le jour et l'heure de l'une et de l'autre naissance, 25 ils se scandalisent de trouver en nous des âges, et se tiennent fermes à une religion que le monde même n'a pas précédée.

Ils n'ont jamais eu dans l'Europe un calme pareil à celui dont ils jouissent. On commence à se défaire parmi les chrétiens de cet esprit d'intolérance qui les animait. On 30 s'est mal trouvé, en Espagne, de les avoir chassés[1], et, en

1. **En Espagne [...] chassés :** les Juifs ont été chassés en 1492.

France, d'avoir fatigué[1] des chrétiens dont la croyance différait un peu de celle du prince[2]. On s'est aperçu que le zèle pour les progrès de la religion est différent de l'attachement qu'on doit avoir pour elle ; et que, pour l'aimer et l'observer, il n'est pas nécessaire de haïr et de persécuter ceux qui ne l'observent pas.

Il serait à souhaiter que nos musulmans pensassent aussi sensément sur cet article que les chrétiens ; que l'on pût, une bonne fois, faire la paix entre Hali et Abubeker[3] et laisser à Dieu le soin de décider des mérites de ces saints prophètes. Je voudrais qu'on les honorât par des actes de vénération et de respect, et non pas par de vaines préférences ; et qu'on cherchât à mériter leur faveur, quelque place que Dieu leur ait marquée, soit à sa droite, ou bien sous le marchepied de son trône.

De Paris, le 18 de la lune de Saphar, 1714.

Lettre LXI
Usbek à Rhédi, à Venise

J'entrai l'autre jour dans une église fameuse qu'on appelle *Notre-Dame*. Pendant que j'admirais ce superbe édifice, j'eus occasion de m'entretenir avec un ecclésiastique que la curiosité y avait attiré comme moi. La conversation tomba sur la tranquillité de sa profession. « La plupart des gens, me dit-il, envient le bonheur de notre état, et ils ont raison. Cependant il a ses désagréments. Nous ne sommes point si séparés du monde que nous n'y soyons appelés en mille occasions ; là, nous avons un rôle très difficile à soutenir.

1. **Fatigué :** importuné.
2. **Des chrétiens [...] du prince :** allusion à la révocation de l'édit de Nantes (1685).
3. **Entre Hali et Abubeker :** allusion au schisme musulman entre chiites et sunnites.

10 « Les gens du monde sont étonnants : ils ne peuvent souffrir notre approbation, ni nos censures : si nous les voulons corriger, ils nous trouvent ridicules ; si nous les approuvons, ils nous regardent comme des gens au-dessous de notre caractère. Il n'y a rien de si humiliant que de pen-
15 ser qu'on a scandalisé les impies mêmes. Nous sommes donc obligés de tenir une conduite équivoque et d'en imposer aux libertins, non pas par un caractère décidé, mais par l'incertitude où nous les mettons de la manière dont nous recevons leurs discours. Il faut avoir beaucoup
20 d'esprit pour cela : cet état de neutralité est difficile. Les gens du monde, qui hasardent tout, qui se livrent à toutes leurs saillies, qui, selon le succès, les poussent ou les abandonnent, réussissent bien mieux.

« Ce n'est pas tout : cet état si heureux et si tranquille,
25 que l'on vante tant, nous ne le conservons pas dans le monde. Dès que nous y paraissons, on nous fait disputer : on nous fait entreprendre, par exemple, de prouver l'utilité de la prière à un homme qui ne croit pas en Dieu, la néces-sité du jeûne à un autre qui a nié toute sa vie l'immortalité
30 de l'âme : l'entreprise est laborieuse, et les rieurs ne sont pas pour nous. Il y a plus : une certaine envie d'attirer les autres dans nos opinions nous tourmente sans cesse et est, pour ainsi dire, attachée à notre profession. Cela est aussi ridicule que si on voyait les Européens travailler, en faveur de la
35 nature humaine, à blanchir le visage des Africains. Nous troublons l'État, nous nous tourmentons nous-mêmes pour faire recevoir des points de religion qui ne sont point fonda-mentaux, et nous ressemblons à ce conquérant de la Chine qui poussa ses sujets à une révolte générale pour les avoir
40 voulu obliger à se rogner les cheveux ou les ongles[1].

1. **Ce conquérant de la Chine [...] ongles :** allusion à la conquête de la Chine par les Tartares en 1643. Cette anecdote viendrait des *Nouveaux Voyages autour du monde* de Dampier, 1698.

« Le zèle même que nous avons pour faire remplir à ceux dont nous sommes chargés les devoirs de notre sainte religion, est souvent dangereux, et il ne saurait être accompagné de trop de prudence. Un empereur nommé *Théodose*[1] fit passer au fil de l'épée tous les habitants d'une ville ; même les femmes et les enfants ; s'étant ensuite présenté pour entrer dans une église, un évêque nommé *Ambroise* lui fit fermer les portes, comme à un meurtrier et un sacrilège ; et, en cela, il fit une action héroïque. Cet empereur, ayant ensuite fait la pénitence qu'un tel crime exigeait, étant admis dans l'église, alla se placer parmi les prêtres ; le même évêque l'en fit sortir, et, en cela, il fit l'action d'un fanatique : tant il est vrai que l'on doit se défier de son zèle. Qu'importait à la religion ou à l'État que ce prince eût ou n'eût pas une place parmi les prêtres ? »

De Paris, le premier de la lune de Rebiab 1, 1714.

Lettre LXII
ZÉLIS À USBEK, À PARIS

Ta fille ayant atteint sa septième année, j'ai cru qu'il était temps de la faire passer dans les appartements intérieurs du sérail, et de ne point attendre qu'elle ait dix ans pour la confier aux eunuques noirs. On ne saurait de trop bonne heure priver une jeune personne des libertés de l'enfance, et lui donner une éducation sainte dans les sacrés murs où la pudeur habite.

Car je ne puis être de l'avis de ces mères qui ne renferment leurs filles que lorsqu'elles sont sur le point de leur donner un époux ; qui, les condamnant au sérail plutôt qu'elles ne les y consacrent, leur font embrasser violemment une manière de vie qu'elles auraient dû leur inspirer.

1. **Théodose :** Théodose I[er] conquit Thessalonique en 390. Il en massacra les habitants. Selon la légende, Saint Ambroise lui interdisit d'entrer dans la cathédrale de Milan.

Lettre LXII

Faut-il tout attendre de la force de la raison, et rien de la douceur de l'habitude ?

C'est en vain que l'on nous parle de la subordination où la nature nous a mises. Ce n'est pas assez de nous la faire sentir : il faut nous la faire pratiquer, afin qu'elle nous soutienne dans ce temps critique où les passions commencent à naître et à nous encourager à l'indépendance.

Si nous n'étions attachées à vous que par le devoir, nous pourrions quelquefois l'oublier. Si nous n'y étions entraînées que par le penchant, peut-être un penchant plus fort pourrait l'affaiblir. Mais, quand les lois nous donnent à un homme, elles nous dérobent à tous les autres et nous mettent aussi loin d'eux que si nous en étions à cent mille lieues.

La nature, industrieuse en faveur des hommes, ne s'est pas bornée à leur donner les désirs : elle a voulu que nous en eussions nous-mêmes, et que nous fussions des instruments animés de leur félicité ; elle nous a mises dans le feu des passions, pour les faire vivre tranquilles ; s'ils sortent de leur insensibilité, elle nous a destinées à les y faire rentrer, sans que nous puissions jamais goûter cet heureux état où nous les mettons.

Cependant, Usbek, ne t'imagine pas que ta situation soit plus heureuse que la mienne : j'ai goûté ici mille plaisirs que tu ne connais pas ; mon imagination a travaillé sans cesse à m'en faire connaître le prix : j'ai vécu, et tu n'as fait que languir.

Dans la prison même où tu me retiens, je suis plus libre que toi : tu ne saurais redoubler tes attentions pour me faire garder, que je ne jouisse de tes inquiétudes ; et tes soupçons, ta jalousie, tes chagrins, sont autant de marques de ta dépendance.

Continue, cher Usbek : fais veiller sur moi nuit et jour ; ne te fie pas même aux précautions ordinaires ; augmente mon bonheur en assurant le tien ; et sache que je ne redoute rien que ton indifférence.

Du sérail d'Ispahan, le 2 de la lune de Rebiab 1, 1714.

Lettre LXIII
RICA À USBEK, À***

Je crois que tu veux passer ta vie à la campagne : je ne te perdais au commencement que pour deux ou trois jours, et en voilà quinze que je ne t'ai vu. Il est vrai que tu es dans une maison charmante, que tu y trouves une société qui te convient, que tu y raisonnes tout à ton aise : il n'en faut pas davantage pour te faire oublier tout l'univers.

Pour moi, je mène à peu près la même vie que tu m'as vu mener : je me répands dans le monde, et je cherche à le connaître. Mon esprit perd insensiblement tout ce qui lui reste d'asiatique, et se plie sans effort aux mœurs européennes. Je ne suis plus si étonné de voir dans une maison cinq ou six femmes avec cinq ou six hommes, et je trouve que cela n'est pas mal imaginé.

Je le puis dire : je ne connais les femmes que depuis que je suis ici ; j'en ai plus appris dans un mois que je n'aurais fait en trente ans dans un sérail.

Chez nous, les caractères sont tous uniformes, parce qu'ils sont forcés : on ne voit point les gens tels qu'ils sont, mais tels qu'on les oblige d'être. Dans cette servitude du cœur et de l'esprit, on n'entend parler que la crainte, qui n'a qu'un langage, et non pas la nature, qui s'exprime si différemment, et qui paraît sous tant de formes.

La dissimulation, cet art parmi nous si pratiqué et si nécessaire, est ici inconnue : tout parle, tout se voit, tout s'entend ; le cœur se montre comme le visage ; dans les mœurs, dans la vertu, dans le vice même, on aperçoit toujours quelque chose de naïf.

Il faut, pour plaire aux femmes, un certain talent différent de celui qui leur plaît encore davantage : il consiste dans une espèce de badinage[1] dans l'esprit qui les amuse

1. **Badinage :** art de plaisanter pour plaire.

en ce qu'il semble leur promettre à chaque instant ce qu'on ne peut tenir que dans de trop longs intervalles.

Ce badinage, naturellement fait pour les toilettes, semble être parvenu à former le caractère général de la nation : on badine au conseil ; on badine à la tête d'une armée ; on badine avec un ambassadeur. Les professions ne paraissent ridicules qu'à proportion du sérieux qu'on y met : un médecin ne le serait plus si ses habits étaient moins lugubres, et s'il tuait ses malades en badinant.

De Paris, le 10 de la lune de Rebiab 1, 1714.

Lettre LXIV
LE CHEF DES EUNUQUES NOIRS À USBEK, À PARIS

Je suis dans un embarras que je ne saurais t'exprimer, magnifique seigneur : le sérail est dans un désordre et une confusion épouvantables ; la guerre règne entre tes femmes ; tes eunuques sont partagés ; on n'entend que plaintes, que murmures, que reproches ; mes remontrances sont méprisées : tout semble permis dans ce temps de licence[1], et je n'ai plus qu'un vain titre dans le sérail.

Il n'y a aucune de tes femmes qui ne se juge au-dessus des autres par sa naissance, par sa beauté, par ses richesses, par son esprit, par ton amour, et qui ne fasse valoir quelques-uns de ces titres pour avoir toutes les préférences. Je perds à chaque instant cette longue patience avec laquelle, néanmoins, j'ai eu le malheur de les mécontenter toutes : ma prudence, ma complaisance même, vertu si rare et si étrangère dans le poste que j'occupe, ont été inutiles.

Veux-tu que je te découvre, magnifique seigneur, la cause de tous ces désordres ? Elle est toute dans ton cœur et dans les tendres égards que tu as pour elles. Si tu ne me

1. **Licence :** liberté exagérée.

retenais pas la main ; si, au lieu de la voie des remontrances, tu me laissais celle des châtiments ; si, sans te laisser attendrir à leurs plaintes et à leurs larmes, tu les envoyais pleurer devant moi, qui ne m'attendris jamais, je les façonnerais bientôt au joug qu'elles doivent porter, et je lasserais leur humeur impérieuse et indépendante.

Enlevé dès l'âge de quinze ans au fond de l'Afrique, ma patrie, je fus d'abord vendu à un maître qui avait plus de vingt femmes ou concubines. Ayant jugé à mon air grave et taciturne que j'étais propre au sérail, il ordonna que l'on achevât de me rendre tel, et me fit faire une opération pénible dans les commencements, mais qui me fut heureuse dans la suite, parce qu'elle m'approcha de l'oreille et de la confiance de mes maîtres. J'entrai dans ce sérail, qui fut pour moi un nouveau monde. Le premier eunuque, l'homme le plus sévère que j'aie vu de ma vie, y gouvernait avec un empire absolu. On n'y entendait parler ni de divisions, ni de querelles : un silence profond régnait partout ; toutes ces femmes étaient couchées à la même heure, d'un bout de l'année à l'autre, et levées à la même heure ; elles entraient dans le bain tour à tour ; elles en sortaient au moindre signe que nous leur en faisions ; le reste du temps, elles étaient presque toujours enfermées dans leurs chambres. Il avait une règle, qui était de les faire tenir dans une grande propreté, et il avait pour cela des attentions inexprimables : le moindre refus d'obéir était puni sans miséricorde. « Je suis, disait-il, esclave ; mais je le suis d'un homme qui est votre maître et le mien, et j'use du pouvoir qu'il m'a donné sur vous : c'est lui qui vous châtie, et non pas moi, qui ne fais que prêter ma main. » Ces femmes n'entraient jamais dans la chambre de mon maître qu'elles n'y fussent appelées ; elles recevaient cette grâce avec joie et s'en voyaient privées sans se plaindre. Enfin, moi, qui étais le dernier des noirs dans ce sérail tranquille, j'étais mille fois plus respecté que je ne le suis dans le tien, où je les commande tous.

55 Dès que ce grand eunuque eut connu mon génie, il tourna les yeux de mon côté ; il parla de moi à mon maître, comme d'un homme capable de travailler selon ses vues, et de lui succéder dans le poste qu'il remplissait. Il ne fut point étonné de ma grande jeunesse : il crut que mon
60 attention me tiendrait lieu d'expérience. Que te dirai-je ? je fis tant de progrès dans sa confiance qu'il ne faisait plus difficulté de mettre dans mes mains les clefs des lieux terribles qu'il gardait depuis si longtemps. C'est sous ce grand maître que j'appris l'art difficile de commander, et
65 que je me formai aux maximes d'un gouvernement inflexible. J'étudiai sous lui le cœur des femmes ; il m'apprit à profiter de leurs faiblesses et à ne point m'étonner de leurs hauteurs. Souvent il se plaisait à me les voir conduire jusqu'au dernier retranchement de l'obéissance ; il les fai-
70 sait ensuite revenir insensiblement, et voulait que je parusse pour quelque temps plier moi-même. Mais il fallait le voir dans ces moments où il les trouvait tout près du désespoir, entre les prières et les reproches : il soutenait leurs larmes sans s'émouvoir et se sentait flatté de
75 cette espèce de triomphe. « Voilà, disait-il d'un air content, comment il faut gouverner les femmes. Leur nombre ne m'embarrasse pas : je conduirais de même toutes celles de notre grand monarque. Comment un homme peut-il espérer de captiver leur cœur, si ses fidèles eunuques n'ont
80 commencé par soumettre leur esprit ? »

Il avait non seulement de la fermeté, mais aussi de la pénétration : il lisait leurs pensées et leurs dissimulations ; leurs gestes étudiés, leur visage feint, ne lui dérobaient rien ; il savait toutes leurs actions les plus cachées et leurs
85 paroles les plus secrètes ; il se servait des unes pour connaître les autres, et il se plaisait à récompenser la moindre confidence. Comme elles n'abordaient leur mari que lorsqu'elles étaient averties, l'eunuque y appelait qui il voulait, et tournait les yeux de son maître sur celle qu'il
90 avait en vue ; et cette distinction était la récompense de

quelque secret révélé. Il avait persuadé à son maître qu'il était du bon ordre qu'il lui laissât ce choix, afin de lui donner une autorité plus grande. Voilà comme on gouvernait, magnifique seigneur, dans un sérail qui était, je crois, le mieux réglé qu'il y eût en Perse. 95

Laisse-moi les mains libres ; permets que je me fasse obéir. Huit jours remettront l'ordre dans le sein de la confusion. C'est ce que ta gloire demande, et que ta sûreté exige.

De ton sérail d'Ispahan, le 9 de la lune de Rebiab 1, 1714.

Lettre LXV
Usbek à ses femmes, au sérail d'Ispahan

J'apprends que le sérail est dans le désordre, et qu'il est rempli de querelles et de divisions intestines. Que vous recommandai-je en partant, que la paix et la bonne intelligence ? Vous me le promîtes. Était-ce pour me tromper ?

C'est vous qui seriez trompées si je voulais suivre les 5 conseils que me donne le grand eunuque, si je voulais employer mon autorité pour vous faire vivre comme mes exhortations le demandaient de vous.

Je ne sais me servir de ces moyens violents que lorsque j'ai tenté tous les autres. Faites donc en votre considéra- 10 tion ce que vous n'avez pas voulu faire à la mienne.

Le premier eunuque a grand sujet de se plaindre : il dit que vous n'avez aucun égard pour lui. Comment pouvez-vous accorder cette conduite avec la modestie de votre état ? N'est-ce pas à lui que, pendant mon absence, votre 15 vertu est confiée ? C'est un trésor sacré, dont il est le dépositaire. Mais ces mépris que vous lui témoignez font voir que ceux qui sont chargés de vous faire vivre dans les lois de l'honneur vous sont à charge.

Lettre LXVI

20 Changez donc de conduite, je vous prie, et faites en sorte que je puisse, une autre fois, rejeter les propositions que l'on me fait contre votre liberté et votre repos.

Car je voudrais vous faire oublier que je suis votre maître, pour me souvenir seulement que je suis votre époux.

De Paris, le 5 de la lune de Chahban, 1714.

Lettre LXVI
RICA, À***

On s'attache ici beaucoup aux sciences, mais je ne sais si on est fort savant. Celui qui doute de tout[1] comme philosophe n'ose rien nier comme théologien. Cet homme contradictoire est toujours content de lui, pourvu qu'on
5 convienne des qualités.

La fureur de la plupart des Français, c'est d'avoir de l'esprit, et la fureur de ceux qui veulent avoir de l'esprit, c'est de faire des livres.

Cependant il n'y a rien de si mal imaginé : la nature
10 semblait avoir sagement pourvu à ce que les sottises des hommes fussent passagères, et les livres les immortalisent. Un sot devrait être content d'avoir ennuyé tous ceux qui ont vécu avec lui : il veut encore tourmenter les races futures, il veut que sa sottise triomphe de l'oubli, dont il
15 aurait pu jouir comme du tombeau ; il veut que la postérité soit informée qu'il a vécu, et qu'elle sache à jamais qu'il a été un sot.

De tous les auteurs, il n'y en a point que je méprise plus que les compilateurs[2], qui vont, de tous côtés, chercher
20 des lambeaux des ouvrages des autres, qu'ils plaquent

1. **Celui qui doute de tout :** allusion à Descartes.
2. **Compilateurs :** auteurs qui empruntent aux autres.

dans les leurs, comme des pièces de gazon dans un parterre. Ils ne sont point au-dessus de ces ouvriers d'imprimerie qui rangent des caractères, qui, combinés ensemble, font un livre où ils n'ont fourni que la main. Je voudrais qu'on respectât les livres originaux, et il me semble que c'est une espèce de profanation de tirer les pièces qui les composent du sanctuaire où elles sont, pour les exposer à un mépris qu'elles ne méritent point.

Quand un homme n'a rien à dire de nouveau, que ne se tait-il ? Qu'a-t-on affaire de ces doubles emplois ? « Mais je veux donner un nouvel ordre.

– Vous êtes un habile homme : vous venez dans ma bibliothèque, et vous mettez en bas les livres qui sont en haut, et en haut ceux qui sont en bas. C'est un beau chef-d'œuvre ! »

Je t'écris sur ce sujet, parce que je suis outré d'un livre que je viens de quitter, qui est si gros qu'il semblait contenir la science universelle ; mais il m'a rompu la tête sans m'avoir rien appris.

Adieu.

De Paris, le 8 de la lune de Chahban, 1714.

Lettre LXVII
IBBEN À USBEK, À PARIS

Trois vaisseaux sont arrivés ici sans m'avoir apporté de tes nouvelles. Es-tu malade ? ou te plais-tu à m'inquiéter ?

Si tu ne m'aimes pas dans un pays où tu n'es lié à rien, que sera-ce au milieu de la Perse et dans le sein de ta famille ? Mais peut-être que je me trompe : tu es assez aimable pour trouver partout des amis. Le cœur est citoyen de tous les pays. Comment une âme bien faite peut-elle s'empêcher de former des engagements ? Je te l'avoue : je respecte les anciennes amitiés ; mais je ne suis pas fâché d'en faire partout de nouvelles.

En quelque pays que j'aie été[1], j'y ai vécu comme si j'avais dû y passer ma vie : j'ai eu le même empressement pour les gens vertueux, la même compassion ou plutôt la même tendresse pour les malheureux, la même estime
15 pour ceux que la prospérité n'a point aveuglés. C'est mon caractère, Usbek : partout où je trouverai des hommes, je me choisirai des amis.

Il y a ici un guèbre[2] qui, après toi, a, je crois, la première place dans mon cœur : c'est l'âme de la probité même. Des
20 raisons particulières l'ont obligé de se retirer dans cette ville où il vit tranquillement du produit d'un trafic honnête, avec une femme qu'il aime. Sa vie est toute marquée d'actions généreuses, et, quoiqu'il cherche la vie obscure, il y a plus d'héroïsme dans son cœur que dans celui des
25 plus grands monarques.

Je lui ai parlé mille fois de toi ; je lui montre toutes tes lettres ; je remarque que cela lui fait plaisir ; et je vois déjà que tu as un ami qui t'est inconnu.

Tu trouveras ici ses principales aventures : quelque
30 répugnance qu'il eût à les écrire, il n'a pu les refuser à mon amitié, et je les confie à la tienne.

HISTOIRE D'APHÉRIDON ET D'ASTARTÉ[3]

Je suis né parmi les guèbres, d'une religion qui est peut-être la plus ancienne qui soit au monde. Je fus si malheu-
35 reux que l'amour me vint avant la raison : j'avais à peine

1. **En quelque pays...** : emprunt aux *Pensées* de Pascal, « Quand j'ai voyagé dans les pays étrangers, je m'y suis attaché comme au mien propre. »
2. **Guèbre** : membre d'une communauté de Persans qui refusèrent l'islamisation consécutive à la conquête arabe du VIIe siècle et conservèrent leur religion zoroastrienne (Zoroastre ou Zarathoustra était un prophète religieux iranien), qui se caractérise par une haute conscience du bien et du mal.
3. **Astarté** : transcription grecque du nom de la déesse phénicienne Ishtar. Aphéridon est la transcription grecque du nom d'un roi de Perse plus ou moins mythique, Aphridun.

six ans, que je ne pouvais vivre qu'avec ma sœur ; mes yeux s'attachaient toujours sur elle, et, lorsqu'elle me quittait un moment, elle les retrouvait baignés de larmes ; chaque jour n'augmentait pas plus mon âge que mon amour. Mon père, étonné d'une si forte sympathie, aurait bien souhaité de nous marier ensemble, selon l'ancien usage des guèbres, introduit par Cambyse[1] ; mais la crainte des mahométans, sous le joug desquels nous vivons, empêche ceux de notre nation de penser à ces alliances saintes, que notre religion ordonne plutôt qu'elle ne permet, et qui sont des images si naïves de l'union déjà formée par la nature.

Mon père, voyant donc qu'il aurait été dangereux de suivre mon inclination et la sienne, résolut d'éteindre une flamme qu'il croyait naissante, mais qui était déjà à son dernier période. Il prétexta un voyage et m'emmena avec lui, laissant ma sœur entre les mains d'une de ses parentes : car ma mère était morte depuis deux ans. Je ne vous dirai point quel fut le désespoir de cette séparation : j'embrassai ma sœur toute baignée de larmes ; mais je n'en versai point : car la douleur m'avait rendu comme insensible. Nous arrivâmes à Tefflis[2], et mon père, ayant confié mon éducation à un de nos parents, m'y laissa et s'en retourna chez lui.

Quelque temps après, j'appris que, par le crédit d'un de ses amis, il avait fait entrer ma sœur dans le beiram[3] du roi, où elle était au service d'une sultane. Si l'on m'avait appris sa mort, je n'en aurais pas été plus frappé : car, outre que je n'espérais plus de la revoir, son entrée dans le beiram l'avait rendue mahométane, et elle ne pouvait plus, suivant le préjugé de cette religion, me regarder qu'avec

1. **Cambyse :** personnage qui aurait épousé sa sœur Méroé.
2. **Tefflis :** capitale de la Géorgie, pays alors vassal de la Perse.
3. **Beiram :** Montesquieu confond ce nom donné à une grande fête de l'Islam qui clôt le ramadam avec celui donné au harem, *haram*.

horreur. Cependant, ne pouvant plus vivre à Tefflis, las de
moi-même et de la vie, je retournai à Ispahan. Mes pre-
mières paroles furent amères à mon père : je lui reprochai
70 d'avoir mis sa fille en un lieu où l'on ne peut entrer qu'en
changeant de religion : « Vous avez attiré sur votre famille,
lui dis-je, la colère de Dieu et du Soleil qui vous éclaire ;
vous avez plus fait que si vous aviez souillé les éléments,
puisque vous avez souillé l'âme de votre fille, qui n'est pas
75 moins pure : j'en mourrai de douleur et d'amour ; mais
puisse ma mort être la seule peine que Dieu vous fasse
sentir ! » À ces mots, je sortis, et, pendant deux ans, je pas-
sai ma vie à aller regarder les murailles du beiram et
considérer le lieu où ma sœur pouvait être, m'exposant
80 tous les jours mille fois à être égorgé par les eunuques qui
font la ronde autour de ces redoutables lieux.

Enfin, mon père mourut, et la sultane que ma sœur ser-
vait, la voyant tous les jours croître en beauté, en devint
jalouse et la maria avec un eunuque qui la souhaitait avec
85 passion. Par ce moyen, ma sœur sortit du sérail et prit
avec son eunuque une maison à Ispahan. Je fus plus de
trois mois sans pouvoir lui parler ; l'eunuque, le plus
jaloux de tous les hommes, me remettant[1] toujours, sous
divers prétextes. Enfin j'entrai dans son beiram, et il me fit
90 parler au travers d'une jalousie. Des yeux de lynx ne l'auraient
pas pu découvrir, tant elle était enveloppée d'habits et de
voiles, et je ne la pus reconnaître qu'au son de sa voix.
Quelle fut mon émotion quand je me vis si près, et si éloi-
gné d'elle ! Je me contraignis, car j'étais examiné. Quant à
95 elle, il me parut qu'elle versa quelques larmes. Son mari
voulut me faire quelques mauvaises excuses ; mais je le
traitai comme le dernier des esclaves. Il fut bien embar-
rassé quand il vit que je parlais à ma sœur une langue qui

1. **Me remettant :** me renvoyant (remettant à plus tard de me laisser
entrer).

lui était inconnue : c'était l'ancien persan, qui est notre langue sacrée. « Quoi ! ma sœur, lui dis-je, est-il vrai que vous avez quitté la religion de vos pères ? je sais qu'en entrant au beiram, vous avez dû faire profession du mahométisme. Mais, dites-moi, votre cœur a-t-il pu consentir, comme votre bouche, à quitter une religion qui me permet de vous aimer ? Et pour qui la quittez-vous, cette religion qui nous doit être si chère ? Pour un misérable encore flétri des fers qu'il a portés ; qui, s'il était homme, serait le dernier de tous ! — Mon frère, dit-elle, cet homme dont vous parlez est mon mari ; il faut que je l'honore, tout indigne qu'il vous paraît ; et je serais aussi la dernière des femmes si... — Ah ! ma sœur, lui dis-je, vous êtes guèbre ; il n'est ni votre époux, ni ne peut l'être. Si vous êtes fidèle comme vos pères, vous ne devez le regarder que comme un monstre. — Hélas ! dit-elle, que cette religion se montre à moi de loin ! À peine en savais-je les préceptes qu'il les fallut oublier. Vous voyez que cette langue que je vous parle ne m'est plus familière, et que j'ai toutes les peines du monde à m'exprimer. Mais comptez que le souvenir de notre enfance me charme toujours ; que, depuis ce temps-là, je n'ai eu que de fausses joies ; qu'il ne s'est pas passé de jour que je n'aie pensé à vous ; que vous avez eu plus de part que vous ne croyez à mon mariage, et que je n'y ai été déterminée que par l'espérance de vous revoir. Mais que ce jour, qui m'a tant coûté, va me coûter encore ! Je vous vois tout hors de vous-même ; mon mari frémit de rage et de jalousie. Je ne vous verrai plus ; je vous parle sans doute pour la dernière fois de ma vie. Si cela était, mon frère, elle ne serait pas longue. » À ces mots, elle s'attendrit et se voyant hors d'état de tenir la conversation, elle me quitta le plus désolé des hommes.

Trois ou quatre jours après, je demandai à voir ma sœur. Le barbare eunuque aurait bien voulu m'en empêcher ; mais, outre que ces sortes de maris n'ont pas sur leurs femmes la même autorité que les autres, il aimait si éper-

135 dument ma sœur qu'il ne savait rien lui refuser. Je la vis
encore dans le même lieu et sous les mêmes voiles,
accompagnée de deux esclaves ; ce qui me fit avoir
recours à notre langue particulière. « Ma sœur, lui dis-je,
d'où vient que je ne puis vous voir sans me trouver dans
140 une situation affreuse ? Les murailles qui vous tiennent
enfermée, ces verrous et ces grilles, ces misérables gardiens
qui vous observent, me mettent en fureur. Comment
avez-vous perdu la douce liberté dont jouissaient vos
ancêtres ? Votre mère, qui était si chaste, ne donnait à son
145 mari, pour garant de sa vertu, que sa vertu même. Ils
vivaient heureux, l'un et l'autre, dans une confiance
mutuelle, et la simplicité de leurs mœurs était pour eux
une richesse plus précieuse mille fois que le faux éclat
dont vous semblez jouir dans cette maison somptueuse.
150 En perdant votre religion, vous avez perdu votre liberté,
votre bonheur et cette précieuse égalité qui fait l'honneur
de votre sexe. Mais ce qu'il y a de pis encore, c'est que
vous êtes, non pas la femme, car vous ne pouvez l'être,
mais l'esclave d'un esclave qui a été dégradé de l'huma-
155 nité. – Ah ! mon frère, dit-elle, respectez mon époux, res-
pectez la religion que j'ai embrassée. Selon cette religion,
je n'ai pu vous entendre, ni vous parler sans crime. – Quoi,
ma sœur ! lui dis-je tout transporté, vous la croyez donc
véritable, cette religion ? – Ah ! dit-elle, qu'il me serait
160 avantageux qu'elle ne le fût pas ! Je fais pour elle un trop
grand sacrifice pour que je puisse ne la pas croire ; et si
mes doutes... » À ces mots, elle se tut. « Oui, vos doutes,
ma sœur, sont bien fondés, quels qu'ils soient. Qu'attendez-
vous d'une religion qui vous rend malheureuse dans ce
165 monde-ci et ne vous laisse point d'espérance pour l'autre ?
Songez que la nôtre est la plus ancienne qui soit au
monde ; qu'elle a toujours fleuri dans la Perse, et n'a pas
d'autre origine que cet empire, dont les commencements
ne sont point connus ; que ce n'est que le hasard qui y a
170 introduit le Mahométisme ; que cette secte y a été établie,

non par la voie de la persuasion, mais de la conquête[1]. Si nos princes naturels n'avaient pas été faibles, vous verriez régner encore le culte de ces anciens mages. Transportez-vous dans ces siècles reculés : tout vous parlera du Magisme[2], et rien de la secte mahométane, qui, plusieurs milliers d'années après, n'était pas même dans son enfance. – Mais, dit-elle, quand ma religion serait plus moderne que la vôtre, elle est au moins plus pure, puisqu'elle n'adore que Dieu ; au lieu que vous adorez encore le soleil, les étoiles, le feu, et même les éléments. – Je vois, ma sœur, que vous avez appris parmi les musulmans à calomnier notre sainte religion. Nous n'adorons ni les astres ni les éléments, et nos pères ne les ont jamais adorés : jamais ils ne leur ont élevé des temples ; jamais ils ne leur ont offert des sacrifices ; ils leur ont seulement rendu un culte religieux, mais inférieur, comme à des ouvrages et des manifestations de la divinité. Mais, ma sœur, au nom de Dieu, qui nous éclaire, recevez ce livre sacré que je vous porte ; c'est le livre de notre législateur Zoroastre[3] ; lisez-le sans prévention ; recevez dans votre cœur les rayons de lumière qui vous éclaireront en le lisant ; souvenez-vous de vos pères qui ont si longtemps honoré le soleil dans la ville sainte de Balk[4] ; et, enfin, souvenez-vous de moi, qui n'espère de repos, de fortune, de vie, que de votre changement. » Je la quittai tout transporté, et la laissai seule décider la plus grande affaire que je pusse avoir de ma vie.

1. [...] **conquête** : c'est en 651 avant Jésus-Christ que les armées musulmanes des lieutenants d'Omar repoussèrent le dernier souverain sassanide au fond du Khorasan.

2. **Magisme** : savoir et pratique des mages, qui sont des prêtres et des astrologues dans la Babylone antique, en Assyrie et en Perse.

3. **Zoroastre** : Zarathoustra fut le prophète à l'origine de la religion des guèbres. Sa doctrine qui sépare le bien et le mal a inspiré Nietzsche : *Ainsi parlait Zarathoustra.*

4. **Balk** : ville, qui serait aujourd'hui située au nord de l'Afghanistan, dans laquelle Zoroastre convertit le roi Gushtasp.

J'y retournai deux jours après ; je ne lui parlai point ; j'attendis dans le silence l'arrêt de ma vie ou de ma mort. « Vous êtes aimé, mon frère, me dit-elle, et par une guèbre.

200 J'ai longtemps combattu. Mais, dieux ! que l'amour lève de difficultés ! que je suis soulagée ! Je ne crains plus de vous trop aimer ; je puis ne mettre point de bornes à mon amour ; l'excès même en est légitime. Ah ! que ceci convient bien à l'état de mon cœur ! Mais vous, qui avez

205 su rompre les chaînes que mon esprit s'était forgées, quand romprez-vous celles qui me lient les mains ? Dès ce moment, je me donne à vous. Faites voir, par la promptitude avec laquelle vous m'accepterez, combien ce présent vous est cher. Mon frère, la première fois que je pour-

210 rai vous embrasser, je crois que je mourrai dans vos bras. » Je n'exprimerais jamais bien la joie que je sentis à ces paroles : je me crus et je me vis, en effet, en un instant, le plus heureux de tous les hommes ; je vis presque accomplir tous les désirs que j'avais formés en vingt-cinq ans de vie,

215 et évanouir tous les chagrins qui me l'avaient rendue si laborieuse. Mais, quand je me fus un peu accoutumé à ces douces idées, je trouvai que je n'étais pas si près de mon bonheur que je me l'étais figuré tout à coup, quoique j'eusse surmonté le plus grand de tous les obstacles. Il fal-

220 lait surprendre la vigilance de ses gardiens. Je n'osais confier à personne le secret de ma vie. Je n'avais que ma sœur ; elle n'avait que moi. Si je manquais mon coup, je courais le risque d'être empalé ; mais je ne voyais pas de peine plus cruelle que de le manquer. Nous convînmes

225 qu'elle m'enverrait demander une horloge que son père lui avait laissée, et que j'y mettrais dedans une lime pour scier les jalousies d'une fenêtre qui donnait dans la rue, et une corde nouée pour descendre ; que je ne la verrais plus dorénavant ; mais que j'irais toutes les nuits sous cette

230 fenêtre attendre qu'elle pût exécuter son dessein. Je passai quinze nuits entières sans voir personne, parce qu'elle n'avait pas trouvé le temps favorable. Enfin la seizième,

j'entendis une scie qui travaillait. De temps en temps, l'ouvrage était interrompu, et, dans ces intervalles, ma frayeur était inexprimable. Après une heure de travail, je la vis qui attachait la corde ; elle se laissa aller, et glissa dans mes bras. Je ne connus plus le danger, et je restai longtemps sans bouger de là. Je la conduisis hors de la ville, où j'avais un cheval tout prêt ; je la mis en croupe derrière moi et m'éloignai, avec toute la promptitude imaginable, d'un lieu qui pouvait nous être si funeste. Nous arrivâmes avant le jour chez un guèbre, dans un lieu désert où il était retiré, vivant frugalement du travail de ses mains ; nous ne jugeâmes pas à propos de rester chez lui, et, par son conseil, nous entrâmes dans une épaisse forêt, et nous nous mîmes dans le creux d'un vieux chêne, jusques à ce que le bruit de notre évasion se fût dissipé. Nous vivions tous deux dans ce séjour écarté, sans témoins, nous répétant sans cesse que nous nous aimerions toujours, attendant l'occasion que quelque prêtre guèbre pût faire la cérémonie du mariage prescrite par nos livres sacrés. « Ma sœur, lui dis-je, que cette union est sainte ! La nature nous avait unis ; notre sainte loi va nous unir encore. » Enfin un prêtre vint calmer notre impatience amoureuse. Il fit, dans la maison du paysan, toutes les cérémonies du mariage ; il nous bénit et nous souhaita mille fois toute la vigueur de Gustaspe[1] et la sainteté de l'Hohoraspe. Bientôt après, nous quittâmes la Perse, où nous n'étions pas en sûreté, et nous nous retirâmes en Géorgie. Nous y vécûmes un an, tous les jours plus charmés l'un de l'autre ; mais, comme mon argent allait finir, et que je craignais la misère pour ma sœur, non pas pour moi, je la quittai pour aller chercher quelque secours chez nos parents. Jamais adieu ne fut plus tendre. Mais mon voyage me fut non seulement

1. **Gustaspe :** Gushtap (Vistaha en ancien persan), roi perse converti par Zoroastre. Son père était Lohrasp (l'Hohoraste, selon la transcription de Montesquieu).

265 inutile, mais funeste : car, ayant trouvé, d'un côté, tous
nos biens confisqués, de l'autre, mes parents presque dans
l'impuissance de me secourir, je ne rapportai d'argent pré-
cisément que ce qu'il fallait pour mon retour. Mais quel
fut mon désespoir ! Je ne trouvai plus ma sœur. Quelques
270 jours avant mon arrivée, des Tartares avaient fait une
incursion dans la ville où elle était, et, comme ils la trou-
vèrent belle, ils la prirent, et la vendirent à des Juifs qui
allaient en Turquie, et ne laissèrent qu'une petite fille dont
elle était accouchée quelques mois auparavant. Je suivis
275 ces Juifs et les joignis à trois lieues de là. Mes prières, mes
larmes, furent vaines : ils me demandèrent toujours trente
tomans[1], et ne se relâchèrent jamais d'un seul. Après
m'être adressé à tout le monde, avoir imploré la protection
des prêtres turcs et chrétiens, je m'adressai à un marchand
280 arménien, je lui vendis ma fille, et me vendis aussi pour
trente-cinq tomans. J'allai aux Juifs, je leur donnai trente
tomans et portai les cinq autres à ma sœur, que je n'avais
pas encore vue : « Vous êtes libre, lui dis-je, ma sœur, et je
puis vous embrasser. Voilà cinq tomans que je vous porte.
285 J'ai du regret qu'on ne m'ait pas acheté davantage. – Quoi !
dit-elle, vous vous êtes vendu ? – Oui, lui dis-je. – Ah ! mal-
heureux ; qu'avez-vous fait ? N'étais-je pas assez infortunée,
sans que vous travaillassiez à me le rendre davantage ? Votre
liberté me consolait, et votre esclavage va me mettre au
290 tombeau. Ah ! mon frère, que votre amour est cruel ! Et ma
fille ? je ne la vois point. – Je l'ai vendue aussi », lui dis-je.
Nous fondîmes tous deux en larmes et n'eûmes pas la force
de nous rien dire. Enfin j'allai trouver mon maître, et ma
sœur y arriva presque aussitôt que moi. Elle se jeta à ses
295 genoux. « Je vous demande, dit-elle, la servitude, comme les
autres vous demandent la liberté. Prenez-moi. Vous me ven-
drez plus cher que mon mari. » Ce fut alors qu'il se fit un

1. **Tomans :** monnaie utilisée en Perse.

combat qui arracha les larmes des yeux de mon maître.
« Malheureux ! dit-elle, as-tu pensé que je pusse accepter ma
liberté aux dépens de la tienne ? Seigneur, vous voyez deux
infortunés qui mourront si vous nous séparez. Je me donne
à vous. Payez-moi. Peut-être que cet argent et mes services
pourront quelque jour obtenir de vous ce que je n'ose vous
demander. Il est de votre intérêt de ne nous point séparer :
comptez que je dispose de sa vie. » L'Arménien était un
homme doux, qui fut touché de nos malheurs. « Servez-moi
l'un et l'autre avec fidélité et avec zèle, et je vous promets
que, dans un an, je vous donnerai votre liberté. Je vois que
vous ne méritez, ni l'un ni l'autre, les malheurs de votre
condition. Si, lorsque vous serez libres, vous êtes aussi heu-
reux que vous le méritez, si la fortune vous rit, je suis certain
que vous me satisferez de la perte que je souffrirai. » Nous
embrassâmes tous deux ses genoux, et le suivîmes dans son
voyage. Nous nous soulagions l'un et l'autre dans les travaux
de la servitude, et j'étais charmé lorsque j'avais pu faire
l'ouvrage qui était tombé à ma sœur.

La fin de l'année arriva ; notre maître tint sa parole et
nous délivra. Nous retournâmes à Tefflis. Là je trouvai un
ancien ami de mon père, qui exerçait avec succès la méde-
cine dans cette ville ; il me prêta quelque argent avec
lequel je fis quelque négoce. Quelques affaires m'appe-
lèrent ensuite à Smyrne, où je m'établis. J'y vis depuis six
ans, et j'y jouis de la plus aimable et de la plus douce
société du monde : l'union règne dans ma famille, et je ne
changerais pas ma condition pour celle de tous les rois du
monde. J'ai été assez heureux pour retrouver le marchand
arménien à qui je dois tout, et je lui ai rendu des services
signalés.

De Smyrne, le 27 de la lune de Gemmadi 2, 1714.

Lettre LXVIII
RICA À USBEK, À***

J'allai l'autre jour dîner chez un homme de robe[1], qui m'en avait prié plusieurs fois. Après avoir parlé de bien des choses, je lui dis : « Monsieur, il me paraît que votre métier est bien pénible. – Pas tant que vous vous l'imagi-
5 nez, répondit-il : de la manière dont nous le faisons, ce n'est qu'un amusement. – Mais quoi ? n'avez-vous pas toujours la tête remplie des affaires d'autrui ? N'êtes-vous pas toujours occupé de choses qui ne sont point intéres-santes ? – Vous avez raison ; ces choses ne sont point inté-
10 ressantes : car nous nous y intéressons si peu que rien, et cela même fait que le métier n'est pas si fatigant que vous dites. » Quand je vis qu'il prenait la chose d'une manière si dégagée, je continuai, et lui dis : « Monsieur, je n'ai point vu votre cabinet. – Je le crois : car je n'en ai point. Quand
15 je pris cette charge, j'eus besoin d'argent pour la payer ; je vendis ma bibliothèque, et le libraire qui la prit, d'un nombre prodigieux de volumes, ne me laissa que mon livre de rai-son[2]. Ce n'est pas que je les regrette : nous autres juges ne nous enflons point d'une vaine science. Qu'avons-nous à
20 faire de tous ces volumes de lois ? Presque tous les cas sont hypothétiques et sortent de la règle générale. – Mais ne serait-ce pas, Monsieur, lui dis-je, parce que vous les en faites sortir ? Car enfin, pourquoi chez tous les peuples du monde y aurait-il des lois si elles n'avaient pas leur appli-
25 cation ? et comment peut-on les appliquer si on ne les sait pas ? – Si vous connaissiez le Palais, reprit le magistrat, vous ne parleriez pas comme vous faites : nous avons des livres vivants, qui sont les avocats ; ils travaillent pour

1. **Un homme de robe :** un homme au service de la justice, la robe dis-tingue en effet les officiers de la justice.
2. **Livre de raison :** livre de compte, registre où l'on consigne ses comptes ou la chronique familiale.

nous et se chargent de nous instruire. – Et ne se chargent-
ils pas aussi quelquefois de vous tromper ? lui repartis-je. 30
Vous ne feriez donc pas mal de vous garantir de leurs
embûches : ils ont des armes avec lesquelles ils attaquent
votre équité ; il serait bon que vous en eussiez aussi pour
la défendre, et que vous n'allassiez pas vous mettre dans la
mêlée, habillés à la légère, parmi des gens cuirassés jusques 35
aux dents. »

De Paris, le 13 de la lune de Chahban, 1714.

Lettre LXIX
Usbek à Rhédi, à Venise

Tu ne te serais jamais imaginé que je fusse devenu plus
métaphysicien[1] que je ne l'étais : cela est pourtant, et tu
en seras convaincu quand tu auras essuyé ce déborde-
ment de ma philosophie[2].

Les philosophes les plus sensés qui ont réfléchi sur la 5
nature de Dieu ont dit qu'il était un être souverainement
parfait ; mais ils ont extrêmement abusé de cette idée : ils
ont fait une énumération de toutes les perfections diffé-
rentes que l'homme est capable d'avoir et d'imaginer, et
en ont chargé l'idée de la divinité, sans songer que sou- 10
vent ces attributs s'entrempêchent, et qu'ils ne peuvent
subsister dans un même sujet sans se détruire.

Les poètes d'Occident disent qu'un peintre, ayant voulu
faire le portrait de la déesse de la beauté, assembla les plus
belles Grecques[3] et prit de chacune ce qu'elle avait de plus 15

1. **Métaphysicien :** personne qui pratique la métaphysique, c'est-à-dire la
 recherche rationnelle des causes de l'univers et des principes premiers
 de connaissances, à travers la quête de l'être absolu.
2. **Philosophie :** ici elle s'inspirerait de la *Théodicée* de Leibniz.
3. **Les plus belles Grecques... :** cinq jeunes filles de Crotone posèrent
 pour le portrait d'Hélène par Zeuxis.

agréable, dont il fit un tout pour ressembler à la plus belle de toutes les déesses. Si un homme en avait conclu qu'elle était blonde et brune, qu'elle avait les yeux noirs et bleus, qu'elle était douce et fière, il aurait passé pour ridicule.

20 Souvent Dieu manque d'une perfection qui pourrait lui donner une grande imperfection ; mais il n'est jamais limité que par lui-même : il est lui-même sa nécessité. Ainsi, quoique Dieu soit tout-puissant, il ne peut pas violer ses promesses, ni tromper les hommes. Souvent même
25 l'impuissance n'est pas dans lui, mais dans les choses relatives ; et c'est la raison pourquoi il ne peut pas changer l'essence des choses.

 Ainsi il n'y a pas sujet de s'étonner que quelques-uns de nos docteurs aient osé nier la prescience infinie de Dieu,
30 sur ce fondement qu'elle est incompatible avec sa justice.

 Quelque hardie que soit cette idée, la métaphysique s'y prête merveilleusement. Selon ses principes, il n'est pas possible que Dieu prévoie les choses qui dépendent de la détermination des causes libres, parce que ce qui n'est
35 point arrivé n'est point, et, par conséquent, ne peut être connu : car le rien, qui n'a point de propriétés, ne peut être aperçu. Dieu ne peut pas lire dans une volonté qui n'est point, et voir dans l'âme une chose qui n'existe point en elle : car, jusques à ce qu'elle se soit déterminée, cette
40 action qui la détermine n'est point en elle.

 L'âme est l'ouvrière de sa détermination ; mais il y a des occasions où elle est tellement indéterminée qu'elle ne sait pas même de quel côté se déterminer. Souvent même elle ne le fait que pour faire usage de sa liberté ; de manière que
45 Dieu ne peut voir cette détermination par avance, ni dans l'action de l'âme, ni dans l'action que les objets font sur elle.

 Comment Dieu pourrait-il prévoir les choses qui dépendent de la détermination des causes libres ? Il ne pourrait les voir que de deux manières : par conjecture, ce qui est
50 contradictoire avec la prescience infinie ; ou bien il les verrait comme des effets nécessaires qui suivraient infailli-

blement d'une cause qui les produirait de même, ce qui est encore plus contradictoire : car l'âme serait libre par la supposition, et, dans le fait, elle ne le serait pas plus qu'une boule de billard n'est libre de se remuer, lorsqu'elle est poussée par une autre. 55

Ne crois pas pourtant que je veuille borner la science de Dieu. Comme il fait agir les créatures à sa fantaisie, il connaît tout ce qu'il veut connaître. Mais, quoiqu'il puisse voir tout, il ne se sert pas toujours de cette faculté : il 60 laisse ordinairement à la créature la faculté d'agir ou de ne pas agir, pour lui laisser celle de mériter ou de démériter ; c'est pour lors qu'il renonce au droit qu'il a d'agir sur elle et de la déterminer. Mais, quand il veut savoir quelque chose, il le sait toujours, parce qu'il n'a qu'à vouloir qu'elle 65 arrive comme il la voit, et déterminer les créatures conformément à sa volonté. C'est ainsi qu'il tire ce qui doit arriver du nombre des choses purement possibles, en fixant par ses décrets les déterminations futures des esprits, et les privant de la puissance qu'il leur a donnée d'agir ou de 70 ne pas agir[1].

Si l'on peut se servir d'une comparaison dans une chose qui est au-dessus des comparaisons : un monarque ignore ce que son ambassadeur fera dans une affaire importante ; s'il le veut savoir, il n'a qu'à lui ordonner de se comporter 75 d'une telle manière, et il pourra assurer que la chose arrivera comme il la projette.

L'Alcoran et les livres des Juifs s'élèvent sans cesse contre le dogme de la prescience absolue[2] : Dieu y paraît partout ignorer la détermination future des esprits, et il 80 semble que ce soit la première vérité que Moïse ait enseignée aux hommes.

1. **C'est ainsi qu'il tire [...] agir :** Leibniz en arrive à la même conclusion dans sa *Théodicée*.
2. **L'Alcoran [...] prescience absolue :** ce n'est vrai que pour le Coran, pas pour l'Ancien Testament.

Lettre LXIX

Dieu met Adam dans le Paradis terrestre, à condition qu'il ne mangera point d'un certain fruit : précepte absurde dans un être qui connaîtrait les déterminations futures des âmes ; car enfin un tel être peut-il mettre des conditions à ses grâces sans les rendre dérisoires ? C'est comme si un homme qui aurait su la prise de Bagdat disait à un autre : « Je vous donne cent tomans[1] si Bagdat n'est pas pris. » Ne ferait-il pas là une bien mauvaise plaisanterie ?

Mon cher Rhédi, pourquoi tant de philosophie ? Dieu est si haut que nous n'apercevons pas même ses nuages. Nous ne le connaissons bien que dans ses préceptes. Il est immense, spirituel, infini. Que sa grandeur nous ramène à notre faiblesse. S'humilier toujours, c'est l'adorer toujours.

De Paris, le dernier de la lune de Chahban, 1714.

Lettre LXX
ZÉLIS À USBEK, À PARIS

Soliman, que tu aimes, est désespéré d'un affront qu'il vient de recevoir. Un jeune étourdi, nommé Suphis, recherchait depuis trois mois sa fille en mariage ; il paraissait content de la figure de la fille, sur le rapport et la peinture que lui en avaient faits les femmes qui l'avaient vue dans son enfance ; on était convenu de la dot, et tout s'était passé sans aucun incident. Hier, après les premières cérémonies, la fille sortit à cheval, accompagnée de son eunuque, et couverte, selon la coutume, depuis la tête jusques aux pieds. Mais, dès qu'elle fut arrivée devant la maison de son mari prétendu, il lui fit fermer la porte, et il jura qu'il ne la recevrait jamais si on n'augmentait la dot. Les parents accoururent, de côté et d'autre, pour accommoder l'affaire, et, après bien de la résistance, Soliman convint de

1. **Tomans :** monnaie de Perse.

faire un petit présent à son gendre. Les cérémonies du ₁₅
mariage s'accomplirent, et l'on conduisit la fille dans le lit
avec assez de violence ; mais, une heure après, cet étourdi
se leva furieux, lui coupa le visage en plusieurs endroits,
soutenant qu'elle n'était pas vierge, et la renvoya à son
père. On ne peut pas être plus frappé qu'il l'est de cette ₂₀
injure. Il y a des personnes qui soutiennent que cette fille
est innocente. Les pères sont bien malheureux d'être
exposés à de tels affronts. Si ma fille recevait un pareil trai-
tement, je crois que j'en mourrais de douleur.

Adieu.

₂₅

Du sérail de Fatmé, le 9 de la lune de Gemmadi 1, 1714.

Lettre LXXI
Usbek à Zélis

Je plains Soliman, d'autant plus que le mal est sans
remède, et que son gendre n'a fait que se servir de la
liberté de la loi. Je trouve cette loi bien dure d'exposer
ainsi l'honneur d'une famille aux caprices d'un fou.

On a beau dire que l'on a des indices certains pour ₅
connaître la vérité, c'est une vieille erreur dont on est
aujourd'hui revenu parmi nous ; et nos médecins donnent
des raisons invincibles de l'incertitude de ces preuves. Il
n'y a pas jusqu'aux chrétiens qui ne les regardent comme
chimériques, quoiqu'elles soient clairement établies par ₁₀
leurs livres sacrés et que leur ancien législateur en ait fait
dépendre l'innocence ou la condamnation de toutes les filles[1].

1. Deutéronome, XXII, 13-21 : « Si un homme qui a pris une femme
éprouve ensuite de l'aversion pour sa personne, s'il lui impute des
choses criminelles et porte atteinte à sa réputation en disant : "j'ai pris
une femme, je me suis approché d'elle et je ne l'ai pas trouvée vierge",
alors le père et la mère de cette jeune fille prendront les signes de sa
virginité et les produiront devant les anciens de la ville. »

Lettre LXXI

J'apprends avec plaisir le soin que tu te donnes de l'éducation de la tienne. Dieu veuille que son mari la trouve
15 aussi belle et aussi pure que Fatima. Qu'elle ait dix eunuques pour la garder ; qu'elle soit l'honneur et l'ornement du sérail où elle est destinée ; qu'elle n'ait sur sa tête que des lambris dorés et ne marche que sur des tapis superbes ; et, pour comble de souhaits, puissent mes yeux la voir dans
20 toute sa gloire !

De Paris, le 5 de la lune de Chalval, 1714.

Lettre LXXII
RICA À IBBEN, À***

Je me trouvai l'autre jour dans une compagnie où je vis un homme bien content de lui. Dans un quart d'heure, il décida trois questions de morale, quatre problèmes historiques et cinq points de physique. Je n'ai jamais vu un
5 décisionnaire si universel : son esprit ne fut jamais suspendu par le moindre doute. On laissa les sciences ; on parla des nouvelles du temps ; il décida sur les nouvelles du temps. Je voulus l'attraper, et je dis en moi-même : « Il faut que je me mette dans mon fort ; je vais me réfugier
10 dans mon pays. » Je lui parlai de la Perse. Mais, à peine lui eus-je dit quatre mots, qu'il me donna deux démentis, fondés sur l'autorité de MM. Tavernier et Chardin. « Ah ! bon Dieu ! dis-je en moi-même, quel homme est-ce là ? Il connaîtra tout à l'heure les rues d'Ispahan mieux que
15 moi ! » Mon parti fut bientôt pris : je me tus, je le laissai parler, et il décide encore.

De Paris, le 8 de la lune de Zilcadé, 1715.

Lettre LXXIII
Rica à***

J'ai ouï parler d'une espèce de tribunal qu'on appelle l'*Académie française*. Il n'y en a point de moins respecté dans le monde : car on dit qu'aussitôt qu'il a décidé, le peuple casse ses arrêts et lui impose des lois qu'il est obligé de suivre.

Il y a quelque temps que, pour fixer son autorité, il donna un code de ses jugements. Cet enfant[1] de tant de pères était presque vieux quand il naquit, et, quoiqu'il fût légitime, un bâtard[2], qui avait déjà paru, l'avait presque étouffé dans sa naissance.

Ceux qui le composent n'ont d'autres fonctions que de jaser sans cesse ; l'éloge va se placer comme de lui-même dans leur babil éternel, et, sitôt qu'ils sont initiés dans ses mystères, la fureur du panégyrique[3] vient les saisir et ne les quitte plus.

Ce corps a quarante têtes, toutes remplies de figures, de métaphores et d'antithèses ; tant de bouches ne parlent que par exclamation ; ses oreilles veulent toujours être frappées par la cadence et l'harmonie. Pour les yeux, il n'en est pas question : il semble qu'il soit fait pour parler, et non pas pour voir. Il n'est point ferme sur ses pieds : car le temps, qui est son fléau, l'ébranle à tous les instants et détruit tout ce qu'il a fait. On a dit autrefois que ses mains étaient avides. Je ne t'en dirai rien, et je laisse décider cela à ceux qui le savent mieux que moi.

1. **Cet enfant :** le dictionnaire de l'Académie française commencé en 1678 fut arrêté en 1692.
2. **Un bâtard :** le dictionnaire de Furetière dont l'autorisation de publication fut annulée en 1685 et qui fut publié à La Haye en 1690, deux ans après sa mort.
3. **Panégyrique :** discours à la louange de quelqu'un, allusion ici aux discours de réception.

Lettre LXXIII

Voilà des bizarreries, que l'on ne voit point dans notre Perse. Nous n'avons point l'esprit porté à ces établissements singuliers et bizarres ; nous cherchons toujours la nature dans nos coutumes simples et nos manières naïves.

De Paris, le 27 de la lune de Zilhagé, 1715.

Lettre LXXIV

USBEK À RICA, À***

Il y a quelques jours qu'un homme de ma connaissance me dit : « Je vous ai promis de vous produire dans les bonnes maisons de Paris : je vous mène à présent chez un grand seigneur qui est un des hommes du royaume qui
5 représente le mieux. »

« Que veut dire cela, Monsieur ? Est-ce qu'il est plus poli, plus affable que les autres ? – Non, me dit-il. – Ah ! j'entends ! il fait sentir à tous les instants la supériorité qu'il a sur tous ceux qui l'approchent. Si cela est, je n'ai
10 que faire d'y aller : je la lui passe tout entière, et je prends condamnation. »

Il fallut pourtant marcher, et je vis un petit homme si fier, il prit une prise de tabac avec tant de hauteur, il se moucha si impitoyablement, il cracha avec tant de flegme,
15 il caressa ses chiens d'une manière si offensante pour les hommes, que je ne pouvais me lasser de l'admirer. « Ah ! bon Dieu ! dis-je en moi-même, si, lorsque j'étais à la cour de Perse, je représentais ainsi, je représentais un grand sot ! » Il aurait fallu, Rica, que nous eussions eu un bien
20 mauvais naturel pour aller faire cent petites insultes à des gens qui venaient tous les jours chez nous nous témoigner leur bienveillance : ils savaient bien que nous étions au-dessus d'eux, et, s'ils l'avaient ignoré, nos bienfaits le leur auraient appris chaque jour. N'ayant rien à faire pour
25 nous faire respecter, nous faisions tout pour nous rendre

aimables : nous nous communiquions aux plus petits ; au milieu des grandeurs, qui endurcissent toujours, ils nous trouvaient sensibles ; ils ne voyaient que notre cœur au-dessus d'eux : nous descendions jusqu'à leurs besoins. Mais, lorsqu'il fallait soutenir la majesté du prince dans les 30 cérémonies publiques ; lorsqu'il fallait faire respecter la nation aux étrangers ; lorsque, enfin, dans les occasions périlleuses, il fallait animer les soldats, nous remontions cent fois plus haut que nous n'étions descendus : nous ramenions la fierté sur notre visage, et l'on trouvait quelquefois que nous représentions assez bien.

De Paris, le 10 de la lune de Saphar, 1715.

Lettre LXXV
Usbek à Rhédi, à Venise

Il faut que je te l'avoue : je n'ai point remarqué chez les chrétiens cette persuasion vive de leur religion qui se trouve parmi les musulmans. Il y a bien loin chez eux de la profession à la croyance, de la croyance à la conviction, de la conviction à la pratique. La religion est moins un sujet 5 de sanctification qu'un sujet de disputes qui appartient à tout le monde : les gens de cour, les gens de guerre, les femmes mêmes s'élèvent contre les ecclésiastiques, et leur demandent de leur prouver ce qu'ils sont résolus de ne pas croire. Ce n'est pas qu'ils se soient déterminés par raison, et 10 qu'ils aient pris la peine d'examiner la vérité ou la fausseté de cette religion qu'ils rejettent : ce sont des rebelles qui ont senti le joug et l'ont secoué avant de l'avoir connu. Aussi ne sont-ils pas plus fermes dans leur incrédulité que dans leur foi ; ils vivent dans un flux et reflux qui les porte 15 sans cesse de l'un à l'autre. Un d'eux me disait un jour : « Je crois l'immortalité de l'âme par semestre ; mes opinions

dépendent absolument de la constitution de mon corps :
selon que j'ai plus ou moins d'esprits animaux[1], que mon
20 estomac digère bien ou mal, que l'air que je respire est sub-
til ou grossier, que les viandes[2] dont je me nourris sont
légères ou solides, je suis spinoziste[3], socinien[4], catholique,
impie ou dévot. Quand le médecin est auprès de mon lit, le
confesseur me trouve à son avantage. Je sais bien empê-
25 cher la religion de m'affliger quand je me porte bien ; mais
je lui permets de me consoler quand je suis malade : lorsque
je n'ai plus rien à espérer d'un côté, la religion se présente
et me gagne par ses promesses ; je veux bien m'y livrer, et
mourir du côté de l'espérance. »

30 Il y a longtemps que les princes chrétiens affranchirent
tous les esclaves de leurs États, parce que, disaient-ils, le
christianisme rend tous les hommes égaux. Il est vrai que
cet acte de religion leur était très utile : ils abaissaient par
là les seigneurs, de la puissance desquels ils retiraient le
35 bas peuple. Ils ont ensuite fait des enquêtes dans des pays
où ils ont vu qu'il leur était avantageux d'avoir des esclaves :
ils ont permis d'en acheter et d'en vendre, oubliant ce
principe de religion qui les touchait tant. Que veux-tu que
je te dise ? Vérité dans un temps, erreur dans un autre.
40 Que ne faisons-nous comme les chrétiens ? Nous sommes
bien simples de refuser des établissements et des conquêtes
faciles dans des climats heureux, parce que l'eau n'y est

1. **Esprits animaux :** dans l'ancienne médecine, atomes légers qui font
les parties les plus subtiles du corps. « Ce sont les esprits vitaux et ani-
maux qui enflent les muscles pour soutenir les corps. » (Furetière.)

2. **Viandes :** au sens ancien de nourriture.

3. **Spinoziste :** partisan de Spinoza, philosophe hollandais (1632-1677)
qui proposait de passer de la connaissance imparfaite (imagination,
opinion) à la science intuitive de l'idée vraie. Spinoza est aussi opposé
à toute conception anthropomorphique de Dieu.

4. **Socinien :** partisan de Socin qui fonda la doctrine du socinianisme qui
nie la Trinité et la divinité du Christ.

pas assez pure pour nous laver selon les principes du saint Alcoran[1].

Je rends grâces au Dieu tout-puissant, qui a envoyé Hali, son grand prophète, de ce que je professe une religion qui se fait préférer à tous les intérêts humains, et qui est pure comme le ciel, dont elle est descendue.

De Paris, le 13 de la lune de Saphar, 1715.

Lettre LXXVI
Usbek à son ami Ibben, à Smyrne

Les lois sont furieuses en Europe contre ceux qui se tuent eux-mêmes : on les fait mourir, pour ainsi dire, une seconde fois ; ils sont traînés indignement par les rues ; on les note d'infamie ; on confisque leurs biens.

Il me paraît, Ibben, que ces lois sont bien injustes. Quand je suis accablé de douleur, de misère, de mépris, pourquoi veut-on m'empêcher de mettre fin à mes peines, et me priver cruellement d'un remède qui est en mes mains ?

Pourquoi veut-on que je travaille pour une société, dont je consens de n'être plus ? que je tienne, malgré moi, une convention qui s'est faite sans moi ? La société est fondée sur un avantage mutuel. Mais lorsqu'elle me devient onéreuse, qui m'empêche d'y renoncer ? La vie m'a été donnée comme une faveur ; je puis donc la rendre lorsqu'elle ne l'est plus : la cause cesse ; l'effet doit donc cesser aussi.

Le prince veut-il que je sois son sujet, quand je ne retire point les avantages de la sujétion ? Mes concitoyens peuvent-ils demander ce partage inique de leur utilité et de mon

1. **Nous sommes bien simples [...] Alcoran :** « Les Mahométans ne se soucient point de prendre Venise, parce qu'ils n'y trouveraient pas d'eau pour leurs purifications. » (Note de Montesquieu.)

désespoir ? Dieu, différent de tous les bienfaiteurs, veut-il
20 me condamner à recevoir des grâces qui m'accablent ?

Je suis obligé de suivre les lois, quand je vis sous les lois.
Mais, quand je n'y vis plus, peuvent-elles me lier encore ?

Mais, dira-t-on, vous troublez l'ordre de la Providence.
Dieu a uni votre âme avec votre corps, et vous l'en sépa-
25 rez. Vous vous opposez donc à ses desseins, et vous lui
résistez.

Que veut dire cela ? Troublé-je l'ordre de la Providence,
lorsque je change les modifications de la matière et que je
rends carrée une boule que les premières lois du mouve-
30 ment, c'est-à-dire les lois de la création et de la conserva-
tion, avaient faite ronde ? Non, sans doute : je ne fais
qu'user du droit qui m'a été donné, et, en ce sens, je puis
troubler à ma fantaisie toute la nature, sans que l'on
puisse dire que je m'oppose à la Providence.

35 Lorsque mon âme sera séparée de mon corps, y aura-t-il
moins d'ordre et moins d'arrangement dans l'univers ?
Croyez-vous que cette nouvelle combinaison soit moins
parfaite et moins dépendante des lois générales ? que le
monde y ait perdu quelque chose ? et que les ouvrages de
40 Dieu soient moins grands, ou plutôt moins immenses ?

Pensez-vous que mon corps, devenu un épi de blé, un
ver, un gazon, soit changé en un ouvrage de la nature
moins digne d'elle ? et que mon âme, dégagée de tout ce
qu'elle avait de terrestre, soit devenue moins sublime ?

45 Toutes ces idées, mon cher Ibben, n'ont d'autre source
que notre orgueil : nous ne sentons point notre petitesse,
et, malgré qu'on en ait[1], nous voulons être comptés dans
l'univers, y figurer, et y être un objet important. Nous
nous imaginons que l'anéantissement d'un être aussi par-
50 fait que nous dégraderait toute la nature, et nous ne
concevons pas qu'un homme de plus ou de moins dans le

1. **Malgré qu'on en ait :** malgré nous.

monde – que dis-je ? – tous les hommes ensemble, cent millions de têtes comme la nôtre, ne sont qu'un atome subtil et délié, que Dieu n'aperçoit qu'à cause de l'immensité de ses connaissances.

De Paris, le 15 de la lune de Saphar, 1715.

Lettre LXXVII
IBBEN À USBEK, À PARIS

Mon cher Usbek, il me semble que, pour un vrai musulman, les malheurs sont moins des châtiments que des menaces. Ce sont des jours bien précieux que ceux qui nous portent à expier les offenses. C'est le temps des prospérités qu'il faudrait abréger. Que servent toutes ces impatiences, qu'à faire voir que nous voudrions être heureux indépendamment de celui qui donne les félicités parce qu'il est la félicité même ?

Si un être est composé de deux êtres, et que la nécessité de conserver l'union marque plus la soumission aux ordres du créateur, on en a pu faire une loi religieuse. Si cette nécessité de conserver l'union est un meilleur garant des actions des hommes, on en a pu faire une loi civile.

De Smyrne, le dernier jour de la lune de Saphar, 1715.

Lettre LXXVIII
RICA À USBEK, À***

Je t'envoie la copie d'une lettre qu'un Français qui est en Espagne a écrite ici : je crois que tu seras bien aise de la voir.

Je parcours depuis six mois l'Espagne et le Portugal, et je vis parmi des peuples qui, méprisant tous les autres, font aux seuls Français l'honneur de les haïr.

La gravité est le caractère brillant des deux nations ; elle se manifeste principalement de deux manières ; par les lunettes et par la moustache.

Les lunettes font voir démonstrativement que celui qui les porte est un homme consommé dans les sciences et enseveli dans de profondes lectures, à un tel point que sa vue en est affaiblie ; et tout nez qui en est orné ou chargé peut passer, sans contredit, pour le nez d'un savant.

Quant à la moustache, elle est respectable par elle-même, et indépendamment des conséquences ; quoiqu'on ne laisse pas quelquefois d'en tirer de grandes utilités pour le service du prince et l'honneur de la nation, comme le fit bien voir un fameux général portugais[1] dans les Indes[2] : car, se trouvant avoir besoin d'argent, il se coupa une de ses moustaches et envoya demander aux habitants de Goa vingt mille pistoles sur ce gage ; elles lui furent prêtées d'abord, et, dans la suite, il retira sa moustache avec honneur.

On conçoit aisément que des peuples graves et flegmatiques comme ceux-là peuvent avoir de l'orgueil : aussi en ont-ils. Ils le fondent ordinairement sur deux choses bien considérables. Ceux qui vivent dans le continent de l'Espagne et du Portugal se sentent le cœur extrêmement élevé, lorsqu'ils sont ce qu'ils appellent de *vieux chrétiens,* c'est-à-dire qu'ils ne sont pas originaires de ceux à qui l'Inquisition a persuadé dans ces derniers siècles d'embrasser la religion chrétienne. Ceux qui sont dans les Indes ne sont pas moins flattés lorsqu'ils considèrent qu'ils ont le sublime mérite d'être, comme ils disent, *hommes de chair blanche.* Il n'y a jamais eu, dans le sérail du Grand Seigneur[3], de sultane si orgueilleuse de sa beauté que le plus vieux et le plus vilain mâtin ne l'est de la blancheur olivâtre de

1. **Un fameux général portugais :** « Jean de Castro. » (Note de Montesquieu.)
2. **Les Indes :** l'Amérique (Indes occidentales).
3. **Grand Seigneur :** le sultan de Turquie.

son teint, lorsqu'il est dans une ville du Mexique, assis sur sa porte, les bras croisés. Un homme de cette conséquence, une créature si parfaite, ne travaillerait pas pour tous les trésors du monde, et ne se résoudrait jamais, par une vile et mécanique industrie[1], de compromettre l'honneur et la dignité de sa peau.

Car il faut savoir que, lorsqu'un homme a un certain mérite en Espagne, comme, par exemple, quand il peut ajouter aux qualités dont je viens de parler celle d'être le propriétaire d'une grande épée, ou d'avoir appris de son père l'art de faire jurer une discordante guitare, il ne travaille plus : son honneur s'intéresse au repos de ses membres. Celui qui reste assis dix heures par jour obtient précisément la moitié plus de considération qu'un autre qui n'en reste que cinq, parce que c'est sur les chaises que la noblesse s'acquiert.

Mais, quoique ces invincibles ennemis du travail fassent parade d'une tranquillité philosophique, ils ne l'ont pourtant pas dans le cœur : car ils sont toujours amoureux. Ils sont les premiers hommes du monde pour mourir de langueur sous la fenêtre de leurs maîtresses, et tout Espagnol qui n'est pas enrhumé ne saurait passer pour galant[2].

Ils sont premièrement dévots, et secondement jaloux. Ils se garderont bien d'exposer leurs femmes aux entreprises d'un soldat criblé de coups ou d'un magistrat décrépit ; mais ils les enfermeront avec un novice fervent, qui baisse les yeux, ou un robuste Franciscain, qui les élève.

Ils permettent à leurs femmes de paraître avec le sein découvert ; mais ils ne veulent pas qu'on leur voie le talon, et qu'on les surprenne par le bout des pieds.

On dit partout que les rigueurs de l'amour sont cruelles. Elles le sont encore plus pour les Espagnols : les femmes

1. **Industrie :** habileté manuelle.
2. **Tout Espagnol [...] galant :** allusion à La Fontaine, « L'Âne et le Petit Chien ».

les guérissent de leurs peines ; mais elles ne font que leur
70 en faire changer, et il leur reste souvent un long et
fâcheux souvenir d'une passion éteinte.

Ils ont de petites politesses qui, en France, paraîtraient
mal placées : par exemple, un capitaine ne bat jamais son
soldat sans lui en demander la permission, et l'Inquisition
75 ne fait jamais brûler un Juif sans lui faire ses excuses.

Les Espagnols qu'on ne brûle pas paraissent si attachés à
l'inquisition, qu'il y aurait de la mauvaise humeur de la leur
ôter. Je voudrais seulement qu'on en établît une autre, non
pas contre les hérétiques[1], mais contre les hérésiarques qui
80 attribuent à de petites pratiques monacales la même effi-
cacité qu'aux sept sacrements, qui adorent tout ce qu'ils
vénèrent, et qui sont si dévots qu'ils sont à peine chrétiens.

Vous pourrez trouver de l'esprit et du bon sens chez les
Espagnols ; mais n'en cherchez point dans leurs livres.
85 Voyez une de leurs bibliothèques, les romans d'un côté, et
les scolastiques[2] de l'autre. Vous diriez que les parties en
ont été faites, et le tout rassemblé, par quelque ennemi
secret de la raison humaine.

Le seul de leurs livres qui soit bon est celui qui a fait
90 voir le ridicule de tous les autres[3].

Ils ont fait des découvertes immenses dans le Nouveau
Monde, et ils ne connaissent pas encore leur propre conti-
nent : il y a sur leurs rivières tel pont qui n'a pas encore
été découvert, et dans leurs montagnes des nations qui
95 leur sont inconnues[4].

1. **Hérétique :** celui qui soutient une hérésie, une opinion ou doctrine
 religieuse condamnée par le catholicisme. L'hérésiarque est l'auteur
 d'une hérésie, le chef d'une secte hérétique.
2. **Scolastiques :** relatifs à la philosophie et à la théologie enseignées au
 Moyen Âge.
3. *Don Quichotte*, de Cervantès (1547-1616).
4. [...] **inconnues :** « Las Batuecas. » (Note de Montesquieu.) Ce sont
 deux vallées de la province de Salamanque qui seraient restées sauvages
 et inconnues.

Ils disent que le soleil se lève et se couche dans leur pays ; mais il faut dire aussi qu'en faisant sa course, il ne rencontre que des campagnes ruinées et des contrées désertes.

Je ne serais pas fâché, Usbek, de voir une lettre écrite à Madrid par un Espagnol qui voyagerait en France : je crois qu'il vengerait bien sa nation. Quel vaste champ pour un homme flegmatique et pensif ! Je m'imagine qu'il commencerait ainsi la description de Paris : 100

Il y a ici une maison où l'on met les fous. On croirait d'abord qu'elle est la plus grande de la Ville ; non : le remède est bien petit pour le mal. Sans doute que les Français, extrêmement décriés chez leurs voisins, enferment quelques fous dans une maison, pour persuader que ceux qui sont dehors ne le sont pas. 105

Je laisse là mon Espagnol. 110

Adieu, mon cher Usbek.

De Paris, le 17 de la lune de Saphar, 1715.

Lettre LXXIX

LE GRAND EUNUQUE NOIR À USBEK, À PARIS

Hier des Arméniens menèrent au sérail une jeune esclave de Circassie, qu'ils voulaient vendre. Je la fis entrer dans les appartements secrets, je la déshabillai, je l'examinai avec les regards d'un juge, et plus je l'examinai, plus je lui trouvai de grâces. Une pudeur virginale semblait vouloir les dérober à ma vue : je vis tout ce qu'il lui en coûtait pour obéir : elle rougissait de se voir nue, même devant moi, qui, exempt des passions qui peuvent alarmer la pudeur, suis inanimé sous l'empire de ce sexe, et qui, ministre de la modestie, dans les actions les plus libres, ne porte que de chastes regards et ne puis inspirer que l'innocence. 5 10

Lettre LXXIX

Dès que je l'eus jugée digne de toi, je baissai les yeux ; je lui jetai un manteau d'écarlate ; je lui mis au doigt un anneau d'or ; je me prosternai à ses pieds ; je l'adorai comme la reine de ton cœur ; je payai les Arméniens ; je la dérobai à tous les yeux. Heureux Usbek ! tu possèdes plus de beautés que n'en enferment tous les palais d'Orient. Quel plaisir pour toi de trouver, à ton retour, tout ce que la Perse a de plus ravissant, et de voir dans ton sérail renaître les grâces, à mesure que le temps et la possession travaillent à les détruire !

Du sérail de Fatmé, le premier de la lune de Rebiab 1, 1715.

Clefs d'analyse

Lettre LXXIX.

Compréhension

Retour au roman du sérail

- Préciser les thèmes des lettres encadrant cette lettre.
- Chercher depuis quand nous avons quitté le roman du sérail.

L'art de la narration

- Donner la composition de cette courte lettre en inventant un titre pour chaque partie.
- Relever les expressions qui, dans la première phrase, installent le réalisme historique et géographique.
- Relever et justifier les temps verbaux dans les propositions brèves et juxtaposées qui succèdent à la première phrase.
- Remarquer le pronom personnel placé en début de phrase.
- Relever le connecteur temporel qui marque un renversement.

Réflexion

Le féminisme de Montesquieu

- Observer comment on passe de la chasteté à l'érotisme.
- Indiquer ce que dit cette lettre sur la relation homme femme.

Du sérail à la critique du despotisme

- Montrer que la femme est à la fois une esclave et une reine.
- Préciser ce que dit ce renversement sur la relation de pouvoir du sérail.
- Montrer que le sérail est un modèle de tyrannie.

À retenir :

Montesquieu utilise le sérail pour réfléchir sur le passage du pouvoir à la tyrannie. Si toute royauté tend vers la tyrannie, toute relation amoureuse tend pareillement à dégénérer en rapport de force dans lequel la plus faible socialement, la femme, est transformée en objet.

Lettre LXXX
USBEK À RHÉDI, À VENISE

Depuis que je suis en Europe, mon cher Rhédi, j'ai vu bien des gouvernements : ce n'est pas comme en Asie, où les règles de la politique se trouvent partout les mêmes.

J'ai souvent recherché quel était le gouvernement le plus conforme à la raison. Il m'a semblé que le plus parfait 5 est celui qui va à son but à moins de frais ; de sorte que celui qui conduit les hommes de la manière qui convient le plus à leur penchant et à leur inclination, est le plus parfait.

Si, dans un gouvernement doux, le peuple est aussi sou- 10 mis que dans un gouvernement sévère, le premier est pré- férable, puisqu'il est plus conforme à la raison, et que la sévérité est un motif étranger.

Compte, mon cher Rhédi, que dans un État, les peines plus ou moins cruelles ne font pas que l'on obéisse plus 15 aux lois. Dans les pays où les châtiments sont modérés, on les craint comme dans ceux où ils sont tyranniques et affreux.

Soit que le gouvernement soit doux, soit qu'il soit cruel, on punit toujours par degrés : on inflige un châtiment 20 plus ou moins grand à un crime plus ou moins grand. L'imagination se plie d'elle-même aux mœurs du pays où l'on est : huit jours de prison ou une légère amende frap- pent autant l'esprit d'un Européen, nourri dans un pays de douceur, que la perte d'un bras intimide un Asiatique. Ils 25 attachent un certain degré de crainte à un certain degré de peine, et chacun le partage à sa façon : le désespoir de l'infamie vient désoler un Français condamné à une peine qui n'ôterait pas un quart d'heure de sommeil à un Turc.

D'ailleurs je ne vois pas que la police, la justice et 30 l'équité soient mieux observées en Turquie, en Perse, chez le Mogol, que dans les républiques de Hollande, de Venise,

et dans l'Angleterre même ; je ne vois pas qu'on y commette moins de crimes, et que les hommes, intimidés par
35 la grandeur des châtiments, y soient plus soumis aux lois.

Je remarque, au contraire, une source d'injustice et de vexations au milieu de ces mêmes États.

Je trouve même le prince, qui est la loi même, moins maître que partout ailleurs.

10 Je vois que, dans ces moments rigoureux, il y a toujours des mouvements tumultueux, où personne n'est le chef, et que, quand une fois l'autorité violente est méprisée, il n'en reste plus assez à personne pour la faire revenir ;

Que le désespoir même de l'impunité confirme le désor-
15 dre et le rend plus grand ;

Que, dans ces États, il ne se forme point de petite révolte, et qu'il n'y a jamais d'intervalle entre le murmure et la sédition ;

Qu'il ne faut point que les grands événements y soient
20 préparés par de grandes causes : au contraire, le moindre accident produit une grande révolution, souvent aussi imprévue de ceux qui la font, que de ceux qui la souffrent.

Lorsqu'Osman[1], empereur des Turcs, fut déposé, aucun de ceux qui commirent cet attentat ne songeait à le com-
25 mettre : ils demandaient seulement en suppliant qu'on leur fît justice sur quelque grief ; une voix, qu'on n'a jamais connue, sortit de la foule par hasard, le nom de Mustapha fut prononcé, et soudain Mustapha[2] fut empereur.

De Paris, le 2 de la lune de Rébiab 1, 1715.

1. **Osman :** Osman II, destitué et étranglé en 1622.
2. **Mustapha :** déposé en 1618, rappelé en 1622, encore destitué en 1623 au profit d'Amurat IV.

Lettre LXXXI
NARGUM, ENVOYÉ DE PERSE EN MOSCOVIE,
À USBEK, À PARIS

De toutes les nations du monde, mon cher Usbek, il n'y en a pas qui ait surpassé celle des Tartares[1] par la gloire ou par la grandeur des conquêtes. Ce peuple est le vrai dominateur de l'univers : tous les autres semblent être faits pour le servir ; il est également le fondateur et le des- tructeur des empires ; dans tous les temps, il a donné sur la terre des marques de sa puissance ; dans tous les âges, il a été le fléau des nations.

Les Tartares ont conquis deux fois la Chine et ils la tiennent encore sous leur obéissance.

Ils dominent sur les vastes pays qui forment l'empire du Mogol.

Maîtres de la Perse, ils sont assis sur le trône de Cyrus[2] et de Gustaspe[3]. Ils ont soumis la Moscovie. Sous le nom de Turcs, ils ont fait des conquêtes immenses dans l'Europe, l'Asie et l'Afrique, et ils dominent sur ces trois parties de l'univers.

Et, pour parler de temps plus reculés, c'est d'eux que sont sortis quelques-uns des peuples qui ont renversé l'empire romain.

Qu'est-ce que les conquêtes d'Alexandre, en comparai- son de celles de Genghis-Khan ?

1. **Tartares :** Gengis Khan (v. 1167-1227) établit sa domination en Asie depuis la Mer Noire jusqu'en Corée. Il s'empara de la Chine en 1212 et de la Perse en 1221. C'est en 1644 que le Tartare Xunchi prit Pékin et détrôna les Ming.
2. **Cyrus :** Cyrus II le Grand fut fondateur de l'Empire perse achéménide. (550-530 av. J.-C.).
3. **Gustaspe :** Gushtap (Vistaha en ancien persan), roi perse converti par Zoroastre. Son père était Lohrasp (l'Hohoraste, selon la transcription de Montesquieu).

Lettre LXXXI

Il n'a manqué à cette victorieuse nation que des historiens, pour célébrer la mémoire de ses merveilles.

25 Que d'actions immortelles ont été ensevelies dans l'oubli ! Que d'empires par eux fondés, dont nous ignorons l'origine ! Cette belliqueuse nation, uniquement occupée de sa gloire présente, sûre de vaincre dans tous les temps, ne songeait point à se signaler dans l'avenir par la mémoire 30 de ses conquêtes passées.

De Moscou, le 4 de la lune de Rébiab 1, 1715.

Lettre LXXXII
RICA À IBBEN, À SMYRNE

Quoique les Français parlent beaucoup, il y a cependant parmi eux une espèce de dervis[1] taciturnes qu'on appelle *chartreux*. On dit qu'ils se coupent la langue en entrant dans le couvent, et on souhaiterait fort que tous les autres 5 dervis se retranchassent de même tout ce que leur profession leur rend inutile.

À propos de gens taciturnes, il y en a de bien plus singuliers que ceux-là, et qui ont un talent bien extraordinaire. Ce sont ceux qui savent parler sans rien dire, et qui 10 amusent une conversation, pendant deux heures de temps, sans qu'il soit possible de les déceler, d'être leur plagiaire, ni de retenir un mot de ce qu'ils ont dit.

Ces sortes de gens sont adorés des femmes ; mais ils ne le sont pas tant que d'autres, qui ont reçu de la nature 15 l'aimable talent de sourire à propos, c'est-à-dire à chaque instant, et qui portent la grâce d'une joyeuse approbation sur tout ce qu'elles disent.

1. **Dervis :** derviche, religieux musulman ; ce mot désigne constamment les religieux catholiques dans les *Lettres persanes*.

Mais ils sont au comble de l'esprit lorsqu'ils savent entendre finesse à tout et trouver mille petits traits ingénieux dans les choses les plus communes.

J'en connais d'autres, qui se sont bien trouvés d'introduire dans les conversations des choses inanimées et d'y faire parler leur habit brodé, leur perruque blonde, leur tabatière, leur canne et leurs gants. Il est bon de commencer de la rue à se faire écouter par le bruit du carrosse et du marteau, qui frappe rudement la porte : cet avant-propos prévient pour le reste du discours, et, quand l'exorde[1] est beau, il rend supportables toutes les sottises qui viennent ensuite, mais qui, par bonheur, arrivent trop tard.

Je te promets que ces petits talents, dont on ne fait aucun cas chez nous, servent bien ici ceux qui sont assez heureux pour les avoir, et qu'un homme de bon sens ne brille guère devant eux.

De Paris, le 6 de la lune de Rébiab 1, 1715.

Lettre LXXXIII
USBEK À RHÉDI, À VENISE

S'il y a un Dieu, mon cher Rhédi, il faut nécessairement qu'il soit juste : car, s'il ne l'était pas, il serait le plus mauvais et le plus imparfait de tous les êtres.

La justice est un rapport de convenance, qui se trouve réellement entre deux choses ; ce rapport est toujours le même, quelque être qui le considère, soit que ce soit Dieu, soit que ce soit un ange, ou enfin que ce soit un homme.

Il est vrai que les hommes ne voient pas toujours ces rapports ; souvent même, lorsqu'ils les voient, ils s'en éloignent ; et leur intérêt est toujours ce qu'ils voient le

1. **L'exorde** : la première partie d'un discours dans la rhétorique ancienne.

mieux. La justice élève sa voix ; mais elle a peine à se faire entendre dans le tumulte des passions.

Les hommes peuvent faire des injustices, parce qu'ils ont intérêt de les commettre et qu'ils préfèrent leur propre satisfaction à celle des autres. C'est toujours par un retour sur eux-mêmes qu'ils agissent : nul n'est mauvais gratuitement. Il faut qu'il y ait une raison qui détermine, et cette raison est toujours une raison d'intérêt.

Mais il n'est pas possible que Dieu fasse jamais rien d'injuste ; dès qu'on suppose qu'il voit la justice, il faut nécessairement qu'il la suive, car, comme il n'a besoin de rien, et qu'il se suffit à lui-même, il serait le plus méchant de tous les êtres, puisqu'il le serait sans intérêt.

Ainsi, quand il n'y aurait pas de Dieu, nous devrions toujours aimer la justice ; c'est-à-dire faire nos efforts pour ressembler à cet être dont nous avons une si belle idée, et qui, s'il existait, serait nécessairement juste. Libres que nous serions du joug de la religion, nous ne devrions pas l'être de celui de l'équité.

Voilà, Rhédi, ce qui m'a fait penser que la justice est éternelle et ne dépend point des conventions humaines ; et, quand elle en dépendrait, ce serait une vérité terrible, qu'il faudrait se dérober à soi-même.

Nous sommes entourés d'hommes plus forts que nous ; ils peuvent nous nuire de mille manières différentes ; les trois quarts du temps ils peuvent le faire impunément. Quel repos pour nous de savoir qu'il y a dans le cœur de tous ces hommes un principe intérieur qui combat en notre faveur et nous met à couvert de leurs entreprises !

Sans cela nous devrions être dans une frayeur continuelle ; nous passerions devant les hommes comme devant les lions, et nous ne serions jamais assurés un moment de notre bien, de notre honneur et de notre vie.

Toutes ces pensées m'animent contre ces docteurs qui représentent Dieu comme un être qui fait un exercice tyrannique de sa puissance ; qui le font agir d'une manière

dont nous ne voudrions pas agir nous-mêmes, de peur de l'offenser ; qui le chargent de toutes les imperfections qu'il punit en nous, et, dans leurs opinions contradictoires, le représentent tantôt comme un être mauvais, tantôt 50 comme un être qui hait le mal et le punit.

Quand un homme s'examine, quelle satisfaction pour lui de trouver qu'il a le cœur juste ! Ce plaisir, tout sévère qu'il est, doit le ravir : il voit son être autant au-dessus de ceux qui ne l'ont pas, qu'il se voit au-dessus des tigres et 55 des ours. Oui, Rhédi, si j'étais sûr de suivre toujours inviolablement cette équité que j'ai devant les yeux, je me croirais le premier des hommes.

De Paris, le premier de la lune de Gemmadi 1, 1715.

Lettre LXXXIV
RICA À***

Je fus hier aux Invalides. J'aimerais autant avoir fait cet établissement, si j'étais prince, que d'avoir gagné trois batailles : on y trouve partout la main d'un grand monarque. Je crois que c'est le lieu le plus respectable de la terre.

Quel spectacle de voir rassemblées dans un même lieu 5 toutes ces victimes de la patrie, qui ne respirent que pour la défendre, et qui, se sentant le même cœur, et non pas la même force, ne se plaignent que de l'impuissance où elles sont de se sacrifier encore pour elle !

Quoi de plus admirable que de voir ces guerriers débiles, 10 dans cette retraite, observer une discipline aussi exacte que s'ils y étaient contraints par la présence d'un ennemi, chercher leur dernière satisfaction dans cette image de la guerre, et partager leur cœur et leur esprit entre les devoirs de la religion et ceux de l'art militaire ! 15

Lettre LXXXIV

Je voudrais que les noms de ceux qui meurent pour la patrie fussent conservés dans les temples, et écrits dans des registres qui fussent comme la source de la gloire et de la noblesse.

De Paris, le 15 de la lune de Gemmadi 1, 1715.

Lettre LXXXV
Usbek à Mirza, à Ispahan

Tu sais, Mirza, que quelques ministres de Chah Soliman[1] avaient formé le dessein d'obliger tous les Arméniens de Perse de quitter le royaume ou de se faire mahométans, dans la pensée que notre empire serait toujours pollué,
5 tandis qu'il garderait dans son sein ces infidèles.

C'était fait de la grandeur persane, si, dans cette occasion, l'aveugle dévotion[2] avait été écoutée.

On ne sait comment la chose manqua : ni ceux qui firent la proposition, ni ceux qui la rejetèrent, n'en connu-
10 rent les conséquences ; le hasard fit l'office de la raison et de la politique, et sauva l'empire d'un péril plus grand que celui qu'il aurait pu courir de la perte d'une bataille et de la prise de deux villes.

En proscrivant les Arméniens on pensa détruire en un
15 seul jour tous les négociants et presque tous les artisans du royaume. Je suis sûr que le grand Chah Abas[3] aurait mieux aimé se faire couper les deux bras que de signer un

1. **Soliman :** il régna de 1666 à 1694. Dans son récit de voyage, Tavernier raconte que, les Arméniens ayant refusé de souscrire un emprunt, on voulut les convertir, mais la peur les fit payer.
2. **Aveugle dévotion :** Montesquieu établit un parallèle avec la révocation de l'édit de Nantes.
3. **Abas :** Abbas Ier, qui régna de 1587 à 1629, battit les Turcs et fit de grands travaux, ce qui permet ici le parallèle avec Louis XIV.

ordre pareil, et qu'en envoyant au Mogol et aux autres rois des Indes ses sujets les plus industrieux, il aurait cru leur donner la moitié de ses États. 20

Les persécutions que nos mahométans zélés ont faites aux guèbres[1] les ont obligés de passer en foule dans les Indes, et ont privé la Perse de cette nation si appliquée au labourage, et qui seule, par son travail, était en état de vaincre la stérilité de nos terres. 25

Il ne restait à la dévotion qu'un second coup à faire : c'était de ruiner l'industrie[2] : moyennant quoi l'empire tombait de lui-même, et, avec lui, par une suite nécessaire, cette même religion qu'on voulait rendre si florissante.

S'il faut raisonner sans prévention, je ne sais pas, Mirza, 30 s'il n'est pas bon que dans un État il y ait plusieurs religions.

On remarque que ceux qui vivent dans des religions tolérées se rendent ordinairement plus utiles à leur patrie que ceux qui vivent dans la religion dominante ; parce que, éloignés des honneurs, ne pouvant se distinguer que 35 par leur opulence et leurs richesses, ils sont portés à acquérir par leur travail et à embrasser les emplois de la société les plus pénibles.

D'ailleurs, comme toutes les religions contiennent des préceptes utiles à la société, il est bon qu'elles soient 40 observées avec zèle. Or qu'y a-t-il de plus capable d'animer ce zèle que leur multiplicité ?

Ce sont des rivales qui ne se pardonnent rien. La jalousie descend jusqu'aux particuliers : chacun se tient sur ses gardes et craint de faire des choses qui déshonoreraient 45 son parti et l'exposeraient aux mépris et aux censures impardonnables du parti contraire.

1. **Guèbres :** Persans qui refusèrent l'islam et gardèrent leur foi en Zoroastre.
2. **Ruiner l'industrie :** allusion au départ forcé des protestants, après la révocation de l'édit de Nantes qui coûta très cher à la France.

Lettre LXXXV

Aussi a-t-on toujours remarqué qu'une secte nouvelle introduite dans un État était le moyen le plus sûr pour corriger tous les abus de l'ancienne.

On a beau dire qu'il n'est pas de l'intérêt du prince de souffrir plusieurs religions dans son État. Quand toutes les sectes du monde viendraient s'y rassembler, cela ne lui porterait aucun préjudice, parce qu'il n'y en a aucune qui ne prescrive l'obéissance et ne prêche la soumission.

J'avoue que les histoires sont remplies de guerres de religion. Mais, qu'on y prenne bien garde : ce n'est point la multiplicité des religions qui a produit ces guerres, c'est l'esprit d'intolérance, qui animait celle qui se croyait la dominante ; c'est cet esprit de prosélytisme que les Juifs ont pris des Égyptiens, et qui, d'eux, est passé, comme une maladie épidémique et populaire, aux mahométans et aux chrétiens ; c'est, enfin, cet esprit de vertige, dont les progrès ne peuvent être regardés que comme une éclipse entière de la raison humaine.

Car, enfin, quand il n'y aurait pas de l'inhumanité à affliger la conscience des autres ; quand il n'en résulterait aucun des mauvais effets qui en germent à milliers, il faudrait être fou pour s'en aviser. Celui qui veut me faire changer de religion ne le fait sans doute que parce qu'il ne changerait pas la sienne, quand on voudrait l'y forcer : il trouve donc étrange que je ne fasse pas une chose qu'il ne ferait pas lui-même, peut-être pour l'empire du monde.

De Paris, le 26 de la lune de Gemmadi 1, 1715.

Lettre LXXXVI
RICA À***

Il semble ici que les familles se gouvernent toutes seules. Le mari n'a qu'une ombre d'autorité sur sa femme, le père sur ses enfants, le maître sur ses esclaves. La justice se

mêle de tous leurs différends, et sois sûr qu'elle est tou-
jours contre le mari jaloux, le père chagrin, le maître 5
incommode.

J'allai l'autre jour dans le lieu où se rend la justice. Avant
d'y arriver, il faut passer sous les armes d'un nombre infini
de jeunes marchandes, qui vous appellent d'une voix
trompeuse. Ce spectacle, d'abord, est assez riant ; mais il 10
devient lugubre lorsqu'on entre dans les grandes salles, où
l'on ne voit que des gens dont l'habit est encore plus
grave que la figure. Enfin, on entre dans le lieu sacré où se
révèlent tous les secrets des familles, et où les actions les
plus cachées sont mises au grand jour. 15

Là, une fille modeste vient avouer les tourments d'une
virginité trop longtemps gardée, ses combats et sa doulou-
reuse résistance. Elle est si peu fière de sa victoire, qu'elle
menace toujours d'une défaite prochaine, et, pour que son
père n'ignore plus ses besoins, elle les expose à tout le 20
peuple.

Une femme effrontée vient ensuite exposer les outrages
qu'elle a faits à son époux comme une raison d'en être
séparée.

Avec une modestie pareille, une autre vient dire qu'elle 25
est lasse de porter le titre de femme sans en jouir : elle
vient révéler les mystères cachés dans la nuit du mariage ;
elle veut qu'on la livre aux regards des experts les plus
habiles, et qu'une sentence la rétablisse dans tous les
droits de la virginité. Il y en a même qui osent défier leurs 30
maris, et leur demander en public un combat que les
témoins rendent si difficiles : épreuve aussi flétrissante
pour la femme qui la soutient, que pour le mari qui y suc-
combe.

Un nombre infini de filles, ravies[1] ou séduites, font les 35
hommes beaucoup plus mauvais qu'ils ne sont. L'amour

1. **Ravies** : au sens ancien d'enlevées (qui ont subi un rapt).

fait retentir ce tribunal : on n'y entend parler que de pères irrités, de filles abusées, d'amants infidèles et de maris chagrins.

40 Par la loi qui y est observée, tout enfant né pendant le mariage est censé d'être au mari. Il a beau avoir de bonnes raisons pour ne pas le croire : la loi le croit pour lui et le soulage de l'examen et des scrupules.

Dans ce tribunal, on prend les voix à la majeure mais on 45 dit qu'on a reconnu, par expérience, qu'il vaudrait mieux les recueillir à la mineure. Et cela est assez naturel : car il y a très peu d'esprits justes, et tout le monde convient qu'il y en a une infinité de faux.

De Paris, le premier de la lune de Gemmadi 2 1715.

Lettre LXXXVII
Rica à***

On dit que l'homme est un animal sociable. Sur ce pied-là, il me paraît qu'un Français est plus homme qu'un autre : c'est l'homme par excellence, car il semble être fait uniquement pour la société.

5 Mais j'ai remarqué parmi eux des gens qui non seulement sont sociables, mais sont eux-mêmes la société universelle. Ils se multiplient dans tous les coins ; ils peuplent en un moment les quatre quartiers d'une ville. Cent hommes de cette espèce abondent plus que deux mille citoyens ; ils 10 pourraient réparer, aux yeux des étrangers, les ravages de la peste ou de la famine. On demande dans les écoles si un corps peut être en un instant en plusieurs lieux ; ils sont une preuve de ce que les philosophes mettent en question.

Ils sont toujours empressés, parce qu'ils ont l'affaire 15 importante de demander à tous ceux qu'ils voient, où ils vont, et d'où ils viennent.

On ne leur ôterait jamais de la tête qu'il est de la bienséance de visiter chaque jour le public en détail, sans compter les visites qu'ils font en gros dans les lieux où l'on s'assemble. Mais, comme la voie en est trop abrégée, elles sont comptées pour rien dans les règles de leur cérémonial.

Ils fatiguent plus les portes des maisons à coups de marteau, que les vents et les tempêtes. Si l'on allait examiner la liste de tous les portiers, on y trouverait chaque jour leur nom estropié de mille manières en caractères suisses. Ils passent leur vie à la suite d'un enterrement, dans des compliments de condoléances ou dans des félicitations de mariage. Le roi ne fait point de gratification à quelqu'un de ses sujets qu'il ne leur en coûte une voiture, pour lui en aller témoigner leur joie. Enfin, ils reviennent chez eux, bien fatigués, se reposer pour pouvoir reprendre le lendemain leurs pénibles fonctions.

Un d'eux mourut l'autre jour de lassitude, et on mit cette épitaphe sur son tombeau : « C'est ici que repose celui qui ne s'est jamais reposé. Il s'est promené à cinq cent trente enterrements. Il s'est réjoui de la naissance de deux mille six cent quatre-vingts enfants. Les pensions dont il a félicité ses amis, toujours en des termes différents, montent à deux millions six cent mille livres ; le chemin qu'il a fait sur le pavé, à neuf mille six cents stades ; celui qu'il a fait dans la campagne, à trente-six. Sa conversation était amusante : il avait un fonds tout fait de trois cent soixante-cinq contes ; il possédait, d'ailleurs, depuis son jeune âge, cent dix-huit apophtegmes[1] tirés des Anciens qu'il employait dans les occasions brillantes. Il est mort enfin à la soixantième année de son âge. Je me tais, voyageur. Car comment pourrais-je achever de te dire ce qu'il a fait et ce qu'il a vu ? »

De Paris, le 3 de la lune de Gemmadi 2, 1715.

1. **Apophtegmes :** paroles mémorables, citations célèbres.

Lettre LXXXVIII
Usbek à Rhédi, à Venise

synonyme pour noblesse.

À Paris, règnent la liberté et l'égalité. La naissance, la vertu, le mérite même de la guerre, quelque brillant qu'il soit, ne sauve pas un homme de la foule dans laquelle il est confondu. La jalousie des rangs y est inconnue. On dit que le premier de Paris est celui qui a les meilleurs chevaux à son carrosse.

Un grand seigneur est un homme qui voit le roi, qui parle aux ministres, qui a des ancêtres, des dettes et des pensions. S'il peut, avec cela, cacher son oisiveté par un air empressé, ou par un feint attachement pour les plaisirs, il croit être le plus heureux de tous les hommes.

En Perse, il n'y a de grand que ceux à qui le monarque donne quelque part au gouvernement. Ici, il y a des gens qui sont grands par leur naissance ; mais ils sont sans crédit. Les rois font comme ces ouvriers habiles qui, pour exécuter leurs ouvrages, se servent toujours des machines les plus simples.

La faveur est la grande divinité des Français. Le ministre est le grand-prêtre, qui lui offre bien des victimes. Ceux qui l'entourent ne sont point habillés de blanc : tantôt sacrificateurs et tantôt sacrifiés, ils se dévouent eux-mêmes à leur idole avec tout le peuple.

De Paris, le 9 de la lune de Gemmadi 2, 1715.

Lettre LXXXIX
Usbek à Ibben, à Smyrne

Le désir de la gloire n'est point différent de cet instinct que toutes les créatures ont pour leur conservation. Il semble que nous augmentons notre être lorsque nous pouvons le porter dans la mémoire des autres : c'est une

nouvelle vie que nous acquérons, et qui nous devient 5
aussi précieuse que celle que nous avons reçue du ciel.

Mais, comme tous les hommes ne sont pas également
attachés à la vie, ils ne sont pas aussi également sensibles
à la gloire. Cette noble passion est bien toujours gravée
dans leur cœur ; mais l'imagination et l'éducation la modi- 10
fient de mille manières.

Cette différence, qui se trouve d'homme à homme, se
fait encore plus sentir de peuple à peuple.

On peut poser pour maxime que, dans chaque État, le
désir de la gloire croît avec la liberté des sujets et diminue 15
avec elle : la gloire n'est jamais compagne de la servitude.

Un homme de bon sens me disait l'autre jour : « On est,
en France, à bien des égards, plus libre qu'en Perse ; aussi
y aime-t-on plus la gloire. Cette heureuse fantaisie fait
faire à un Français avec plaisir et avec goût ce que votre 20
sultan n'obtient de ses sujets qu'en leur mettant sans cesse
devant les yeux les supplices et les récompenses.

« Aussi, parmi nous, le prince est-il jaloux de l'honneur
du dernier de ses sujets. Il y a pour le maintenir des tribu-
naux respectables : c'est le trésor sacré de la nation, et le 25
seul dont le souverain n'est pas le maître, parce qu'il ne
peut l'être, sans choquer ses intérêts. Ainsi, si un sujet se
trouve blessé dans son honneur par son prince, soit par
quelque préférence, soit par la moindre marque de mépris,
il quitte sur-le-champ sa cour, son emploi, son service, et 30
se retire chez lui.

« La différence qu'il y a des troupes françaises aux
vôtres, c'est que les unes, composées d'esclaves naturelle-
ment lâches, ne surmontent la crainte de la mort que par
celle du châtiment : ce qui produit dans l'âme un nouveau 35
genre de terreur qui la rend comme stupide ; au lieu que
les autres se présentent aux coups avec délice et bannissent
la crainte par une satisfaction qui lui est supérieure.

« Mais le sanctuaire de l'honneur, de la réputation et de
la vertu, semble être établi dans les républiques et dans 40

les pays où l'on peut prononcer le mot de patrie. À Rome,
à Athènes, à Lacédémone, l'honneur payait seul les ser-
vices les plus signalés. Une couronne de chêne ou de lau-
rier, une statue, un éloge, était une récompense immense
45 pour une bataille gagnée ou une ville prise.

« Là, un homme qui avait fait une belle action se trou-
vait suffisamment récompensé par cette action même. Il
ne pouvait voir un de ses compatriotes qu'il ne ressentît le
plaisir d'être son bienfaiteur ; il comptait le nombre de ses
50 services par celui de ses concitoyens. Tout homme est
capable de faire du bien à un homme ; mais c'est ressem-
bler aux dieux que de contribuer au bonheur d'une
société entière.

« Or cette noble émulation ne doit-elle point être entiè-
55 rement éteinte dans le cœur de vos Persans, chez qui les
emplois et les dignités ne sont que des attributs de la fan-
taisie du souverain ? La réputation et la vertu y sont regar-
dées comme imaginaires, si elles ne sont accompagnées de
la faveur du prince, avec laquelle elles naissent et meurent
60 de même. Un homme qui a pour lui l'estime publique
n'est jamais sûr de ne pas être déshonoré demain : le voilà
aujourd'hui général d'armée ; peut-être que le prince le va
faire son cuisinier, et qu'il ne lui laissera plus à espérer
d'autre éloge que celui d'avoir fait un bon ragoût. »

De Paris, le 15 de la lune de Gemmadi 2, 1715.

Lettre XC
Usbek au même, à Smyrne

De cette passion générale que la nation française a pour
la gloire, il s'est formé dans l'esprit des particuliers un cer-
tain je ne sais quoi, qu'on appelle *point d'honneur*. C'est
proprement le caractère de chaque profession ; mais il est
5 plus marqué chez les gens de guerre, et c'est le point

d'honneur par excellence. Il me serait bien difficile de te faire sentir ce que c'est : car nous n'en avons point précisément d'idée.

Autrefois, les Français, surtout les nobles, ne suivaient guère d'autres lois que celles de ce point d'honneur : elles réglaient toute la conduite de leur vie, et elles étaient si sévères qu'on ne pouvait sans une peine plus cruelle que la mort, je ne dis pas les enfreindre, mais en éluder la plus petite disposition.

Quand il s'agissait de régler les différends, elles ne prescrivaient guère qu'une manière de décision, qui était le duel[1], qui tranchait toutes les difficultés. Mais ce qu'il y avait de mal, c'est que souvent le jugement se rendait entre d'autres parties que celles qui y étaient intéressées.

Pour peu qu'un homme fût connu d'un autre, il fallait qu'il entrât dans la dispute, et qu'il payât de sa personne, comme s'il avait été lui-même en colère. Il se sentait toujours honoré d'un tel choix et d'une préférence si flatteuse ; et tel qui n'aurait pas voulu donner quatre pistoles à un homme pour le sauver de la potence, lui et toute sa famille, ne faisait aucune difficulté d'aller risquer pour lui mille fois sa vie.

Cette manière de décider était assez mal imaginée car, de ce qu'un homme était plus adroit ou plus fort qu'un autre, il ne s'ensuivait pas qu'il eût de meilleures raisons.

Aussi les rois l'ont-ils défendue sous des peines très sévères[2] ; mais c'est en vain : l'honneur, qui veut toujours régner, se révolte, et il ne reconnaît point de lois.

Ainsi les Français sont dans un état bien violent car les mêmes lois de l'honneur obligent un honnête homme de

1. **Le duel :** au XVIIe siècle, le duel était condamné par les moralistes, notamment par La Bruyère. Montesquieu en connaît l'origine : pour les anciennes lois germaniques, le duel est le jugement de Dieu.
2. **Des peines très sévères :** en 1679, un édit de Louis XIV punissait de mort les duellistes. Cet édit fut renouvelé par Louis XV en 1725.

Lettre XC

se venger quand il a été offensé ; mais, d'un autre côté, la
justice le punit des plus cruelles peines lorsqu'il se venge.
Si l'on suit les lois de l'honneur, on périt sur un échafaud ;
si l'on suit celles de la justice, on est banni pour jamais de
40 la société des hommes. Il n'y a donc que cette cruelle
alternative, ou de mourir, ou d'être indigne de vivre.

De Paris, le 18 de la lune de Gemmadi 2, 1715.

Lettre XCI
Usbek à Rustan, à Ispahan

Il paraît ici un personnage travesti[1] en ambassadeur de
Perse, qui se joue insolemment des deux plus grands rois
du monde. Il apporte au monarque des Français des pré-
sents[2] que le nôtre ne saurait donner à un roi d'Irimette
5 ou de Géorgie, et, par sa lâche avarice, il a flétri la majesté
des deux empires.

Il s'est rendu ridicule devant un peuple qui prétend être
le plus poli de l'Europe, et il a fait dire en Occident que le
roi des rois ne domine que sur des barbares[3].

10 Il a reçu des honneurs[4] qu'il semblait avoir voulu se
faire refuser lui-même, et, comme si la cour de France
avait eu plus à cœur la grandeur persane que lui, elle l'a
fait paraître avec dignité devant un peuple dont il est le
mépris.

1. **Un personnage travesti :** Méhémet Riza Beg, soi-disant ambassadeur
 de Perse, n'était qu'un imposteur. Il était simple percepteur d'impôts
 en Perse. Arrivé à Paris en 1715, il y fit son entrée solennelle.
2. **Présents :** le coffre apporté à Versailles ne contenait que « cent six
 petites perles, deux cent quatre-vingt-dix turquoises et deux boîtes de
 baume de Mumie. » On s'indigna à la Cour d'une telle avarice.
3. Ses excentricités furent nombreuses : rixes avec les mousquetaires,
 exercices à cheval sur les remparts…
4. **Des honneurs :** la réception du 19 février 1715 fut somptueuse.

Ne dis point ceci à Ispahan : épargne la tête d'un mal- 15
heureux. Je ne veux pas que nos ministres le punissent de
leur propre imprudence et de l'indigne choix qu'ils ont fait.

De Paris, le dernier de la lune de Gemmadi 2, 1715.

Lettre XCII
USBEK À RHÉDI, À VENISE

Le monarque[1] qui a si longtemps régné n'est plus. Il a
bien fait parler des gens pendant sa vie ; tout le monde
s'est tu à sa mort. Ferme et courageux dans ce dernier
moment, il a paru ne céder qu'au destin. Ainsi mourut le
grand Chah Abas[2], après avoir rempli toute la terre de son 5
nom.

Ne crois pas que ce grand événement n'ait fait faire ici
que des réflexions morales. Chacun a pensé à ses affaires,
et à prendre ses avantages dans ce changement. Le roi,
arrière-petit-fils du monarque défunt, n'ayant que cinq ans, 10
un prince, son oncle, a été déclaré régent du royaume[3].

Le feu roi avait fait un testament qui bornait l'autorité
du régent. Ce prince habile a été au Parlement, et, y expo-
sant tous les droits de sa naissance, il a fait casser la dispo-
sition du monarque, qui, voulant se survivre à lui-même, 15
semblait avoir prétendu régner encore après sa mort.

Les parlements ressemblent à ces ruines que l'on foule
aux pieds, mais qui rappellent toujours l'idée de quelque
temple fameux par l'ancienne religion des peuples. Ils ne se

1. **Le monarque :** « Il mourut le 1er septembre 1715. » (Note de
 Montesquieu.)
2. **Abas :** Abbas Ier, qui régna de 1587 à 1629, battit les Turcs et fit de
 grands travaux, ce qui permet ici le parallèle avec Louis XIV.
3. **Régent du royaume :** Philippe, duc d'Orléans (1674-1723). La séance
 du Parlement dont il est question eut lieu le 2 septembre.

20 mêlent guère plus que de rendre la justice, et leur autorité
est toujours languissante, à moins que quelque conjoncture
imprévue ne vienne lui rendre la force et la vie. Ces grands
corps ont suivi le destin des choses humaines : ils ont cédé
au temps, qui détruit tout, à la corruption des mœurs, qui a
25 tout affaibli, à l'autorité suprême, qui a tout abattu.

Mais le régent, qui a voulu se rendre agréable au peuple,
a paru d'abord respecter cette image de la liberté publique,
et, comme s'il avait pensé à relever de terre le temple et
l'idole, il a voulu qu'on les regardât comme l'appui de la
30 monarchie et le fondement de toute autorité légitime[1].

De Paris, le 4 de la lune de Rhégeb, 1715.

Lettre XCIII

Usbek à son frère, Santon au monastère
de Casbin

Je m'humilie devant toi, sacré santon[2], et je me pros-
terne ; je regarde les vestiges de tes pieds comme la pru-
nelle de mes yeux. Ta sainteté est si grande qu'il semble
que tu aies le cœur de notre saint prophète ; tes austérités
5 étonnent le ciel même ; les anges t'ont regardé du sommet
de la gloire et ont dit : « Comment est-il encore sur la
terre, puisque son esprit est avec nous et vole autour du
trône qui est soutenu par les nuées ? »

Et comment ne t'honorerais-je pas, moi qui ai appris de
10 nos docteurs que les dervis[3], même infidèles, ont toujours
un caractère de sainteté, qui les rend respectables aux
vrais croyants, et que Dieu s'est choisi, dans tous les coins

1. **Légitime** : le 15 septembre, le Régent rendit aux Parlements leur droit
de remontrances sur les édits royaux, retiré par Louis XIV après la
Fronde.

2. **Santon** : ascète musulman, presque synonyme de *derviche*.

3. **Dervis** : derviche, religieux musulman.

de la terre, des âmes plus pures que les autres, qu'il a séparées du monde impie, afin que leurs mortifications[1] et leurs prières ferventes suspendissent sa colère prête à tomber sur tant de peuples rebelles ?

Les chrétiens disent des merveilles de leurs premiers santons[2], qui se réfugièrent à milliers dans les déserts affreux de la Thébaïde et eurent pour chefs Paul, Antoine et Pacôme. Si ce qu'ils en disent est vrai, leurs vies sont aussi pleines de prodiges que celles de nos plus sacrés immaums. Ils passaient quelquefois dix ans entiers sans voir un seul homme, mais ils habitaient la nuit et le jour avec des démons ; ils étaient sans cesse tourmentés par ces esprits malins : ils les trouvaient au lit ; ils les trouvaient à table ; jamais d'asile contre eux. Si tout ceci est vrai, santon vénérable, il faudrait avouer que personne n'aurait jamais vécu en plus mauvaise compagnie.

Les chrétiens sensés regardent toutes ces histoires comme une allégorie bien naturelle, qui nous peut servir à nous faire sentir le malheur de la condition humaine. En vain cherchons-nous dans le désert un état tranquille : les tentations nous suivent toujours ; nos passions, figurées par les démons, ne nous quittent point encore ; ces monstres du cœur, ces illusions de l'esprit, ces vains fantômes de l'erreur et du mensonge, se montrent toujours à nous pour nous séduire et nous attaquent jusque dans les jeûnes et les cilices, c'est-à-dire jusque dans notre force même.

Pour moi, santon vénérable, je sais que l'envoyé de Dieu a enchaîné Satan et l'a précipité dans les abîmes ; il a purifié la terre, autrefois pleine de son empire, et l'a rendue digne du séjour des anges et des prophètes.

De Paris, le 9 de la lune de Chahban, 1715.

1. **Mortifications :** souffrances qu'on s'impose dans un but spirituel.
2. **Leurs premiers santons :** il s'agit des cénobites (moines) de la Thébaïde, partie méridionale de la Haute-Égypte où les chrétiens fuirent les persécutions.

Lettre XCIV
USBEK À RHÉDI, À VENISE

Je n'ai jamais ouï parler du droit public qu'on n'ait commencé par rechercher soigneusement quelle est l'origine des sociétés, ce qui me paraît ridicule. Si les hommes n'en formaient point, s'ils se quittaient et se fuyaient les uns les autres, il faudrait en demander la raison, et chercher pourquoi ils se tiennent séparés. Mais ils naissent tous liés les uns aux autres ; un fils est né auprès de son père, et il s'y tient : voilà la société, et la cause de la société[1].

Le droit public est plus connu en Europe qu'en Asie ; cependant on peut dire que les passions des princes, la patience des peuples, la flatterie des écrivains, en ont corrompu tous les principes.

Ce droit, tel qu'il est aujourd'hui, est une science qui apprend aux princes jusqu'à quel point ils peuvent violer la justice sans choquer leurs intérêts. Quel dessein, Rhédi, de vouloir, pour endurcir leur conscience, mettre l'iniquité en système, d'en donner des règles, d'en former des principes et d'en tirer des conséquences !

La puissance illimitée de nos sublimes sultans, qui n'a d'autre règle qu'elle-même, ne produit pas plus de monstres que cet art indigne qui veut faire plier la justice, tout inflexible qu'elle est.

On dirait, Rhédi, qu'il y a deux justices toutes différentes : l'une qui règle les affaires des particuliers, qui règne dans le droit civil ; l'autre qui règle les différends qui surviennent de peuple à peuple, qui tyrannise dans le droit public : comme si le droit public n'était pas lui-

1. **Voilà la société, et la cause de la société :** pour Montesquieu, la société ne s'oppose pas à la nature mais dérive d'elle (il s'oppose donc à Hobbes et à Rousseau).

même un droit civil, non pas à la vérité d'un pays particulier, mais du monde.

Je t'expliquerai dans une autre lettre mes pensées là-dessus. 30

De Paris, le premier de la lune de Zilhagé, 1716.

Lettre XCV
Usbek au même

Les magistrats doivent rendre la justice de citoyen à citoyen. Chaque peuple la doit rendre lui-même de lui à un autre peuple. Dans cette seconde distribution de justice, on ne peut employer d'autres maximes que dans la première. 5

De peuple à peuple, il est rarement besoin de tiers pour juger, parce que les sujets de disputes sont presque toujours clairs et faciles à terminer. Les intérêts de deux nations sont ordinairement si séparés qu'il ne faut qu'aimer la justice pour la trouver ; on ne peut guère se prévenir 10 dans sa propre cause.

Il n'en est pas de même des différends qui arrivent entre particuliers. Comme ils vivent en société, leurs intérêts sont si mêlés et si confondus, il y en a de tant de sortes différentes, qu'il est nécessaire qu'un tiers débrouille ce 15 que la cupidité des parties cherche à obscurcir.

Il n'y a que deux sortes de guerres justes : les unes qui se font pour repousser un ennemi qui attaque ; les autres, pour secourir un allié qui est attaqué.

Il n'y aurait point de justice de faire la guerre pour des 20 querelles particulières du prince, à moins que le cas ne fût si grave qu'il méritât la mort du prince ou du peuple qui l'a commis. Ainsi un prince ne peut faire la guerre parce qu'on lui aura refusé un honneur qui lui est dû, ou parce qu'on aura eu quelque procédé peu convenable à l'égard 25

de ses ambassadeurs, et autres choses pareilles ; non plus qu'un particulier ne peut tuer celui qui lui refuse la préséance. La raison en est que, comme la déclaration de guerre doit être un acte de justice, dans laquelle il faut 30 toujours que la peine soit proportionnée à la faute, il faut voir si celui à qui on déclare la guerre mérite la mort : car faire la guerre à quelqu'un, c'est vouloir le punir de mort.

Dans le droit public, l'acte de justice le plus sévère, c'est la guerre ; puisqu'elle peut avoir l'effet de détruire la 35 société.

Les représailles sont du second degré. C'est une loi que les tribunaux n'ont pu s'empêcher d'observer, de mesurer la peine par le crime.

Un troisième acte de justice est de priver un prince des 40 avantages qu'il peut tirer de nous, proportionnant toujours la peine à l'offense.

Le quatrième acte de justice, qui doit être le plus fréquent, est la renonciation à l'alliance du peuple dont on a à se plaindre. Cette peine répond à celle du bannissement, 45 que les tribunaux ont établie pour retrancher les coupables de la société. Ainsi un prince à l'alliance duquel nous renonçons est retranché de notre société et n'est plus un des membres qui la composent.

On ne peut pas faire de plus grand affront à un prince 50 que de renoncer à son alliance, ni lui faire de plus grand honneur que de la contracter. Il n'y a rien, parmi les hommes, qui leur soit plus glorieux et même plus utile que d'en voir d'autres toujours attentifs à leur conservation.

Mais, pour que l'alliance nous lie, il faut qu'elle soit 55 juste : ainsi une alliance faite entre deux nations pour en opprimer une troisième n'est pas légitime, et on peut la violer sans crime.

Il n'est pas même de l'honneur et de la dignité du prince de s'allier avec un tyran. On dit qu'un monarque d'Égypte[1]

1. **Monarque d'Égypte :** Amasis.

fit avertir le roi de Samos[1] de sa cruauté et de sa tyrannie, 60
et le somma de s'en corriger.

Comme il ne le fit pas, il lui envoya dire qu'il renonçait
à son amitié et à son alliance.

La conquête ne donne point un droit par elle-même :
lorsque le peuple subsiste, elle est un gage de la paix et de 65
la réparation du tort ; et, si le peuple est détruit ou dis-
persé, elle est le monument d'une tyrannie.

Les traités de paix sont si sacrés parmi les hommes qu'il
semble qu'ils soient la voix de la nature qui réclame ses
droits. Ils sont tous légitimes lorsque les conditions en 70
sont telles que les deux peuples peuvent se conserver ;
sans quoi, celle des deux sociétés qui doit périr, privée de
sa défense naturelle par la paix, la peut chercher dans la
guerre.

Car la nature, qui a établi les différents degrés de force 75
et de faiblesse parmi les hommes, a encore souvent égalé
la faiblesse à la force par le désespoir.

Voilà, cher Rhédi, ce que j'appelle le droit public. Voilà le
droit des gens, ou plutôt celui de la raison.

De Paris, le 4 de la lune de Zilhagé, 1716.

Lettre XCVI
LE PREMIER EUNUQUE À USBEK, À PARIS

Il est arrivé ici beaucoup de femmes jaunes du royaume
de Visapour[2] ; j'en ai acheté une pour ton frère le gouver-
neur de Mazendéran[3], qui m'envoya il y a un mois son
commandement sublime et cent tomans[4].

1. **Le roi de Samos :** Polycrate, tyran de Samos.
2. **Royaume de Visapour :** en Inde, dans la région de Bombay.
3. **Mazendéran :** province persane, sur les rives méridionales de la
Caspienne.
4. **Tomans :** monnaie de Perse.

Lettre XCVI

Je me connais en femmes, d'autant mieux qu'elles ne me surprennent pas, et qu'en moi les yeux ne sont point troublés par les mouvements du cœur.

Je n'ai jamais vu de beauté si régulière et si parfaite : ses yeux brillants portent la vie sur son visage, et relèvent l'éclat d'une couleur qui pourrait effacer tous les charmes de la Circassie.

Le premier eunuque d'un négociant d'Ispahan la marchandait avec moi ; mais elle se dérobait dédaigneusement à ses regards et semblait chercher les miens, comme si elle avait voulu me dire qu'un vil marchand n'était pas digne d'elle, et qu'elle était destinée à un plus illustre époux.

Je te l'avoue, je sens en moi-même une joie secrète quand je pense aux charmes de cette belle personne : il me semble que je la vois entrer dans le sérail de ton frère ; je me plais à prévoir l'étonnement de toutes ses femmes : la douleur impérieuse des unes ; l'affliction muette, mais plus douloureuse, des autres ; la consolation maligne de celles qui n'espèrent plus rien ; et l'ambition irritée de celles qui espèrent encore.

Je vais, d'un bout du royaume à l'autre, faire changer tout un sérail de face. Que de passions je vais émouvoir ! Que de craintes et de peines je prépare !

Cependant, dans le trouble du dedans, le dehors ne sera pas moins tranquille : les grandes révolutions seront cachées dans le fond du cœur ; les chagrins seront dévorés et les joies, contenues ; l'obéissance ne sera pas moins exacte, et la règle moins inflexible ; la douceur, toujours contrainte de paraître, sortira du fond même du désespoir.

Nous remarquons que, plus nous avons de femmes sous nos yeux, moins elles nous donnent d'embarras. Une plus grande nécessité de plaire, moins de facilité de s'unir, plus d'exemples de soumission : tout cela leur forme des chaînes. Les unes sont sans cesse attentives sur les démarches des autres : il semble que, de concert avec nous, elles travaillent à se rendre plus dépendantes ; elles font une partie de

notre ouvrage et nous ouvrent les yeux quand nous les fermons. Que dis-je ? Elles irritent sans cesse le maître contre leurs rivales, et elles ne voient pas combien elles se trouvent près de celles qu'on punit.

Mais tout cela, magnifique seigneur, tout cela n'est rien sans la présence du maître. Que pouvons nous faire avec ce vain fantôme d'une autorité qui ne se communique jamais tout entière ? Nous ne représentons que faiblement la moitié de toi-même : nous ne pouvons que leur montrer une odieuse sévérité. Toi, tu tempères la crainte par les espérances ; plus absolu quand tu caresses, que tu ne l'es quand tu menaces.

Reviens donc, magnifique seigneur, reviens dans ces lieux porter partout les marques de ton empire. Viens adoucir des passions désespérées ; viens ôter tout prétexte de faillir ; viens apaiser l'amour qui murmure, et rendre le devoir même aimable ; viens, enfin, soulager tes fidèles eunuques d'un fardeau qui s'appesantit chaque jour.

Du sérail d'Ispahan, le 8 de la lune de Zilhagé, 1716.

Lettre XCVII
Usbek à Hassein, dervis de la montagne de Jaron[1]

Ô toi, sage dervis, dont l'esprit curieux brille de tant de connaissances, écoute ce que je vais te dire.

Il y a ici des philosophes qui, à la vérité, n'ont point atteint jusqu'au faîte de la sagesse orientale : ils n'ont point été ravis jusqu'au trône lumineux ; ils n'ont ni entendu les paroles ineffables dont les concerts des anges retentissent, ni senti les formidables accès d'une fureur divine ; mais, laissés à eux-mêmes, privés des saintes mer-

1. **Jaron :** bourgade au sud de Chiraz.

veilles, ils suivent dans le silence les traces de la raison
10 humaine.

Tu ne saurais croire jusqu'où ce guide les a conduits. Ils
ont débrouillé le chaos et ont expliqué, par une mécani-
que simple, l'ordre de l'architecture divine. L'auteur de la
nature a donné du mouvement à la matière : il n'en a pas
15 fallu davantage pour produire cette prodigieuse variété
d'effets que nous voyons dans l'univers.

Que les législateurs ordinaires nous proposent des lois
pour régler les sociétés des hommes ; des lois aussi sujettes
au changement que l'esprit de ceux qui les proposent, et
20 des peuples qui les observent : ceux-ci ne nous parlent
que des lois générales, immuables, éternelles, qui s'observent
sans aucune exception, avec un ordre, une régularité et
une promptitude infinie, dans l'immensité des espaces.

Et que crois-tu, homme divin, que soient ces lois ? Tu
25 t'imagines peut-être qu'entrant dans le conseil de l'Éternel,
tu vas être étonné par la sublimité des mystères ; tu
renonces par avance à comprendre, tu ne te proposes que
d'admirer.

Mais tu changeras bientôt de pensée : elles n'éblouissent
30 point par un faux respect ; leur simplicité les a fait long-
temps méconnaître, et ce n'est qu'après bien des réflexions
qu'on en a vu toute la fécondité et toute l'étendue.

La première est que tout corps tend à décrire une ligne
droite, à moins qu'il ne rencontre quelque obstacle qui
35 l'en détourne ; et la seconde, qui n'en est qu'une suite,
c'est que tout corps qui tourne autour d'un centre tend à
s'en éloigner, parce que, plus il en est loin, plus la ligne
qu'il décrit approche de la ligne droite.

Voilà, sublime dervis, la clef de la nature ; voilà des prin-
40 cipes féconds, dont on tire des conséquences à perte de vue.

La connaissance de cinq ou six vérités a rendu leur phi-
losophie pleine de miracles, et leur a fait faire presque
autant de prodiges et de merveilles que tout ce qu'on
nous raconte de nos saints prophètes.

Car, enfin, je suis persuadé qu'il n'y a aucun de nos doc- 45
teurs qui n'eût été embarrassé, si on lui eût dit de peser
dans une balance tout l'air qui est autour de la terre, ou
de mesurer toute l'eau qui tombe chaque année sur sa
surface, et qui n'eût pensé plus de quatre fois avant de
dire combien de lieues le son fait dans une heure, quel 50
temps un rayon de lumière emploie à venir du soleil à
nous ; combien de toises il y a d'ici à Satume ; quelle est la
courbe selon laquelle un vaisseau doit être taillé pour être
le meilleur voilier qu'il soit possible.

Peut-être que, si quelque homme divin avait orné les 55
ouvrages de ces philosophes de paroles hautes et sublimes ;
s'il y avait mêlé des figures hardies et des allégories mys-
térieuses, il aurait fait un bel ouvrage, qui n'aurait cédé
qu'au saint Alcoran.

Cependant, s'il faut te dire ce que je pense, je ne m'accom- 60
mode guère du style figuré. Il y a dans notre Alcoran un
grand nombre de petites choses qui me paraissent tou-
jours telles, quoiqu'elles soient relevées par la force et la
vie de l'expression. Il semble d'abord que les livres inspirés
ne sont que les idées divines rendues en langage humain. 65
Au contraire, dans notre Alcoran, on trouve souvent le
langage de Dieu et les idées des hommes, comme si, par
un admirable caprice, Dieu y avait dicté les paroles, et que
l'homme eût fourni les pensées.

Tu diras peut-être que je parle trop librement de ce qu'il 70
y a de plus saint parmi nous ; tu croiras que c'est le fruit
de l'indépendance où l'on vit dans ce pays. Non : grâces
au Ciel, l'esprit n'a pas corrompu le cœur, et, tandis que je
vivrai, Hali[1] sera mon prophète.

De Paris, le 10 de la lune de Chahban, 1716.

1. **Hali :** Ali, gendre de Mahomet, époux de Fatima.

Lettre XCVIII
Usbek à Ibben, à Smyrne

Il n'y a point de pays au monde où la fortune soit si inconstante que dans celui-ci. Il arrive tous les dix ans des révolutions qui précipitent le riche dans la misère et enlèvent le pauvre, avec des ailes rapides, au comble des
5 richesses. Celui-ci est étonné de sa pauvreté ; celui-là l'est de son abondance. Le nouveau riche admire la sagesse de la Providence ; le pauvre, l'aveugle fatalité du destin.

Ceux qui lèvent les tributs[1] nagent au milieu des trésors : parmi eux, il y a peu de Tantales[2]. Ils commen-
10 cent pourtant ce métier par la dernière misère ; ils sont méprisés comme de la boue pendant qu'ils sont pauvres ; quand ils sont riches, on les estime assez : aussi ne négligent-ils rien pour acquérir de l'estime.

Ils sont à présent dans une situation bien terrible. On
15 vient d'établir une chambre qu'on appelle de *Justice*[3], parce qu'elle va leur ravir tout leur bien. Ils ne peuvent ni détourner ni cacher leurs effets : car on les oblige de les déclarer au juste, sous peine de la vie. Ainsi on les fait passer par un défilé bien étroit : je veux dire entre la vie et
20 leur argent. Pour comble d'infortune, il y a un ministre[4] connu par son esprit, qui les honore de ses plaisanteries et badine sur toutes les délibérations du Conseil. On ne

1. **Tributs :** contributions, impôts.
2. **Tantales :** de Tantale, fils de Zeus ayant révélé des secrets des Dieux, et pour cela supplicié en étant dans l'eau jusqu'au cou sans pourtant pouvoir en boire (le niveau baissant quand il cherche à se désaltérer). Une autre version le fait prisonnier d'un rocher.
3. **Chambre de justice :** chambre créée par un édit du Régent le 1er mars 1716, destinée à s'attaquer à tous ceux qui détournèrent trop d'impôts, trop d'argent de l'État.
4. **Un ministre :** Adrien Maurice, duc de Noailles, président du Conseil des finances.

trouve pas tous les jours des ministres disposés à faire rire le peuple, et l'on doit savoir bon gré à celui-ci de l'avoir entrepris. 25

Le corps des laquais est plus respectable en France qu'ailleurs ; c'est un séminaire de grands seigneurs : il remplit le vide des autres états. Ceux qui le composent prennent la place des grands malheureux, des magistrats ruinés, des gentilshommes tués dans les fureurs de la 30 guerre ; et, quand ils ne peuvent pas suppléer par eux-mêmes, ils relèvent toutes les grandes maisons par le moyen de leurs filles, qui sont comme une espèce de fumier qui engraisse les terres montagneuses et arides.

Je trouve, Ibben, la Providence admirable dans la 35 manière dont elle a distribué les richesses : si elle ne les avait accordées qu'aux gens de bien, on ne les aurait pas assez distinguées de la vertu, et on n'en aurait plus senti tout le néant. Mais, quand on examine qui sont les gens qui en sont les plus chargés, à force de mépriser les riches, 40 on vient enfin à mépriser les richesses.

De Paris, le 26 de la lune de Maharram, 1717.

Lettre XCIX
RICA À RHÉDI, À VENISE

Je trouve les caprices de la mode[1], chez les Français, étonnants. Ils ont oublié comment ils étaient habillés cet été. Ils ignorent encore plus comment ils le seront cet hiver. Mais, surtout, on ne saurait croire combien il en coûte à un mari pour mettre sa femme à la mode. 5

1. **Caprices de la mode :** lieu commun chez les moralistes. La Bruyère y consacre toute une section de ses *Caractères*.

Que me servirait de te faire une description exacte de leur habillement et de leurs parures ? Une mode nouvelle viendrait détruire tout mon ouvrage, comme celui de leurs ouvriers, et, avant que tu eusses reçu ma lettre, tout serait changé.

Une femme qui quitte Paris pour aller passer six mois à la campagne en revient aussi antique que si elle s'y était oubliée trente ans. Le fils méconnaît le portrait de sa mère, tant l'habit avec lequel elle est peinte lui paraît étranger : il s'imagine que c'est quelque Américaine[1] qui y est représentée, ou que le peintre a voulu exprimer quelqu'une de ses fantaisies.

Quelquefois les coiffures montent insensiblement, et une révolution les faits descendre tout à coup. Il a été un temps que leur hauteur immense mettait le visage d'une femme au milieu d'elle-même. Dans un autre, c'étaient les pieds qui occupaient cette place : les talons faisaient un piédestal qui les tenait en l'air. Qui pourrait le croire ? Les architectes ont été souvent obligés de hausser, de baisser et d'élargir leurs portes, selon que les parures des femmes exigeaient d'eux ce changement, et les règles de leur art ont été asservies à ces caprices. On voit quelquefois sur un visage une quantité prodigieuse de mouches[2], et elles disparaissent toutes le lendemain. Autrefois, les femmes avaient de la taille et des dents ; aujourd'hui, il n'en est pas question. Dans cette changeante nation, quoi qu'en disent les mauvais plaisants, les filles se trouvent autrement faites que leurs mères.

Il en est des manières et de la façon de vivre comme des modes : les Français changent de mœurs selon l'âge de leur roi. Le monarque pourrait même parvenir à rendre la nation grave, s'il l'avait entrepris. Le prince imprime le

1. **Américaine :** Indienne d'Amérique.
2. **Mouches :** minuscules cercles de taffetas noir portés sur le visage ou le décolleté.

caractère de son esprit à la Cour, la Cour à la Ville, la Ville,
aux provinces. L'âme du souverain est un moule qui
donne la forme à toutes les autres. 40

De Paris, le 8 de la lune de Saphar, 1717.

Lettre C
RICA AU MÊME

Je te parlais l'autre jour de l'inconstance prodigieuse des
Français sur leurs modes. Cependant il est inconcevable à
quel point ils en sont entêtés : ils y rappellent[1] tout ; c'est
la règle avec laquelle ils jugent de tout ce qui se fait chez
les autres nations : ce qui est étranger leur paraît toujours 5
ridicule. Je t'avoue que je ne saurais guère ajuster cette
fureur pour leurs coutumes avec l'inconstance avec
laquelle ils en changent tous les jours.

Quand je te dis qu'ils méprisent tout ce qui est étranger,
je ne parle que des bagatelles : car, sur les choses impor- 10
tantes, ils semblent s'être méfiés d'eux-mêmes jusqu'à se
dégrader. Ils avouent de bon cœur que les autres peuples
sont plus sages, pourvu qu'on convienne qu'ils sont mieux
vêtus. Ils veulent bien s'assujettir aux lois d'une nation
rivale, pourvu que les perruquiers français décident en 15
législateurs sur la forme des perruques étrangères. Rien ne
leur paraît si beau que de voir le goût de leurs cuisiniers
régner du septentrion au midi, et les ordonnances de leurs
coiffeuses portées dans toutes les toilettes de l'Europe.

Avec ces nobles avantages, que leur importe que le bon 20
sens leur vienne d'ailleurs et qu'ils aient pris de leurs voisins
tout ce qui concerne le gouvernement politique et civil ?

Qui peut penser qu'un royaume, le plus ancien et le
plus puissant de l'Europe, soit gouverné, depuis plus de

1. **Rappellent :** ramènent.

25 dix siècles, par des lois qui ne sont pas faites pour lui ? Si
les Français avaient été conquis, ceci ne serait pas difficile
à comprendre ; mais ils sont les conquérants[1].

Ils ont abandonné les lois anciennes[2], faites par leurs pre-
miers rois dans les assemblées générales de la nation ; et ce
30 qu'il y a de singulier, c'est que les lois romaines[3], qu'ils ont
prises à la place, étaient en partie faites et en partie rédigées
par des empereurs contemporains de leurs législateurs.

Et, afin que l'acquisition fût entière, et que tout le bon
sens leur vint d'ailleurs, ils ont adopté toutes les constitu-
35 tions des papes et en ont fait une nouvelle partie de leur
droit[4] : nouveau genre de servitude.

Il est vrai que, dans les derniers temps, on a rédigé par
écrit quelques statuts[5] des villes et des provinces ; mais ils
sont presque tous pris du droit romain.

40 Cette abondance de lois adoptées et, pour ainsi dire, natura-
lisées, est si grande qu'elle accable également la justice et les
juges. Mais ces volumes de lois ne sont rien en comparaison
de cette armée effroyable de glossateurs, de commentateurs,
de compilateurs : gens aussi faibles par le peu de justesse de
45 leur esprit qu'ils sont forts par leur nombre prodigieux.

Ce n'est pas tout. Ces lois étrangères ont introduit des
formalités dont l'excès est la honte de la raison humaine.

1. **Conquérants :** Montesquieu confond les Français avec les Francs. Ils
devraient, selon lui, s'inspirer des anciennes lois germaniques plutôt
que du droit romain.

2. **Les lois anciennes :** elles furent rédigées vers la fin du Ve siècle
après J.-C., ce sont les lois saliques.

3. **Les lois romaines :** elles sont également du Ve siècle et se trouvent
rassemblées dans le *Digeste* et les *Institutes*, à la demande de Justinien,
empereur d'Orient. En fait, le droit romain n'a été enseigné en France
qu'à partir du XIIe siècle dans les universités.

4. **Leur droit :** le droit canon, qui s'applique aux problèmes juridiques liés à
la discipline et à la morale catholiques (il se constitue aux XI-XIIe siècles).

5. **Quelques statuts :** dès le Moyen Âge, les coutumes provinciales sont
écrites et elles vont coexister avec le droit romain jusqu'à la Révolution.

Il serait assez difficile de décider si la forme s'est rendue plus pernicieuse lorsqu'elle est entrée dans la jurisprudence, ou lorsqu'elle s'est logée dans la médecine ; si elle a 50 fait plus de ravages sous la robe d'un jurisconsulte que sous le large chapeau d'un médecin ; et si, dans l'une, elle a plus ruiné de gens qu'elle n'en a tué dans l'autre.

De Paris, le 17 de la lune de Saphar, 1717.

Lettre CI
Usbek à***

On parle toujours ici de la Constitution[1]. J'entrai l'autre jour dans une maison où je vis d'abord un gros homme avec un teint vermeil, qui disait d'une voix forte : « J'ai donné mon mandement ; je n'irai point répondre à tout ce que vous dites ; mais lisez-le, ce mandement, et vous verrez que j'y ai résolu 5 tous vos doutes. J'ai bien sué pour le faire, dit-il en portant la main sur le front : j'ai eu besoin de toute ma doctrine, et il m'a fallu lire bien des auteurs latins. – Je le crois, dit un homme qui se trouva là : car c'est un bel ouvrage, et je défierais bien ce jésuite qui vient si souvent vous voir d'en faire un meilleur. 10 – Lisez-le donc, reprit-il, et vous serez plus instruit sur ces matières dans un quart d'heure que si je vous en avais parlé toute la journée[2]. » Voilà comment il évitait d'entrer en conver-

1. **Constitution** : bulle *Unigenitus* par laquelle le pape Clément XI condamna en 1713 les cent une propositions extraites des *Réflexions sur le Nouveau Testament* du père Quesnel. Cela équivalait à une condamnation du mouvement janséniste. La bulle est enregistrée par le Parlement en 1714, sous la pression de Louis XIV.
2. Il s'agit peut-être Fleury, évêque de Fréjus, qui a écrit un mandement plein d'une grande science théologique contre Quesnel. Fleury passe pour ami des jésuites, et il est nommé précepteur du Dauphin en 1715.

sation et de commettre sa suffisance. Mais, comme il se vit
15 pressé, il fut obligé de sortir de ses retranchements, et il commença à dire théologiquement force sottises, soutenu d'un dervis qui les lui rendait très respectueusement. Quand deux hommes qui étaient là lui niaient quelque principe, il disait d'abord : « Cela est certain : nous l'avons jugé ainsi, et nous
20 sommes des juges infaillibles. – Et comment, lui dis-je alors, êtes-vous des juges infaillibles ? – Ne voyez-vous pas, reprit-il, que le Saint-Esprit nous éclaire ? – Cela est heureux, lui répondis-je : car, de la manière dont vous avez parlé aujourd'hui, je reconnais que vous avez grand besoin d'être éclairé. »

De Paris, le 18 de la lune de Rébiab 1, 1717.

Lettre CII
Usbek à Ibben, à Smyrne

Les plus puissants États de l'Europe sont ceux de l'empereur, des rois de France, d'Espagne et d'Angleterre. L'Italie et une grande partie de l'Allemagne sont partagées en un nombre infini de petits États, dont les princes sont, à pro-
5 prement parler, les martyrs de la souveraineté. Nos glorieux sultans ont plus de femmes que quelques-uns de ces princes n'ont de sujets. Ceux d'Italie, qui ne sont pas si unis, sont plus à plaindre : leurs États sont ouverts comme des caravansérails[1], où ils sont obligés de loger les pre-
10 miers qui viennent ; il faut donc qu'ils s'attachent aux grands princes et leur fassent part de leur frayeur plutôt que de leur amitié.

La plupart des gouvernements d'Europe sont monarchiques, ou plutôt sont ainsi appelés : car je ne sais pas s'il
15 y en a jamais eu véritablement de tels ; au moins est-il difficile qu'ils aient subsisté longtemps dans leur pureté.

1. **Caravansérails :** vaste cour où les caravanes font halte.

C'est un état violent, qui dégénère toujours en despotisme ou en république : la puissance ne peut jamais être également partagée entre le peuple et le prince ; l'équilibre est trop difficile à garder. Il faut que le pouvoir diminue d'un côté pendant qu'il augmente de l'autre ; mais l'avantage est ordinairement du côté du prince, qui est à la tête des armées.

Aussi le pouvoir des rois d'Europe est-il bien grand, et on peut dire qu'ils l'ont tel qu'ils le veulent. Mais ils ne l'exercent point avec tant d'étendue que nos sultans : premièrement, parce qu'ils ne veulent point choquer les mœurs et la religion des peuples ; secondement, parce qu'il n'est pas de leur intérêt de le porter si loin.

Rien ne rapproche plus nos princes de la condition de leurs sujets que cet immense pouvoir qu'ils exercent sur eux ; rien ne les soumet plus aux revers et aux caprices de la fortune.

L'usage où ils sont de faire mourir tous ceux qui leur déplaisent, au moindre signe qu'ils font, renverse la proportion qui doit être entre les fautes et les peines, qui est comme l'âme des États et l'harmonie des empires ; et cette proportion, scrupuleusement gardée par les princes chrétiens, leur donne un avantage infini sur nos sultans.

Un Persan qui, par imprudence ou par malheur, s'est attiré la disgrâce du prince, est sûr de mourir : la moindre faute ou le moindre caprice le met dans cette nécessité. Mais, s'il avait attenté à la vie de son souverain, s'il avait voulu livrer ses places aux ennemis, il en serait quitte aussi pour perdre la vie : il ne court donc pas plus de risque dans ce dernier cas que dans le premier.

Aussi, dans la moindre disgrâce, voyant la mort certaine, et ne voyant rien de pis, il se porte naturellement à troubler l'État et à conspirer contre le souverain : seule ressource qui lui reste.

Il n'en est pas de même des grands d'Europe, à qui la disgrâce n'ôte rien que la bienveillance et la faveur. Ils se

retirent de la cour et ne songent qu'à jouir d'une vie tranquille et des avantages de leur naissance. Comme on ne
55 les fait guère périr que pour le crime de lèse-majesté, ils craignent d'y tomber, par la considération de ce qu'ils ont à perdre et du peu qu'ils ont à gagner : ce qui fait qu'on voit peu de révoltes, et peu de princes qui périssent d'une mort violente.

60 Si, dans cette autorité illimitée qu'ont nos princes, ils n'apportaient pas tant de précautions pour mettre leur vie en sûreté, ils ne vivraient pas un jour ; et, s'ils n'avaient à leur solde un nombre innombrable de troupes pour tyranniser le reste de leurs sujets, leur empire ne subsisterait
65 pas un mois.

Il n'y a que quatre ou cinq siècles qu'un roi de France[1] prit des gardes, contre l'usage de ces temps-là, pour se garantir des assassins qu'un petit prince d'Asie avait envoyés pour le faire périr : jusque-là, les rois avaient vécu
70 tranquilles au milieu de leurs sujets, comme des pères au milieu de leurs enfants.

Bien loin que les rois de France puissent, de leur propre mouvement, ôter la vie à un de leurs sujets, comme nos sultans, ils portent, au contraire, toujours avec eux la
75 grâce de tous les criminels : il suffit qu'un homme ait été assez heureux pour voir l'auguste visage de son prince, pour qu'il cesse d'être indigne de vivre. Ces monarques sont comme le soleil, qui porte partout la chaleur et la vie.

De Paris, le 8 de la lune de Rébiab 2, 1717.

1. **Un roi de France :** Philippe Auguste, que Richard Cœur de Lion aurait voulu faire assassiner en 1192 par des « fous de Dieu » musulmans.

Lettre CIII
USBEK AU MÊME

Pour suivre l'idée de ma dernière lettre, voici à peu près ce que me disait, l'autre jour, un Européen assez sensé.

« Le plus mauvais parti que les princes d'Asie aient pu prendre, c'est de se cacher comme ils font. Ils veulent se rendre plus respectables ; mais ils font respecter la 5 royauté, et non pas le roi, et attachent l'esprit des sujets à un certain trône, et non pas à une certaine personne.

« Cette puissance invisible qui gouverne est toujours la même pour le peuple. Quoique dix rois, qu'il ne connaît que de nom, se soient égorgés l'un après l'autre, il ne sent 10 aucune différence ; c'est comme s'il avait été gouverné successivement par des esprits.

« Si le détestable parricide[1] de notre grand roi Henri IV avait porté ce coup sur un roi des Indes, maître du sceau royal et d'un trésor immense, qui aurait semblé amassé 15 pour lui, il aurait pris tranquillement les rênes de l'empire sans qu'un seul homme eût pensé à réclamer son roi, sa famille et ses enfants.

« On s'étonne de ce qu'il n'y a presque jamais de changement dans le gouvernement des princes d'Orient. D'où 20 vient cela, si ce n'est de ce qu'il est tyrannique et affreux ?

« Les changements ne peuvent être faits que par le prince, ou par le peuple. Mais, là, les princes n'ont garde d'en faire, parce que, dans un si haut degré de puissance, ils ont tout ce qu'ils peuvent avoir : s'ils changeaient quelque 25 chose, ce ne pourrait être qu'à leur préjudice.

« Quant aux sujets, si quelqu'un d'eux forme quelque résolution, il ne saurait l'exécuter sur l'État : il faudrait qu'il contrebalançât tout à coup une puissance redoutable et toujours unique ; le temps lui manque, comme les 30

1. **Parricide :** Ravaillac, assassin d'Henri IV en 1610.

moyens ; mais il n'a qu'à aller à la source de ce pouvoir, et il ne lui faut qu'un bras et qu'un instant.

« Le meurtrier monte sur le trône, pendant que le monarque en descend, tombe et va expirer à ses pieds.

35 « Un mécontent, en Europe, songe à entretenir quelque intelligence secrète, à se jeter chez les ennemis, à se saisir de quelque place, à exciter quelques vains murmures parmi les sujets. Un mécontent, en Asie, va droit au prince, étonne, frappe, renverse ; il en efface jusqu'à l'idée : dans 40 un instant, l'esclave et le maître ; dans un instant, usurpateur et légitime.

« Malheureux le roi qui n'a qu'une tête ! Il semble ne réunir sur elle toute sa puissance que pour indiquer au premier ambitieux l'endroit où il la trouvera tout entière. »

De Paris, le 17 de la lune de Rébiab 2, 1717.

Lettre CIV
USBEK AU MÊME

Tous les peuples d'Europe ne sont pas également soumis à leurs princes : par exemple, l'humeur impatiente des Anglais ne laisse guère à leur roi le temps d'appesantir son autorité ; la soumission et l'obéissance sont les vertus dont 5 ils se piquent le moins. Ils disent là-dessus des choses bien extraordinaires. Selon eux, il n'y a qu'un lien qui puisse attacher les hommes, qui est celui de la gratitude : un mari, une femme, un père et un fils ne sont liés entre eux que par l'amour qu'ils se portent, ou par les bienfaits qu'ils 10 se procurent, et ces motifs divers de reconnaissance sont l'origine de tous les royaumes et de toutes les sociétés.

Mais, si un prince, bien loin de faire vivre ses sujets heureux, veut les accabler et les détruire, le fondement de l'obéissance cesse : rien ne les lie, rien ne les attache à lui ; 15 et ils rentrent dans leur liberté naturelle. Ils soutiennent que tout pouvoir sans bornes ne saurait être légitime,

parce qu'il n'a jamais pu avoir d'origine légitime. Car nous ne pouvons pas, disent-ils, donner à un autre plus de pouvoir sur nous que nous n'en avons nous-mêmes. Or nous n'avons pas sur nous-mêmes un pouvoir sans bornes : par exemple, nous ne pouvons pas nous ôter la vie. Personne n'a donc, concluent-ils, sur la terre un tel pouvoir.

Le crime de lèse-majesté n'est autre chose, selon eux, que le crime que le plus faible commet contre le plus fort en lui désobéissant, de quelque manière qu'il lui désobéisse. Aussi le peuple d'Angleterre qui se trouva le plus fort contre un de leurs rois, déclara-t-il que c'était un crime de lèse-majesté à un prince de faire la guerre à ses sujets[1]. Ils ont donc grande raison quand ils disent que le précepte de leur Alcoran qui ordonne de se soumettre aux puissances n'est pas bien difficile à suivre, puisqu'il leur est impossible de ne le pas observer ; d'autant que ce n'est pas au plus vertueux qu'on les oblige de se soumettre, mais à celui qui est le plus fort.

Les Anglais disent qu'un de leurs rois, ayant vaincu et fait prisonnier un prince qui lui disputait la couronne, voulut lui reprocher son infidélité et sa perfidie : « Il n'y a qu'un moment, dit le prince infortuné, qu'il vient d'être décidé lequel de nous deux est le traître[2]. »

Un usurpateur déclare rebelles tous ceux qui n'ont point opprimé la patrie comme lui ; et, croyant qu'il n'y a pas de lois là où il ne voit point de juges, il fait révérer comme des arrêts du ciel les caprices du hasard et de la fortune.

De Paris, le 20 de la lune de Rébiab 2, 1717.

1. **C'était un crime [...] à ses sujets :** avant même le procès de Charles I[er] devant la Haute cour, la Chambre des Communes déclara en 1649 qu'« un roi pouvait se rendre coupable de lèse-majesté envers son peuple. »
2. **« Il n'y a qu'un moment, dit le prince infortuné, qu'il vient d'être décidé lequel de nous deux est le traître » :** il s'agirait de la réponse du prince Édouard, fils de Henri VI, au roi Edouard IV qui venait de remporter la bataille de Tewkesbury en 1471.

Lettre CV
RHÉDI À USBEK, À PARIS

Tu m'as beaucoup parlé, dans une de tes lettres, des sciences et des arts cultivés en Occident. Tu me vas regarder comme un barbare ; mais je ne sais si l'utilité que l'on en retire dédommage les hommes du mauvais usage que
5 l'on en fait tous les jours.

J'ai ouï dire que la seule invention des bombes avait ôté la liberté à tous les peuples de l'Europe. Les princes, ne pouvant plus confier la garde des places aux bourgeois, qui, à la première bombe, se seraient rendus, ont eu un
10 prétexte pour entretenir de gros corps de troupes réglées, avec lesquelles ils ont, dans la suite, opprimé leurs sujets.

Tu sais que, depuis l'invention de la poudre, il n'y a plus de places imprenables ; c'est-à-dire, Usbek, qu'il n'y a plus d'asile sur la terre contre l'injustice et la violence.

15 Je tremble toujours qu'on ne parvienne à la fin à découvrir quelque secret qui fournisse une voie plus abrégée pour faire périr les hommes, détruire les peuples et les nations entières.

Tu as lu les historiens ; fais-y bien attention presque
20 toutes les monarchies n'ont été fondées que sur l'ignorance des arts, et n'ont été détruites que parce qu'on les a trop cultivés. L'ancien empire de Perse peut nous en fournir un exemple domestique.

Il n'y a pas longtemps que je suis en Europe ; mais j'ai
25 ouï parler à des gens sensés des ravages de la chimie : il semble que ce soit un quatrième fléau qui ruine les hommes et les détruit en détail, mais continuellement ; tandis que la guerre, la peste, la famine, les détruisent en gros, mais par intervalles.

30 Que nous a servi l'intention de la boussole et la découverte de tant de peuples, qu'à nous communiquer leurs maladies, plutôt que leurs richesses ? L'or et l'argent

avaient été établis, par une convention générale, pour être le prix de toutes les marchandises et un gage de leur valeur, par la raison que ces métaux étaient rares et inutiles à tout autre usage : que nous importait-il donc qu'ils devinssent plus communs, et que, pour marquer la valeur d'une denrée, nous eussions deux ou trois signes au lieu d'un ? Cela n'en était que plus incommode.

Mais, d'un autre côté, cette invention a été bien pernicieuse aux pays qui ont été découverts. Les nations entières ont été détruites, et les hommes qui ont échappé à la mort ont été réduits à une servitude si rude que le récit en fait frémir les musulmans.

Heureuse l'ignorance des enfants de Mahomet ! Aimable simplicité, si chérie de notre saint prophète, vous me rappelez toujours la naïveté des anciens temps et la tranquillité qui régnait dans le cœur de nos premiers pères !

De Venise, le 5 de la lune de Rhamazan, 1717.

Lettre CVI
Usbek à Rhédi, à Venise

Ou tu ne penses pas ce que tu dis, ou bien tu fais mieux que tu ne penses. Tu as quitté ta patrie pour t'instruire, et tu méprises toute instruction. Tu viens pour te former dans un pays où l'on cultive les beaux-arts, et tu les regardes comme pernicieux. Te le dirai-je, Rhédi ? Je suis plus d'accord avec toi que tu ne l'es avec toi-même.

As-tu bien réfléchi à l'état barbare et malheureux où nous entraînerait la perte des arts ? Il n'est pas nécessaire de se l'imaginer : on peut le voir. Il y a encore des peuples sur la terre chez lesquels un singe passablement instruit pourrait vivre avec honneur : il s'y trouverait à peu près à la portée des autres habitants ; on ne lui trouverait point l'esprit singulier, ni le caractère bizarre ; il passerait tout comme un autre et serait même distingué par sa gentillesse.

15 Tu dis que les fondateurs des empires ont presque tous
ignoré les arts. Je ne te nie pas que des peuples barbares
n'aient pu, comme des torrents impétueux, se répandre sur
la terre et couvrir de leurs armées féroces les royaumes les
plus policés. Mais, prends-y garde, ils ont appris les arts ou
20 les ont fait exercer aux peuples vaincus ; sans cela, leur puis-
sance aurait passé comme le bruit du tonnerre et des tempêtes.

Tu crains, dis-tu, que l'on n'invente quelque manière de
destruction plus cruelle que celle qui est en usage. Non :
si une si fatale invention venait à se découvrir, elle serait
25 bientôt prohibée par le droit des gens ; et le consentement
unanime des nations ensevelirait cette découverte. Il n'est
point de l'intérêt des princes de faire des conquêtes par de
pareilles voies ils doivent chercher des sujets, et non pas
des terres.

30 Tu te plains de l'invention de la poudre et des bombes ;
tu trouves étrange qu'il n'y ait plus de place imprenable :
c'est-à-dire que tu trouves étrange que les guerres soient
aujourd'hui terminées plus tôt qu'elles ne l'étaient autrefois.

Tu dois avoir remarqué, en lisant les histoires, que,
35 depuis l'invention de la poudre, les batailles sont beau-
coup moins sanglantes qu'elles ne l'étaient, parce qu'il n'y
a presque plus de mêlée.

Et quand il se serait trouvé quelque cas particulier où
un art aurait été préjudiciable, doit-on pour cela le
40 rejeter ? Penses-tu, Rhédi, que la religion que notre saint
Prophète a apportée du Ciel soit pernicieuse, parce qu'elle
servira un jour à confondre les perfides chrétiens ?

Tu crois que les arts amollissent les peuples et, par là,
sont cause de la chute des empires. Tu parles de la ruine
45 de celui des anciens Perses, qui fut l'effet de leur mollesse.
Mais il s'en faut bien que cet exemple décide, puisque les
Grecs, qui les vainquirent tant de fois, et les subjuguèrent,
cultivaient les arts avec infiniment plus de soin qu'eux.

Quand on dit que les arts rendent les hommes effémi-
50 nés, on ne parle pas du moins des gens qui s'y appliquent,

puisqu'ils ne sont jamais dans l'oisiveté, qui, de tous les vices, est celui qui amollit le plus le courage.

Il n'est donc question que de ceux qui en jouissent. Mais, comme, dans un pays policé, ceux qui jouissent des commodités d'un art sont obligés d'en cultiver un autre, à 55 moins de se voir réduits à une pauvreté honteuse, il suit que l'oisiveté et la mollesse sont incompatibles avec les arts.

Paris est peut-être la ville du monde la plus sensuelle, et où l'on raffine le plus sur les plaisirs ; mais c'est peut-être celle où l'on mène une vie plus dure. Pour qu'un homme vive 60 délicieusement, il faut que cent autres travaillent sans relâche. Une femme s'est mis dans la tête qu'elle devait paraître à une assemblée avec une certaine parure ; il faut que, dès ce moment, cinquante artisans ne dorment plus et n'aient plus le loisir de boire et de manger : elle commande, et elle est 65 obéie plus promptement que ne serait notre monarque, parce que l'intérêt est le plus grand monarque de la terre.

Cette ardeur pour le travail, cette passion de s'enrichir, passe de condition en condition, depuis les artisans jusques aux grands. Personne n'aime à être plus pauvre que celui 70 qu'il vient de voir immédiatement au-dessous de lui. Vous voyez à Paris un homme qui a de quoi vivre jusqu'au jour du jugement, qui travaille sans cesse et court risque d'accourcir ses jours, pour amasser, dit-il, de quoi vivre.

Le même esprit gagne la nation : on n'y voit que travail et 75 qu'industrie. Où est donc ce peuple efféminé dont tu parles tant ?

Je suppose, Rhédi, qu'on ne souffrît dans un royaume que les arts absolument nécessaires à la culture des terres, qui sont pourtant en grand nombre, et qu'on en bannît tous ceux 80 qui ne servent qu'à la volupté ou à la fantaisie ; je le soutiens : cet État serait un des plus misérables qu'il y eût au monde.

Quand les habitants auraient assez de courage pour se passer de tant de choses qu'ils doivent à leurs besoins, le peuple dépérirait tous les jours, et l'État deviendrait si faible 85 qu'il n'y aurait si petite puissance qui ne pût le conquérir.

Lettre CVI

Il me serait aisé d'entrer dans un long détail, et de te faire voir que les revenus des particuliers cesseraient presque absolument, et, par conséquent, ceux du prince. Il n'y
90 aurait presque plus de relation de facultés entre les citoyens ; on verrait finir cette circulation de richesses et cette progression de revenus qui vient de la dépendance où sont les arts les uns des autres : chaque particulier vivrait de sa terre et n'en retirerait que ce qu'il lui faut pré-
95 cisément pour ne pas mourir de faim. Mais comme ce n'est pas quelquefois la vingtième partie des revenus d'un État, il faudrait que le nombre des habitants diminuât à proportion, et qu'il n'en restât que la vingtième partie.

Fais bien attention jusqu'où vont les revenus de l'indus-
100 trie. Un fonds ne produit annuellement à son maître que la vingtième partie de sa valeur ; mais, avec une pistole de couleur, un peintre fera un tableau qui, lui, en vaudra cinquante. On en peut dire de même des orfèvres, des ouvriers en laine, en soie, et de toutes sortes d'artisans.

105 De tout ceci, on doit conclure, Rhédi, que, pour qu'un prince soit puissant, il faut que ses sujets vivent dans les délices ; il faut qu'il travaille à leur procurer toutes sortes de superfluités, avec autant d'attention que les nécessités de la vie.

De Paris, le 14 de la lune de Chalval, 1717.

Lettre CVII
Rica à Ibben, à Smyrne

J'ai vu le jeune monarque. Sa vie est bien précieuse à ses sujets. Elle ne l'est pas moins à toute l'Europe, par les grands troubles que sa mort pourrait produire. Mais les rois sont comme les dieux, et, pendant qu'ils vivent, on

doit les croire immortels. Sa physionomie est majestueuse, 5
mais charmante ; une belle éducation semble concourir
avec un heureux naturel, et promet déjà un grand prince.

On dit que l'on ne peut jamais connaître le caractère des
rois d'Occident jusques à ce qu'ils aient passé par les deux
grandes épreuves de leur maîtresse et de leur confesseur. 10
On verra bientôt l'un et l'autre travailler à se saisir de l'esprit
de celui-ci, et il se livrera pour cela de grands combats :
car, sous un jeune prince, ces deux puissances sont tou-
jours rivales ; mais elles se concilient et se réunissent sous
un vieux. Sous un jeune prince, le dervis a un rôle bien 15
difficile à soutenir : la force du roi fait sa faiblesse ; mais
l'autre triomphe également de sa faiblesse et de sa force.

Lorsque j'arrivai en France, je trouvai le feu roi absolu-
ment gouverné par les femmes, et, cependant, dans l'âge
où il était, je crois que c'était le monarque de la terre qui 20
en avait le moins besoin. J'entendis un jour une femme
qui disait : « Il faut que l'on fasse quelque chose pour ce
jeune colonel : sa valeur m'est connue ; j'en parlerai au
ministre. » Une autre disait : « Il est surprenant que ce
jeune abbé ait été oublié ; il faut qu'il soit évêque : il est 25
homme de naissance, et je pourrais répondre de ses
mœurs. » Il ne faut pas pourtant que tu t'imagines que celles
qui tenaient ces discours fussent des favorites du prince ;
elles ne lui avaient peut-être pas parlé deux fois en leur
vie : chose pourtant très facile à faire chez les princes 30
européens. Mais c'est qu'il n'y a personne qui ait quelque
emploi à la cour, dans Paris ou dans les provinces, qui n'ait
une femme par les mains de laquelle passent toutes les
grâces et quelquefois les injustices qu'il peut faire. Ces
femmes ont toutes des relations les unes avec les autres et 35
forment une espèce de république dont les membres tou-
jours actifs se secourent et se servent mutuellement : c'est
comme un nouvel État dans l'État ; et celui qui est à la
cour, à Paris, dans les provinces, qui voit agir des ministres,
des magistrats, des prélats, s'il ne connaît les femmes qui 40

les gouvernent, est comme un homme qui voit bien une machine qui joue, mais qui n'en connaît point les ressorts.

Crois-tu, Ibben, qu'une femme s'avise d'être la maîtresse d'un ministre pour coucher avec lui ? Quelle idée ! C'est pour lui présenter cinq ou six placets[1] tous les matins, et la bonté de leur naturel paraît dans l'empressement qu'elles ont de faire du bien à une infinité de gens malheureux qui leur procurent cent mille livres de rente.

On se plaint, en Perse, de ce que le royaume est gouverné par deux ou trois femmes. C'est bien pis en France, où les femmes en général gouvernent, et non seulement prennent en gros, mais même se partagent en détail toute l'autorité.

De Paris, le dernier de la lune de Chalval, 1717.

1. **Placets :** demandes faites par écrit pour obtenir justice, ou obtenir une faveur.

Clefs d'analyse

Compréhension

Le gouvernement des femmes

- Dire quel est l'auteur de la lettre et à qui elle est adressée.
- Rechercher quel est l'épistolier qui domine dans les six lettres précédentes.

Le discours satirique

- Définir le registre de cette lettre.
- Donner l'idée directrice de cette lettre.

Réflexion

Une critique du roi

- Dire ce qui caractérise la première phrase de cette lettre.
- Donner l'objet du premier paragraphe.

L'humour misogyne

- Repérer le changement qui a lieu dans le deuxième paragraphe.
- Commenter l'effet produit par l'adverbe « absolument » du troisième paragraphe.
- Dire pourquoi Rica use du discours direct dans le même troisième paragraphe.
- Préciser l'image de la femme que véhiculent cette lettre et, plus généralement, les *Lettres persanes*.

À retenir :

La satire est à l'origine un texte qui mélangeait les vers et la prose (le premier sens est celui de « pot-pourri »). La Satire Ménippée, œuvre collective pamphlétaire rédigée du temps de la Ligue, mélangeait vers et prose. Cependant, aujourd'hui, et déjà à l'époque de Montesquieu, la satire se définit moins par sa forme que par son intention critique et ses effets comiques. Il s'agit d'un discours qui dénonce les travers d'une personne ou d'une société, en les montrant sous un jour comique.

Lettre CVIII
Usbek à***

Il y a une espèce de livres que nous ne connaissons point en Perse, et qui me paraissent ici fort à la mode : ce sont les journaux. La paresse se sent flattée en les lisant : on est ravi de pouvoir parcourir trente volumes en un quart d'heure.

Dans la plupart des livres, l'auteur n'a pas fait les compliments ordinaires que les lecteurs sont aux abois : il les fait entrer à demi morts dans une matière noyée au milieu d'une mer de paroles. Celui-ci veut s'immortaliser par un *in-douze*[1] ; celui-là, par un *in-quarto*[2] ; un autre, qui a de plus belles inclinations, vise à *l'in-folio*[3]. Il faut donc qu'il étende son sujet à proportion ; ce qu'il fait sans pitié, comptant pour rien la peine du pauvre lecteur, qui se tue à réduire ce que l'auteur a pris tant de peine à amplifier.

Je ne sais***, quel mérite il y a à faire de pareils ouvrages : j'en ferais bien autant, si je voulais ruiner ma santé et un libraire.

Le grand tort qu'ont les journalistes, c'est qu'ils ne parlent que des livres nouveaux ; comme si la vérité était jamais nouvelle. Il me semble que, jusqu'à ce qu'un homme ait lu tous les livres anciens, il n'a aucune raison de leur préférer les nouveaux.

Mais, lorsqu'ils s'imposent la loi de ne parler que des ouvrages encore tout chauds de la forge, ils s'en imposent un autre, qui est d'être très ennuyeux. Ils n'ont garde de critiquer les livres dont ils font les extraits, quelque raison qu'ils en aient ; et, en effet, quel est l'homme assez hardi pour vouloir se faire dix ou douze ennemis tous les mois ?

1. **In-douze** : dont les livres sont pliés en douze feuilles.
2. **In-quarto** : dont la feuille, pliée en quatre feuillets, forme huit pages.
3. **In-folio** : dont la feuille d'impression est pliée en deux.

Lettre CVIII

La plupart des auteurs ressemblent aux poètes, qui souf-
30 friront une volée de coups de bâton sans se plaindre ;
mais qui, peu jaloux de leurs épaules, le sont si fort de
leurs ouvrages qu'ils ne sauraient soutenir la moindre cri-
tique. Il faut donc bien se donner de garde de les attaquer
par un endroit si sensible, et les journalistes le savent
35 bien. Ils font donc tout le contraire. Ils commencent par
louer la matière qui est traitée : première fadeur. De là, ils
passent aux louanges de l'auteur ; louanges forcées : car
ils ont affaire à des gens qui sont encore en haleine, tout
prêts à se faire faire raison, et à foudroyer à coups de
40 plume un téméraire journaliste.

De Paris, le 5 de la lune de Zilcadé, 1718.

Lettre CIX
RICA À***

L'université de Paris est la fille aînée des rois de France,
et très aînée : car elle a plus de neuf cents ans[1], aussi rêve-
t-elle quelquefois.
On m'a conté qu'elle eut, il y a quelque temps, un grand
5 démêlé avec quelques docteurs, à l'occasion de la lettre Q,
qu'elle voulait que l'on prononçât comme un K[2]. La dispute
s'échauffa si fort que quelques-uns furent dépouillés de
leurs biens. Il fallut que le Parlement terminât le différend, et
il accorda permission, par un arrêt solennel, à tous les sujets
10 du roi de France, de prononcer cette lettre à leur fantaisie. Il

1. **Neuf cents ans :** Montesquieu suit une tradition qui fait remonter à
Charlemagne la fondation de l'université de Paris.
2. **Un grand démêlé [...] un K :** « Il veut parler de la querelle de
Ramus. » (Note de Montesquieu.) Ramus, professeur au Collège de
France, fut en butte aux attaques de la Sorbonne qui lui reprochait la
manière dont il prononçait la lettre Q.

faisait beau voir les deux corps de l'Europe les plus respectables occupés à décider du sort d'une lettre de l'alphabet.

Il semble, mon cher, que les têtes des plus grands hommes s'étrécissent lorsqu'elles sont assemblées et que, là où il y a plus de sages, il y ait aussi moins de sagesse. Les grands corps s'attachent toujours si fort aux minuties, aux vains usages, que l'essentiel ne va jamais qu'après. J'ai ouï dire qu'un roi d'Aragon ayant assemblé les états d'Aragon et de Catalogne, les premières séances s'employèrent à décider en quelle langue les délibérations seraient conçues[1] ; la dispute était vive, et les états se seraient rompus mille fois, si l'on n'avait imaginé un expédient, qui était que la demande serait faite en langage catalan et la réponse en aragonais.

De Paris, le 25 de la lune de Zilhagé, 1718.

Lettre CX
RICA À***

Le rôle d'une jolie femme est beaucoup plus grave que l'on ne pense : il n'y a rien de plus sérieux que ce qui se passe le matin à sa toilette, au milieu de ses domestiques ; un général d'armée n'emploie pas plus d'attention à placer sa droite, ou son corps de réserve, qu'elle en met à poster une mouche, qui peut manquer, mais dont elle espère ou prévoit le succès.

Quelle gêne d'esprit, quelle attention pour concilier sans cesse les intérêts de deux rivaux, pour paraître neutre à tous les deux, pendant qu'elle est livrée à l'un et à l'autre, et se rendre médiatrice sur tous les sujets de plainte qu'elle leur donne !

1. **J'ai ouï dire [...] seraient conçues :** « C'était en 1610. » (Note de Montesquieu.) Ferdinand II (dit « le Catholique »), roi d'Aragon, assemblait les États d'Aragon et de Catalogne avant toute guerre, et dut discuter en 1610 pour savoir en quelle langue, aragonais ou catalan, se ferait la délibération.

Lettre CX

Quelle occupation pour faire succéder et renaître les parties de plaisir, et prévenir tous les accidents qui pourraient les rompre !

Avec tout cela, la plus grande peine n'est pas de se divertir ; c'est de le paraître : ennuyez-les tant que vous voudrez, elles vous le pardonneront, pourvu que l'on puisse croire qu'elles se sont réjouies.

Je fus, il y a quelques jours, d'un souper que des femmes firent à la campagne. Dans le chemin, elles disaient sans cesse : « Au moins, il faudra bien nous divertir. »

Nous nous trouvâmes assez mal assortis et, par conséquent, assez sérieux. « Il faut avouer, dit une de ces femmes, que nous nous divertissons bien : il n'y a pas aujourd'hui dans Paris une partie si gaie que la nôtre. » Comme l'ennui me gagnait, une femme me secoua et me dit : « Eh bien ! ne sommes-nous pas de bonne humeur ? — Oui, lui répondis-je en bâillant ; je crois que je crèverai à force de rire. » Cependant la tristesse triomphait toujours des réflexions, et, quant à moi, je me sentis conduit, de bâillement en bâillement, dans un sommeil léthargique, qui finit tous mes plaisirs.

De Paris, le 11 de la lune de Maharram, 1718.

Lettre CXI
Usbek à***

Le règne du feu roi a été si long que la fin en avait fait oublier le commencement. C'est aujourd'hui la mode de ne s'occuper que des événements arrivés dans sa minorité, et on ne lit plus que les mémoires de ces temps-là[1].

1. **Les mémoires de ces temps-là :** Montesquieu pense ici aux *Mémoires* du cardinal de Retz qui relatent la Fronde.

Voici le discours qu'un des généraux de la ville de Paris 5
prononça dans un conseil de guerre, et j'avoue que je n'y
comprends pas grand-chose[1].

Messieurs, quoique nos troupes aient été repoussées avec
perte, je crois qu'il nous sera facile de réparer cet échec. J'ai
six couplets de chanson tout prêts à mettre au jour, qui, je 10
m'assure, remettront toutes choses dans l'équilibre. J'ai fait
choix de quelques voix très nettes, qui, sortant de la cavité
de certaines poitrines très fortes, émouvront merveilleuse-
ment le peuple. Ils sont sur un air qui a fait, jusqu'à présent,
un effet tout particulier. 15

Si cela ne suffit pas, nous ferons paraître une estampe qui
fera voir Mazarin pendu.

Par bonheur pour nous, il ne parle pas bien français, et il
l'écorche tellement qu'il n'est pas possible que ses affaires ne
déclinent. Nous ne manquons pas de faire bien remarquer 20
au peuple le ton ridicule dont il prononce. Nous relevâmes,
il y a quelques jours, une faute de grammaire si grossière
qu'on en fit des farces par tous les carrefours[2].

J'espère qu'avant qu'il soit huit jours le peuple fera du
nom de Mazarin un mot générique pour exprimer toutes les 25
bêtes de somme et celles qui servent à tirer.

Depuis notre défaite, notre musique l'a si furieusement
vexé sur le péché originel que, pour ne pas voir ses partisans
réduits à la moitié, il a été obligé de renvoyer tous ses pages.

Ranimez-vous donc ; reprenez courage, et soyez sûrs que 30
nous lui ferons repasser les monts à coups de sifflets.

De Paris, le 4 de la lune de Chahban, 1718.

1. **J'avoue que je n'y comprends pas grand-chose :** on peut penser que
c'est Retz qui parle et présente une synthèse humoristique de la Fronde.
2. **Une faute de grammaire si grossière [...] les carrefours :** Mazarin
aurait prononcé « arrêt d'union » (arrêt du Parlement organisant
l'assemblée des députés des quatre cours souveraines de Paris) « arrêt
d'oignon ». Les chansonniers s'emparèrent de cette erreur.

Lettre CXII[1]
RHÉDI À USBEK, À PARIS

Pendant le séjour que je fais en Europe, je lis les histo-
riens anciens et modernes : je compare tous les temps ; j'ai
du plaisir à les voir passer, pour ainsi dire, devant moi, et
j'arrête surtout mon esprit à ces grands changements qui
5 ont rendu les âges si différents des âges, et la terre si peu
semblable à elle-même.

Tu n'as peut-être pas fait attention à une chose qui
cause tous les jours ma surprise. Comment le monde est-il
si peu peuplé en comparaison de ce qu'il était autrefois ?
10 Comment la nature a-t-elle pu perdre cette prodigieuse
fécondité des premiers temps ?

Serait-elle déjà dans sa vieillesse, et tomberait-elle de
langueur ?

J'ai resté plus d'un an en Italie, où je n'ai vu que le
15 débris de cette ancienne Italie, si fameuse autrefois.
Quoique tout le monde habite les villes, elles sont entiè-
rement désertes et dépeuplées : il semble qu'elles ne sub-
sistent encore que pour marquer le lieu où étaient ces
cités puissantes dont l'histoire a tant parlé.

20 Il y a des gens qui prétendent que la seule ville de Rome
contenait autrefois plus de peuple qu'un grand royaume
de l'Europe n'en a aujourd'hui. Il y a eu tel citoyen romain
qui avait dix et même vingt mille esclaves, sans compter
ceux qui travaillaient dans les maisons de campagne ; et,
25 comme on y comptait quatre ou cinq cent mille citoyens,
on ne peut fixer le nombre de ses habitants sans que
l'imagination ne se révolte.

1. **Lettre CXII :** Montesquieu commence une série de 11 lettres (CXII à
CXXII) sur les causes de la dépopulation du monde. Cette idée de la
dépopulation du monde remonte à l'Antiquité et se fonde sur un
mythe de l'âge d'or.

Il y avait autrefois dans la Sicile de puissants royaumes et des peuples nombreux, qui en ont disparu depuis : cette île n'a plus rien de considérable que ses volcans. [30]

La Grèce est si déserte qu'elle ne contient pas la centième partie de ses anciens habitants.

L'Espagne, autrefois si remplie, ne fait voir aujourd'hui que des campagnes inhabitées ; et la France n'est rien en comparaison de cette ancienne Gaule dont parle César. [35]

Les pays du Nord sont fort dégarnis, et il s'en faut bien que les peuples y soient, comme autrefois, obligés de se partager et d'envoyer dehors, comme des essaims, des colonies et des nations entières chercher de nouvelles demeures. [40]

La Pologne et la Turquie en Europe n'ont presque plus de peuples.

On ne saurait trouver dans l'Amérique la cinquantième partie des hommes qui y formaient de si grands empires.

L'Asie n'est guère en meilleur état. Cette Asie Mineure, [45] qui contenait tant de puissantes monarchies et un nombre si prodigieux de grandes villes, n'en a plus que deux ou trois. Quant à la grande Asie, celle qui est soumise au Turc n'est pas plus peuplée ; et, pour celle qui est sous la domination de nos rois, si on la compare à l'état florissant où [50] elle était autrefois, on verra qu'elle n'a qu'une petite partie des habitants qui y étaient sans nombre du temps des Xerxès et des Darius[1].

Quant aux petits États qui sont autour de ces grands empires, ils sont réellement déserts : tels sont les royaumes [55] d'Irimette, de Circassie et de Guriel[2]. Ces princes, avec de vastes États, comptent à peine cinquante mille sujets.

1. **Des Xerxès et des Darius :** noms de souverains achéménides qui furent rois de Perse du vi[e] au iii[e] siècle avant J.-C.
2. **Irimette, Circassie, Guriel :** la Circassie est le pays des Tcherkesses au sud-est de Kouban. Guriel et Irimette sont deux principautés caucasiennes vassales des Turcs, situées entre la mer Noire et la Géorgie.

Lettre CXII

L'Égypte n'a pas moins manqué que les autres pays.

Enfin, je parcours la terre, et je n'y trouve que des déla-
brements : je crois la voir sortir des ravages de la peste et
de la famine.

L'Afrique a toujours été si inconnue qu'on ne peut en
parler si précisément que des autres parties du monde ;
mais, à ne faire attention qu'aux côtes de la Méditerranée,
connues de tout temps, on voit qu'elle a extrêmement
déchu de ce qu'elle était sous les Carthaginois et les Romains.
Aujourd'hui ses princes sont si faibles que ce sont les plus
petites puissances du monde.

Après un calcul aussi exact qu'il peut l'être dans ces sortes
de choses, j'ai trouvé qu'il y a à peine sur la terre la
dixième partie des hommes qui y étaient dans les anciens
temps. Ce qu'il y a d'étonnant, c'est qu'elle se dépeuple
tous les jours, et, si cela continue, dans dix siècles elle ne
sera qu'un désert.

Voilà, mon cher Usbek, la plus terrible catastrophe qui
soit jamais arrivée dans le monde ; mais à peine s'en est-
on aperçu, parce qu'elle est arrivée insensiblement et dans
le cours d'un grand nombre de siècles ; ce qui marque un
vice intérieur, un venin secret et caché, une maladie de
langueur qui afflige la nature humaine

De Venise, le 10 de la lune de Rhegeb, 1718.

Lettre CXIII
Usbek à Rhédi, à Venise

Le monde, mon cher Rhédi, n'est point incorruptible[1] ;
les cieux mêmes ne le sont pas : les astronomes sont des

1. **Incorruptible :** au sens d'inaltérable.

témoins oculaires de leurs changements, qui sont des effets bien naturels du mouvement universel de la matière.

La terre est soumise, comme les autres planètes, aux lois des mouvements ; elle souffre au-dedans d'elle un combat perpétuel de ses principes : la mer et le continent semblent être dans une guerre éternelle chaque instant produit de nouvelles combinaisons.

Les hommes, dans une demeure si sujette aux changements, sont dans un état aussi incertain : cent mille causes peuvent agir, capables de les détruire, et, à plus forte raison, d'augmenter ou de diminuer leur nombre.

Je ne te parlerai pas de ces catastrophes particulières, si communes chez les historiens, qui ont détruit des villes et des royaumes entiers ; il y en a de générales, qui ont mis bien des fois le genre humain à deux doigts de sa perte[1].

Les histoires sont pleines de ces pestes universelles qui ont tour à tour désolé l'univers. Elles parlent d'une, entre autres, qui fut si violente qu'elle brûla jusques à la racine des plantes, et se fit sentir dans tout le monde connu, jusques à l'empire du Catay ; un degré de plus de corruption aurait, peut-être dans un seul jour, détruit toute la nature humaine.

Il n'y a pas deux siècles que la plus honteuse de toutes les maladies[2] se fit sentir en Europe, en Asie et en Afrique ; elle fit, dans très peu de temps, des effets prodigieux : c'était fait des hommes si elle avait continué ses progrès avec la même furie. Accablés de maux dès leur naissance, incapables de soutenir le poids des charges de la société, ils auraient péri misérablement.

Qu'aurait-ce été si le venin eût été un peu plus exalté ? Et il le serait devenu sans doute si l'on n'avait été assez heureux pour trouver un remède aussi puissant que celui qu'on

1. **Ces catastrophes particulières [...] le genre humain à deux doigts de sa perte :** le Déluge fait partie de ces catastrophes.
2. **La plus honteuse de toutes les maladies :** la vérole, maladie vénérienne.

35 a découvert. Peut-être que cette maladie, attaquant les parties de la génération, aurait attaqué la génération même.

Mais pourquoi parler de la destruction qui aurait pu arriver au genre humain ? N'est-elle pas arrivée, en effet, et le Déluge ne le réduisit-il pas à une seule famille ?

40 Il y a des philosophes qui distinguent deux créations : celle des choses et celle de l'homme. Ils ne peuvent comprendre que la matière et les choses créées n'aient que six mille ans ; que Dieu ait différé pendant toute l'éternité ses ouvrages et n'ait usé que d'hier de sa puissance créatrice.

45 Serait-ce parce qu'il ne l'aurait pas pu, ou parce qu'il ne l'aurait pas voulu ? Mais, s'il ne l'a pas pu dans un temps, il ne l'a pas pu dans l'autre. C'est donc parce qu'il ne l'a pas voulu. Mais, comme il n'y a point de succession dans Dieu, si l'on admet qu'il ait voulu quelque chose une fois,

50 il l'a voulue toujours et dès le commencement.

Cependant tous les historiens nous parlent d'un premier père. Ils nous font voir la nature humaine naissante. N'est-il pas naturel de penser qu'Adam fut sauvé d'un malheur commun, comme Noé le fut du Déluge, et que ces grands

55 événements ont été fréquents sur la terre depuis la création du monde ?

Mais toutes les destructions ne sont pas violentes nous voyons plusieurs parties de la terre se lasser de fournir à la subsistance des hommes. Que savons-nous si la terre

60 entière n'a pas des causes générales, lentes et imperceptibles, de lassitude ?

J'ai été bien aise de te donner ces idées générales avant de répondre plus particulièrement à ta lettre sur la diminution des peuples arrivée depuis dix-sept à dix-huit siècles.

65 Je te ferai voir, dans une lettre suivante, qu'indépendamment des causes physiques, il y en a de morales qui ont produit cet effet.

De Paris, le 8 de la lune de Chahban, 1718.

Lettre CXIV
Usbek au même

Tu cherches la raison pourquoi la terre est moins peuplée qu'elle ne l'était autrefois, et, si tu y fais bien attention, tu verras que la grande différence vient de celle qui est arrivée dans les mœurs.

Depuis que la religion chrétienne et la mahométane ont partagé le monde romain, les choses sont bien changées : il s'en faut de beaucoup que ces deux religions soient aussi favorables à la propagation de l'espèce que celle de ces maîtres de l'univers.

Dans cette dernière, la polygamie était défendue et, en cela, elle avait un très grand avantage sur la religion mahométane. Le divorce y était permis ; ce qui lui en donnait un autre, non moins considérable, sur la chrétienne.

Je ne trouve rien de si contradictoire que cette pluralité des femmes permises par le saint Alcoran, et l'ordre de les satisfaire donné dans le même livre. « Voyez vos femmes, dit le Prophète, parce que vous leur êtes nécessaires comme leurs vêtements, et qu'elles vous sont nécessaires comme vos vêtements[1]. » Voilà un précepte qui rend la vie d'un véritable musulman bien laborieuse. Celui qui a les quatre femmes établies par la Loi[2], ou seulement autant de concubines ou d'esclaves, ne doit-il pas être accablé de tant de vêtements ?

« Vos femmes sont vos labourages, dit encore le Prophète ; approchez-vous donc de vos labourages, faites du bien pour vos âmes, et vous le trouverez un jour[3]. »

1. « **Voyez vos femmes [...] comme vos vêtements** » : Coran, II, 183.
2. Coran, IV, 223 : « Épousez celles qui vous agréeront, ou deux, ou trois, ou quatre ».
3. « **Vos femmes [...] un jour** » : Coran, IV, 223.

Je regarde un bon musulman comme un athlète destiné à combattre sans relâche ; mais qui, bientôt faible et accablé de ses premières fatigues, languit dans le champ

30 même de la victoire, et se trouve, pour ainsi dire, enseveli sous ses propres triomphes.

La nature agit toujours avec lenteur, et pour ainsi dire, avec épargne : ses opérations ne sont jamais violentes ; jusque dans ses productions, elle veut de la tempérance ;

35 elle ne va jamais qu'avec règle et mesure ; si on la précipite, elle tombe bientôt dans la langueur ; elle emploie toute la force qui lui reste à se conserver, perdant absolument sa vertu productrice et sa puissance générative.

C'est dans cet état de défaillance que nous met toujours ce

40 grand nombre de femmes plus propre à nous épuiser qu'à nous satisfaire. Il est très ordinaire parmi nous de voir un homme dans un sérail prodigieux avec un très petit nombre d'enfants. Ces enfants mêmes sont, la plupart du temps, faibles et malsains, et se sentent de la langueur de leur père.

45 Ce n'est pas tout : ces femmes obligées à une continence forcée ont besoin d'avoir des gens pour les garder, qui ne peuvent être que des eunuques : la religion, la jalousie et la raison même ne permettent pas d'en laisser approcher d'autres. Ces gardiens doivent être en grand

50 nombre, soit afin de maintenir la tranquillité au-dedans, parmi les guerres que ces femmes se font sans cesse, soit pour empêcher les entreprises du dehors. Ainsi un homme qui a dix femmes ou concubines n'a pas trop d'autant d'eunuques pour les garder. Mais quelle perte pour la

55 société que ce grand nombre d'hommes morts dès leur naissance ! Quelle dépopulation ne doit-il pas s'en suivre !

Les filles esclaves qui sont dans le sérail, pour servir avec les eunuques ce grand nombre de femmes, y vieillissent presque toujours dans une affligeante virginité :

60 elles ne peuvent pas se marier pendant qu'elles y restent, et leurs maîtresses, une fois accoutumées à elles, ne s'en défont presque jamais.

Voilà comment un seul homme occupe à ses plaisirs tant de sujets de l'un et de l'autre sexe, les fait mourir pour l'État, et les rend inutiles à la propagation de l'espèce. 65

Constantinople et Ispahan sont les capitales des deux plus grands empires du monde : c'est là que tout doit aboutir, et que les peuples, attirés de mille manières, se rendent de toutes parts. Cependant elles périssent d'elles-mêmes, et elles seraient bientôt détruites, si les souverains 70 n'y faisaient venir, presque à chaque siècle, des nations entières pour les repeupler. J'épuiserai ce sujet dans une autre lettre.

De Paris, le 13 de la lune de Chahban, 1718.

Lettre CXV
USBEK AU MÊME

Les Romains n'avaient pas moins d'esclaves que nous ; ils en avaient même plus ; mais ils en faisaient un meilleur usage.

Bien loin d'empêcher, par des voies forcées, la multiplication de ces esclaves, ils la favorisaient au contraire de 5 tout leur pouvoir : ils les associaient le plus qu'ils pouvaient par des espèces de mariages. Par ce moyen, ils remplissaient leurs maisons de domestiques de tous les sexes, de tous les âges, et l'État d'un peuple innombrable.

Ces enfants, qui faisaient à la longue la richesse d'un 10 maître, naissaient sans nombre autour de lui ; il était seul chargé de leur nourriture et de leur éducation ; les pères, libres de ce fardeau, suivaient uniquement le penchant de la nature, et multipliaient, sans craindre une trop nombreuse famille. 15

Je t'ai dit que, parmi nous, tous les esclaves sont occupés à garder nos femmes, et à rien de plus ; qu'ils sont, à l'égard de l'État, dans une perpétuelle léthargie ; de

20 manière qu'il faut restreindre à quelques hommes libres, à quelques chefs de famille, la culture des arts et des terres, lesquels même s'y donnent le moins qu'ils peuvent.

Il n'en était pas de même chez les Romains : la République se servait avec un avantage infini de ce peuple d'esclaves. Chacun d'eux avait son pécule[1], qu'il possédait 25 aux conditions que son maître lui imposait ; avec ce pécule, il travaillait et se tournait du côté où le portait son industrie[2]. Celui-ci faisait valoir la banque, celui-là se donnait au commerce de la mer ; l'un vendait des marchandises en détail ; l'autre s'appliquait à quelque art mécanique, ou bien affer30 mait et faisait valoir des terres. Mais il n'y en avait aucun qui ne s'attachât de tout son pouvoir à faire profiter ce pécule, qui lui procurait, en même temps, l'aisance dans la servitude présente et l'espérance d'une liberté future. Cela faisait un peuple laborieux, animait les arts et l'industrie.

35 Ces esclaves, devenus riches par leurs soins et leur travail, se faisaient affranchir, et devenaient citoyens. La république se réparait sans cesse et recevait dans son sein de nouvelles familles, à mesure que les anciennes se détruisaient.

40 J'aurai peut-être, dans mes lettres suivantes, occasion de te prouver que, plus il y a d'hommes dans un État, plus le commerce y fleurit ; je prouverai aussi facilement que, plus le commerce y fleurit, plus le nombre des hommes y augmente : ces deux choses s'entraident et se favorisent 45 nécessairement.

Si cela est, combien ce nombre prodigieux d'esclaves, toujours laborieux, devait-il s'accroître et s'augmenter ! L'industrie et l'abondance les faisaient naître, et eux, de leur côté, faisaient naître l'abondance et l'industrie.

De Paris, le 16 de la lune de Chahban, 1718.

1. **Pécule :** économies qu'un esclave amassait pour acheter sa liberté.
2. **Industrie :** adresse, notamment manuelle, habileté dans un travail.

Lettre CXVI
USBEK AU MÊME

Nous avons, jusques ici, parlé des pays mahométans, et cherché la raison pourquoi ils sont moins peuplés que ceux qui étaient soumis à la domination des Romains. Examinons à présent ce qui a produit cet effet chez les chrétiens. 5

Le divorce était permis dans la religion païenne, et il fut défendu aux chrétiens. Ce changement, qui parut d'abord de si petite conséquence, eut insensiblement des suites terribles, et telles qu'on peut à peine les croire.

On ôta non seulement toute la douceur du mariage, 10
mais aussi l'on donna atteinte à sa fin : en voulant resserrer ses nœuds, on les relâcha ; et, au lieu d'unir les cœurs, comme on le prétendait, on les sépara pour jamais.

Dans une action si libre, et où le cœur doit avoir tant de part, on mit la gêne, la nécessité et la fatalité du destin 15
même. On compta pour rien les dégoûts, les caprices et l'insociabilité des humeurs ; on voulut fixer le cœur, c'est-à-dire ce qu'il y a de plus variable et de plus inconstant dans la nature ; on attacha sans retour et sans espérance des gens accablés l'un de l'autre et presque toujours mal 20
assortis ; et l'on fit comme ces tyrans, qui faisaient lier des hommes vivants à des corps morts.

Rien ne contribuait plus à l'attachement mutuel que la faculté du divorce : un mari et une femme étaient portés à soutenir patiemment les peines domestiques, sachant 25
qu'ils étaient maîtres de les faire finir, et ils gardaient souvent ce pouvoir en main toute leur vie sans en user, par cette seule considération qu'ils étaient libres de le faire.

Il n'en est pas de même des chrétiens, que leurs peines présentes désespèrent pour l'avenir. Ils ne voient dans les 30
désagréments du mariage que leur durée et, pour ainsi dire, leur éternité : de là viennent les dégoûts, les dis-

cordes, les mépris, et c'est autant de perdu pour la postéri-
té. À peine a-t-on trois ans de mariage qu'on en néglige
35 l'essentiel ; on passe ensemble trente ans de froideur ; il se
forme des séparations intestines aussi fortes et peut-être
plus pernicieuses que si elles étaient publiques ; chacun
vit et reste de son côté ; et tout cela au préjudice des races
futures. Bientôt un homme, dégoûté d'une femme éter-
40 nelle, se livrera aux filles de joie : commerce honteux et si
contraire à la société, lequel, sans remplir l'objet du
mariage, n'en représente tout au plus que les plaisirs.

Si, de deux personnes ainsi liées, il y en a une qui n'est
pas propre au dessein de la nature et à la propagation de
45 l'espèce, soit par son tempérament soit par son âge, elle
ensevelit l'autre avec elle, et la rend aussi inutile qu'elle
l'est elle-même.

Il ne faut donc pas s'étonner si l'on voit chez les chré-
tiens tant de mariages fournir un si petit nombre de
50 citoyens. Le divorce est aboli ; les mariages mal assortis ne
se raccommodent plus ; les femmes ne passent plus,
comme chez les Romains, successivement dans les mains
de plusieurs maris, qui en tiraient, dans le chemin, le meil-
leur parti qu'il était possible.

55 J'ose le dire : si, dans une république comme Lacédémone[1],
où les citoyens étaient sans cesse gênés par des lois singu-
lières et subtiles, et dans laquelle il n'y avait qu'une
famille, qui était la république, il avait été établi que les
maris changeassent de femmes tous les ans, il en serait né
60 un peuple innombrable.

Il est assez difficile de faire bien comprendre la raison
qui a porté les chrétiens à abolir le divorce. Le mariage,
chez toutes les nations du monde, est un contrat suscep-
tible de toutes les conventions, et on n'en a dû bannir que
65 celles qui auraient pu en affaiblir l'objet. Mais les chrétiens

1. **Lacédémone :** ou Sparte dans le Péloponnèse.

ne le regardent pas dans ce point de vue ; aussi ont-ils bien de la peine à dire ce que c'est. Ils ne le font pas consister dans le plaisir des sens ; au contraire, comme je te l'ai déjà dit, il semble qu'ils veulent l'en bannir autant qu'ils peuvent ; mais c'est une image, une figure et quelque 70 chose de mystérieux que je ne comprends point.

De Paris, le 19 de la lune de Chahban, 1718.

Lettre CXVII
USBEK AU MÊME

La prohibition du divorce n'est pas la seule cause de la dépopulation des pays chrétiens. Le grand nombre d'eunuques qu'ils ont parmi eux n'en est pas une moins considérable.

Je parle des prêtres et des dervis[1] de l'un et de l'autre 5 sexe, qui se vouent à une continence éternelle : c'est chez les chrétiens la vertu par excellence ; en quoi je ne les comprends pas, ne sachant ce que c'est qu'une vertu dont il ne résulte rien.

Je trouve que leurs docteurs se contredisent manifeste- 10 ement, quand ils disent que le mariage est saint, et que le célibat, qui lui est opposé, l'est encore davantage ; sans compter qu'en fait de préceptes et de dogmes fondamentaux, le bien est toujours le mieux.

Le nombre de gens faisant profession de célibat est pro- 15 digieux. Les pères y condamnaient autrefois les enfants dès le berceau ; aujourd'hui ils s'y vouent eux-mêmes dès l'âge de quatorze ans ce qui revient à peu près à la même chose.

1. **Dervis** : derviche, religieux musulman.

20 Ce métier de continence a anéanti plus d'hommes que les pestes et les guerres les plus sanglantes n'ont jamais fait. On voit dans chaque maison religieuse une famille éternelle, où il ne naît personne, et qui s'entretient aux dépens de toutes les autres. Ces maisons sont toujours
25 ouvertes comme autant de gouffres où s'ensevelissent les races futures.

Cette politique est bien différente de celle des Romains, qui établissaient des lois pénales contre ceux qui se refusaient aux lois du mariage, et voulaient jouir d'une liberté
30 si contraire à l'utilité publique.

Je ne te parle ici que des pays catholiques. Dans la religion protestante, tout le monde est en droit de faire des enfants ; elle ne souffre ni prêtres, ni dervis ; et si, dans l'établissement de cette religion, qui ramenait tout aux
35 premiers temps, ses fondateurs n'avaient été accusés sans cesse d'intempérance, il ne faut pas douter qu'après avoir rendu la pratique du mariage universelle, ils n'en eussent encore adouci le joug, et achevé d'ôter toute la barrière qui sépare, en ce point, le Nazaréen[1] et Mahomet.
40 Mais, quoi qu'il en soit, il est certain que la religion donne aux protestants un avantage infini sur les catholiques.

J'ose le dire : dans l'état présent où est l'Europe, il n'est pas possible que la religion catholique y subsiste cinq cents ans.

Avant l'abaissement de la puissance d'Espagne, les
45 catholiques étaient beaucoup plus forts que les protestants. Ces derniers sont peu à peu parvenus à un équilibre. Les protestants deviendront tous les jours plus riches et plus puissants, et les catholiques plus faibles.

Les pays protestants doivent être et sont réellement plus
50 peuplés que les catholiques : d'où il suit, premièrement, que les tributs y sont plus considérables, parce qu'ils augmentent à proportion du nombre de ceux qui les payent ;

1. **Le Nazaréen :** Jésus.

secondement, que les terres y sont mieux cultivées ; enfin, que le commerce y fleurit davantage, parce qu'il y a plus de gens qui ont une fortune à faire, et qu'avec plus de besoins, on y a plus de ressources pour les remplir. Quand il n'y a que le nombre de gens suffisants pour la culture des terres, il faut que le commerce périsse ; et, lorsqu'il n'y a que celui qui est nécessaire pour entretenir le commerce, il faut que la culture des terres manque : c'est-à-dire, il faut que tous les deux tombent en même temps, parce que l'on ne s'attache jamais à l'un que ce ne soit aux dépens de l'autre.

Quant aux pays catholiques, non seulement la culture des terres y est abandonnée, mais même l'industrie y est pernicieuse : elle ne consiste qu'à apprendre cinq ou six mots d'une langue morte. Dès qu'un homme a cette provision par-devers lui, il ne doit plus s'embarrasser de sa fortune : il trouve dans le cloître une vie tranquille, qui, dans le monde, lui aurait coûté des sueurs et des peines.

Ce n'est pas tout : les dervis ont en leurs mains presque toutes les richesses de l'État ; c'est une société de gens avares, qui prennent toujours et ne rendent jamais ; ils accumulent sans cesse des revenus pour acquérir des capitaux. Tant de richesses tombent, pour ainsi dire, en paralysie : plus de circulation, plus de commerce, plus d'arts, plus de manufactures.

Il n'y a point de prince protestant qui ne lève sur ses peuples beaucoup plus d'impôts que le pape n'en lève sur ses sujets ; cependant ces derniers sont pauvres, pendant que les autres vivent dans l'opulence. Le commerce ranime tout chez les uns, et le monachisme porte la mort partout chez les autres.

De Paris, le 26 de la lune de Chahban, 1718.

Lettre CXVIII
USBEK AU MÊME

Nous n'avons plus rien à dire de l'Asie et de l'Europe. Passons à l'Afrique. On ne peut guère parler que de ses côtes, parce qu'on ne connaît pas l'intérieur.

Celles de Barbarie, où la religion mahométane est établie, ne sont plus si peuplées qu'elles étaient du temps des Romains, par les raisons que je t'ai déjà dites. Quant aux côtes de Guinée, elles doivent être furieusement dégarnies depuis deux cents ans que les petits rois, ou chefs des villages, vendent leurs sujets aux princes de l'Europe pour les porter dans leurs colonies en Amérique.

Ce qu'il y a de singulier, c'est que cette Amérique, qui reçoit tous les ans de nouveaux habitants, est elle-même déserte, et ne profite point des pertes continuelles de l'Afrique. Ces esclaves, qu'on transporte dans un autre climat, y périssent à milliers, et les travaux des mines, où l'on occupe sans cesse et les naturels du pays et les étrangers, les exhalaisons malignes[1] qui en sortent, le vif-argent, dont il faut faire un continuel usage, les détruisent sans ressource.

Il n'y a rien de si extravagant que de faire périr un nombre innombrable d'hommes pour tirer du fond de la terre l'or et l'argent : ces métaux d'eux-mêmes absolument inutiles, et qui ne sont des richesses que parce qu'on les a choisis pour en être les signes.

De Paris, le dernier de la lune de Chahban, 1718.

1. **Les exhalaisons malignes :** le traitement des minerais d'or et d'argent se faisait par l'amalgame de mercure, procédé inauguré au Pérou en 1671.

Lettre CXIX
Usbek au même

La fécondité d'un peuple dépend quelquefois des plus petites circonstances du monde ; de manière qu'il ne faut souvent qu'un nouveau tour dans son imagination pour le rendre beaucoup plus nombreux qu'il n'était.

Les Juifs, toujours exterminés et toujours renaissants, ont réparé leurs pertes et leurs destructions continuelles, par cette seule espérance qu'ont parmi eux toutes les familles, d'y voir naître un roi puissant qui sera le maître de la terre.

Les anciens rois de Perse n'avaient tant de milliers de sujets qu'à cause de ce dogme de la religion des mages, que les actes les plus agréables à Dieu que les hommes pussent faire, c'était de faire un enfant, labourer un champ et planter un arbre[1].

Si la Chine a dans son sein un peuple si prodigieux, cela ne vient que d'une certaine manière de penser : car, comme les enfants regardent leurs pères comme des dieux ; qu'ils les respectent comme tels dès cette vie ; qu'ils les honorent après leur mort par des sacrifices, dans lesquels ils croient que leurs âmes, anéanties dans le Tien, reprennent une nouvelle vie : chacun est porté à augmenter une famille si soumise dans cette vie, et si nécessaire dans l'autre.

D'un autre côté, les pays des mahométans deviennent tous les jours déserts à cause d'une opinion, qui, toute sainte qu'elle est, ne laisse pas d'avoir des effets très pernicieux lorsqu'elle est enracinée dans les esprits. Nous nous regardons comme des voyageurs qui ne doivent penser qu'à une autre patrie : les travaux utiles et durables, les

1. **Les anciens rois [...] planter un arbre :** allusion à la religion des guèbres, aux paroles de Zoroastre.

30 soins pour assurer la fortune de nos enfants, les projets
qui tendent au-delà d'une vie courte et passagère, nous
paraissent quelque chose d'extravagant. Tranquilles pour
le présent, sans inquiétude pour l'avenir, nous ne prenons
la peine ni de réparer les édifices publics, ni de défricher
35 les terres incultes, ni de cultiver celles qui sont en état de
recevoir nos soins : nous vivons dans une insensibilité
générale, et nous laissons tout faire à la Providence.

C'est un esprit de vanité qui a établi chez les Européens
l'injuste droit d'aînesse, si défavorable à la propagation, en
40 ce qu'il porte l'attention d'un père sur un seul de ses
enfants, et détourne ses yeux de tous les autres ; en ce
qu'il l'oblige, pour rendre solide la fortune d'un seul, de
s'opposer à l'établissement de plusieurs ; enfin, en ce qu'il
détruit l'égalité des citoyens qui en fait toute l'opulence.

De Paris, le 4 de la lune de Rhamazan, 1718.

Lettre CXX
USBEK AU MÊME

Les pays habités par les sauvages sont ordinairement
peu peuplés, par l'éloignement qu'ils ont presque tous
pour le travail et la culture de la terre. Cette malheureuse
aversion est si forte que, lorsqu'ils font quelque impré-
5 cation contre quelqu'un de leurs ennemis, ils ne lui sou-
haitent autre chose que d'être réduit à labourer un champ ;
croyant qu'il n'y a que la chasse et la pêche qui soient un
exercice noble et digne d'eux.

Mais, comme il y a souvent des années où la chasse et la
10 pêche rendent très peu, ils sont désolés par des famines
fréquentes ; sans compter qu'il n'y a pas de pays si abon-
dant en gibier et en poisson qu'il puisse donner la subsis-
tance à un grand peuple, parce que les animaux fuient
toujours les endroits trop habités.

D'ailleurs, les bourgades de sauvages, au nombre de [15] deux ou trois cents habitants, détachées les unes des autres, ayant des intérêts aussi séparés que ceux de deux empires, ne peuvent pas se soutenir, parce qu'elles n'ont pas la ressource des grands États, dont toutes les parties se répondent et se secourent mutuellement. [20]

Il y a chez les sauvages une autre coutume qui n'est pas moins pernicieuse que la première : c'est la cruelle habitude où sont les femmes de se faire avorter, afin que leur grossesse ne les rende pas désagréables à leurs maris.

Il y a ici des lois terribles contre ce désordre ; elles vont [25] jusques à la fureur. Toute fille qui n'a point été déclarer sa grossesse au magistrat est punie de mort si son fruit périt[1] ; la pudeur et la honte, les accidents mêmes ne l'excusent pas.

De Paris, le 9 de la lune de Rhamazan, 1718.

Lettre CXXI
USBEK AU MÊME

L'effet ordinaire des colonies est d'affaiblir les pays d'où on les tire, sans peupler ceux où on les envoie.

Il faut que les hommes restent où ils sont : il y a des maladies qui viennent de ce qu'on change un bon air contre un mauvais ; d'autres qui viennent précisément de [5] ce qu'on en change[2].

1. **Toute fille [...] son fruit périt :** la déclaration de grossesse était obligatoire en France depuis le décret de Henri II (février 1556).
2. **L'effet ordinaire [...] change :** l'ensemble du paragraphe sur les maladies dues aux changements de climats a été rajouté en 1754.

Lettre CXXI

L'air se charge, comme les plantes, des particules de la terre de chaque pays. Il agit tellement sur nous que notre tempérament en est fixé. Lorsque nous sommes transportés dans un autre pays, nous devenons malades. Les liquides étant accoutumés à une certaine consistance, les solides, à une certaine disposition, tous les deux, à un certain degré de mouvement, n'en peuvent plus souffrir d'autres, et ils résistent à un nouveau pli.

Quand un pays est désert, c'est un préjugé de quelque vice particulier de la nature du terrain ou du climat. Ainsi, quand on ôte les hommes d'un ciel heureux pour les envoyer dans un tel pays, on fait précisément le contraire de ce qu'on se propose.

Les Romains savaient cela par expérience : ils reléguaient tous les criminels en Sardaigne, et ils y faisaient passer des Juifs. Il fallut se consoler de leur perte ; chose que le mépris qu'ils avaient pour ces misérables rendait très facile.

Le grand Schah Abas[1], voulant ôter aux Turcs le moyen d'entretenir de grosses armées sur les frontières, transporta presque tous les Arméniens hors de leur pays, et en envoya plus de vingt mille familles dans la province de Guilan, qui périrent presque toutes en très peu de temps.

Tous les transports de peuple faits à Constantinople n'ont jamais réussi.

Ce nombre prodigieux de nègres dont nous avons parlé n'a point rempli l'Amérique.

Depuis la destruction des Juifs sous Adrien, la Palestine est sans habitants.

Il faut donc avouer que les grandes destructions sont presque irréparables, parce qu'un peuple qui manque à un certain point reste dans le même état ; et si, par hasard, il se rétablit, il faut des siècles pour cela.

1. **Schah Abas :** Abbas I[er] qui régna de 1587 à 1629, battit les Turcs et fit de grands travaux, ce qui permet ici le parallèle avec Louis XIV.

Que si, dans un état de défaillance, la moindre des cir- ⁴⁰ constances dont je t'ai parlé vient à concourir, non seulement il ne se répare pas, mais il dépérit tous les jours et tend à son anéantissement.

L'expulsion des Maures d'Espagne se fait encore sentir comme le premier jour : bien loin que ce vide se rem- ⁴⁵ plisse, il devient tous les jours plus grand.

Depuis la dévastation de l'Amérique, les Espagnols, qui ont pris la place de ses anciens habitants, n'ont pu la repeupler ; au contraire, par une fatalité que je ferais mieux de nommer une justice divine, les destructeurs se ⁵⁰ détruisent eux-mêmes, et se consument tous les jours.

Les princes ne doivent donc point songer à repeupler de grands pays par des colonies. Je ne dis pas qu'elles ne réussissent quelquefois : il y a des climats si heureux que l'espèce s'y multiplie toujours : témoins ces îles[1] qui ont ⁵⁵ été peuplées par des malades que quelques vaisseaux y avaient abandonnés, et qui y recouvraient aussitôt la santé.

Mais, quand ces colonies réussiraient, au lieu d'augmenter la puissance, elles ne feraient que la partager, à moins qu'elles n'eussent très peu d'étendue, comme sont celles que l'on ⁶⁰ envoie pour occuper quelque place pour le commerce.

Les Carthaginois avaient, comme les Espagnols, découvert l'Amérique ou, au moins, de grandes îles dans lesquelles ils faisaient un commerce prodigieux ; mais, quand ils virent le. nombre de leurs habitants diminuer, cette sage république ⁶⁵ défendit à ses sujets ce commerce et cette navigation.

J'ose le dire : au lieu de faire passer les Espagnols dans les Indes, il faudrait faire repasser les Indiens et les métis en Espagne ; il faudrait rendre à cette monarchie tous ses peuples dispersés ; et, si la moitié seulement de ces grandes ⁷⁰ colonies se conservait, l'Espagne deviendrait la puissance de l'Europe la plus redoutable.

1. **Ces îles :** « L'auteur parle peut-être de l'île de Bourbon. » (Note de Montesquieu.)

Lettre CXXI

On peut comparer les empires à un arbre dont les branches trop étendues ôtent tout le suc du tronc, et ne servent qu'à faire de l'ombrage.

Rien n'est plus propre à corriger les princes de la fureur des conquêtes lointaines que l'exemple des Portugais et des Espagnols.

Ces deux nations, ayant conquis avec une rapidité inconcevable des royaumes immenses, plus étonnées de leurs victoires que les peuples vaincus de leur défaite, songèrent aux moyens de les conserver ; et prirent, chacun pour cela, une voie différente.

Les Espagnols, désespérant de retenir les nations vaincues dans la fidélité, prirent le parti de les exterminer, et d'y envoyer d'Espagne des peuples fidèles. Jamais dessein horrible ne fut plus ponctuellement exécuté. On vit un peuple, aussi nombreux que tous ceux de l'Europe ensemble, disparaître de la terre à l'arrivée de ces barbares, qui semblèrent, en découvrant les Indes, n'avoir pensé qu'à découvrir aux hommes quel était le dernier période de la cruauté.

Par cette barbarie, ils conservèrent ce pays sous leur domination. Juge par là combien les conquêtes sont funestes, puisque les effets en sont tels : car enfin, ce remède affreux était unique. Comment auraient-ils pu retenir tant de millions d'hommes dans l'obéissance ? Comment soutenir une guerre civile de si loin ? Que seraient-ils devenus, s'ils avaient donné le temps à ces peuples de revenir de l'admiration où ils étaient de l'arrivée de ces nouveaux dieux, et de la crainte de leurs foudres ?

Quant aux Portugais, ils prirent une voie tout opposée : ils n'employèrent pas les cruautés. Aussi furent-ils bientôt chassés de tous les pays qu'ils avaient découverts. Les Hollandais favorisèrent la rébellion de ces peuples, et en profitèrent.

Quel prince envierait le sort de ces conquérants ? Qui voudrait de ces conquêtes à ces conditions ? Les uns en furent aussitôt chassés ; les autres en firent des déserts, et rendirent leur propre pays un désert encore.

C'est le destin des héros de se ruiner à conquérir des pays qu'ils perdent soudain, ou à soumettre des nations qu'ils sont obligés eux-mêmes de détruire ; comme cet insensé qui se consumait à acheter des statues qu'il jetait dans la mer et des glaces qu'il brisait aussitôt.

De Paris, le 18 de la lune de Rhamazan, 1718.

Lettre CXXII
Usbek au même

La douceur du gouvernement contribue merveilleusement à la propagation de l'espèce. Toutes les républiques en sont une preuve constante, et, plus que toutes, la Suisse et la Hollande, qui sont les deux plus mauvais pays de l'Europe, si l'on considère la nature du terrain, et qui cependant sont les plus peuplés.

Rien n'attire plus les étrangers que la liberté et l'opulence qui la suit toujours : l'une se fait rechercher par elle-même, et nous sommes conduits par nos besoins dans les pays où l'on trouve l'autre.

L'espèce se multiplie dans un pays où l'abondance fournit aux enfants, sans rien diminuer de la subsistance des pères.

L'égalité même des citoyens, qui produit ordinairement de l'égalité dans les fortunes, porte l'abondance et la vie dans toutes les parties du corps politique, et la répand partout.

Il n'en est pas de même des pays soumis au pouvoir arbitraire : le prince, les courtisans et quelques particuliers possèdent toutes les richesses, pendant que tous les autres gémissent dans une pauvreté extrême.

Si un homme est mal à son aise, et qu'il sente qu'il fera des enfants plus pauvres que lui, il ne se mariera pas ; ou, s'il se marie, il craindra d'avoir un trop grand nombre d'enfants, qui pourraient achever de déranger sa fortune, et qui descendraient de la condition de leur père.

J'avoue que le rustique ou paysan, étant une fois marié, peuplera indifféremment, soit qu'il soit riche, soit qu'il soit pauvre ; cette considération ne le touche pas : il a toujours un héritage sûr à laisser à ses enfants, qui est son hoyau[1], et rien ne l'empêche de suivre aveuglément l'instinct de la nature.

Mais à quoi sert dans un État ce nombre d'enfants qui languissent dans la misère ? Ils périssent presque tous à mesure qu'ils naissent ; ils ne prospèrent jamais ; faibles et débiles, ils meurent en détail de mille manières, tandis qu'ils sont emportés en gros par les fréquentes maladies populaires que la misère et la mauvaise nourriture produisent toujours ; ceux qui en échappent atteignent l'âge viril sans en avoir la force, et languissent tout le reste de leur vie.

Les hommes sont comme les plantes, qui ne croissent jamais heureusement si elles ne sont bien cultivées : chez les peuples misérables, l'espèce perd, et même quelquefois dégénère.

La France peut fournir un grand exemple de tout ceci. Dans les guerres passées, la crainte où étaient tous les enfants de famille d'être enrôlés dans la milice les obligeait de se marier[2], et cela dans un âge trop tendre et dans le sein de la pauvreté. De tant de mariages, il naissait bien des enfants, que l'on cherche encore en France, et que la misère, la famine et les maladies en ont fait disparaître.

Que si, dans un ciel aussi heureux, dans un royaume aussi policé que la France, on fait de pareilles remarques, que sera-ce dans les autres États ?

De Paris, le 23 de la lune de Rhamazan, 1718.

1. **Hoyau :** petite houe à lame courbe taillée en biseau, faite pour retourner la terre.
2. **Dans les guerres passées [...] se marier :** des règlements excluaient de l'enrôlement les hommes mariés.

Lettre CXXIII

USBEK AU MOLLAK MÉHÉMET-ALI,
GARDIEN DES TROIS TOMBEAUX À COM

Que nous servent les jeûnes des immaums[1] et les cilices des mollaks[2] ? La main de Dieu s'est deux fois appesantie sur les enfants de la Loi : le soleil s'obscurcit et semble n'éclairer plus que leurs défaites ; leurs armées s'assemblent, et elles sont dissipées comme la poussière.

L'empire des Osmanlins[3] est ébranlé par les deux plus grands échecs qu'il ait jamais reçus : un moufti[4] chrétien ne le soutient qu'avec peine ; le grand vizir d'Allemagne est le fléau de Dieu, envoyé pour châtier les sectateurs d'Omar ; il porte partout la colère du ciel irrité contre leur rébellion et leur perfidie[5].

Esprit sacré des immaums, tu pleures nuit et jour sur les enfants du Prophète, que le détestable Omar a dévoyés ; tes entrailles s'émeuvent à la vue de leurs malheurs, tu désires leur conversion, et non pas leur perte ; tu voudrais les voir réunis sous l'étendard d'Hali par les larmes des saints, et non pas dispersés dans les montagnes et dans les déserts par la terreur des Infidèles.

De Paris, le premier de la lune de Chalval, 1718.

1. **Immaums :** imams, chefs de prière dans une mosquée.
2. **Mollaks :** mollahs, savants docteurs en droit coranique.
3. **Osmanlins :** Turcs.
4. **Moufti :** mufti, théoricien et interprète du droit canonique musulman. Remplit des fonctions religieuses, judiciaires et civiles.
5. **Le grand vizir d'Allemagne [...] leur perfidie :** allusion aux campagnes de l'empereur Charles VI contre les Turcs. Le Prince Eugène battit le grand vizir Ali le 5 août 1716. Le moufti chrétien serait le cardinal Alberoni, ministre de Philippe V d'Espagne.

Lettre CXXIV
Usbek à Rhédi, à Venise

Quel peut être le motif de ces libéralités immenses que les princes versent sur leurs courtisans ? Veulent-ils se les attacher ? Ils leur sont déjà acquis autant qu'ils peuvent l'être ; et, d'ailleurs, s'ils acquièrent quelques-uns de leurs
5 sujets en les achetant, il faut bien, par la même raison, qu'ils en perdent une infinité d'autres en les appauvrissant.

Quand je pense à la situation des princes, toujours entourés d'hommes avides et insatiables, je ne puis que les plaindre, et je les plains encore davantage lorsqu'ils
10 n'ont pas la force de résister à des demandes toujours onéreuses à ceux qui ne demandent rien.

Je n'entends jamais parler de leurs libéralités, des grâces et des pensions qu'ils accordent, que je ne me livre à mille réflexions : une foule d'idées se présente à mon esprit ; il
15 me semble que j'entends publier cette ordonnance :

« Le courage infatigable de quelques-uns de nos sujets à nous demander des pensions ayant exercé sans relâche notre magnificence royale, nous avons enfin cédé à la multitude des requêtes qu'ils nous ont présentées, lesquelles
20 ont fait jusqu'ici la plus grande sollicitude du trône. Ils nous ont représenté qu'ils n'ont point manqué, depuis notre avènement à la couronne, de se trouver à notre lever ; que nous les avons toujours vus sur notre passage immobiles comme des bornes ; et qu'ils se sont extrême-
25 ment élevés pour regarder, sur les épaules les plus hautes, notre sérénité. Nous avons même reçu plusieurs requêtes de la part de quelques personnes du beau sexe, qui nous ont supplié de faire attention qu'il est notoire qu'elles sont d'un entretien très difficile ; quelques-unes mêmes, très
30 surannées, nous ont prié, branlant la tête, de faire attention qu'elles ont fait l'ornement de la cour des rois nos prédécesseurs, et que, si les généraux de leurs armées ont

rendu l'État redoutable par leurs faits militaires, elles n'ont point rendu la cour moins célèbre par leurs intrigues. Ainsi, désirant traiter les suppliants avec bonté et leur accorder toutes leurs prières, nous avons ordonné ce qui suit :

« Que tout laboureur ayant cinq enfants retranchera journellement la cinquième partie du pain qu'il leur donne. Enjoignons aux pères de famille de faire la diminution, sur chacun d'eux, aussi juste que faire se pourra.

« Défendons expressément à tous ceux qui s'appliquent à la culture de leurs héritages, ou qui les ont donnés à titre de ferme, d'y faire aucune réparation, de quelque espèce qu'elle soit.

« Ordonnons que toutes personnes qui s'exercent à des travaux vils et mécaniques, lesquelles n'ont jamais été au lever de notre majesté, n'achètent désormais d'habits à eux, à leurs femmes et à leurs enfants, que de quatre ans en quatre ans ; leur interdisons, en outre, très étroitement ces petites réjouissances qu'ils avaient coutume de faire dans leurs familles les principales fêtes de l'année.

« Et, d'autant que nous demeurons avertis que la plupart des bourgeois de nos bonnes villes sont entièrement occupés à pourvoir à l'établissement de leurs filles, lesquelles ne se sont rendues recommandables dans notre État que par une triste et ennuyeuse modestie, nous ordonnons qu'ils attendront à les marier jusqu'à ce qu'ayant atteint l'âge limité par les ordonnances, elles viennent à les y contraindre. Défendons à nos magistrats de pourvoir à l'éducation de leurs enfants[1]. »

De Paris, le premier de la lune de Chalval, 1718.

1. **« Et, d'autant que [...] leurs enfants »** : cette critique ironique des courtisans et des pensions royales, la forme même de l'ordonnance, tout nous ramène au règne de Louis XIV.

Lettre CXXV
RICA À***

On est bien embarrassé, dans toutes les religions, quand il s'agit de donner une idée des plaisirs qui sont destinés à ceux qui ont bien vécu. On épouvante facilement les méchants par une longue suite de peines dont on les
5 menace ; mais, pour les gens vertueux, on ne sait que leur promettre. Ils semble que la nature des plaisirs soit d'être d'une courte durée ; l'imagination a peine à en représenter d'autres.

J'ai vu des descriptions du paradis capables d'y faire
10 renoncer tous les gens de bon sens : les uns font jouer sans cesse de la flûte ces ombres heureuses ; d'autres les condamnent au supplice de se promener éternellement ; d'autres, enfin, qui les font rêver là-haut aux maîtresses d'ici-bas, n'ont pas cru que cent millions d'années fussent
15 un terme assez long pour leur ôter le goût de ces inquiétudes amoureuses.

Je me souviens à ce propos d'une histoire que j'ai ouï raconter à un homme qui avait été dans le pays du Mogol ; elle fait voir que les prêtres indiens[1] ne sont pas
20 moins stériles que les autres dans les idées qu'ils ont des plaisirs du paradis.

Une femme qui venait de perdre son mari vint en cérémonie chez le gouverneur de la ville lui demander la permission de se brûler ; mais, comme dans les pays soumis
25 aux mahométans, on abolit tant qu'on peut cette cruelle coutume, il la refusa absolument.

Lorsqu'elle vit ses prières impuissantes, elle se jeta dans un furieux emportement. « Voyez, disait-elle, comme on est gêné ! Il ne sera seulement pas permis à une pauvre
30 femme de se brûler quand elle en a envie ! A-t-on jamais

1. **Indiens** : de l'Inde

vu rien de pareil ? Ma mère, ma tante, mes sœurs, se sont brûlées ; et, quand je vais demander permission à ce maudit gouverneur, il se fâche et se met à crier comme un enragé. »

Il se trouva là, par hasard, un jeune bonze[1]. « Homme infidèle, dit le gouverneur, est-ce toi qui as mis cette fureur dans l'esprit de cette femme ?

– Non, dit-il, je ne lui ai jamais parlé. Mais, si elle m'en croit, elle consommera son sacrifice : elle fera une action agréable au dieu Brama. Aussi en sera-t-elle bien récompensée : car elle retrouvera dans l'autre monde son mari, et elle recommencera avec lui un second mariage.

– Que dites-vous ? dit la femme surprise. Je retrouverai mon mari ? Ah ! Je ne me brûle pas. Il était jaloux, chagrin et, d'ailleurs, si vieux que, si le dieu Brama n'a point fait sur lui quelque réforme, sûrement il n'a pas besoin de moi. Me brûler pour lui ?... Pas seulement le bout du doigt pour le retirer du fond des enfers. Deux vieux bonzes qui me séduisaient, et qui savaient de quelle manière je vivais avec lui, n'avaient garde de me tout dire. Mais, si le dieu Brama n'a que ce présent à me faire, je renonce à cette béatitude. Monsieur le gouverneur, je me fais mahométane. Et pour vous, dit-elle en regardant le bonze, vous pouvez, si vous voulez, aller dire à mon mari que je me porte fort bien. »

De Paris, le 2 de la lune de Chalval, 1718.

1. **Bonze :** prêtre de la religion bouddhique.

Clefs d'analyse

Lettre CXXV.

Compréhension

Une plaisante anecdote

- Donner un titre aux deux premiers paragraphes.
- Rechercher les thèmes des lettres CXII à CXXII, écrites par Usbek.
- Chercher quel danger elles font subir au « roman ».
- Définir le thème et le ton des lettres CXXIII et CXXIV.

Lutter contre les superstitions

- Montrer que cette lettre est une charge contre les superstitions.

Réflexion

Les procédés comiques

- Définir le registre du discours du jeune bonze.
- Dire si ce discours du bonze produit l'effet escompté.
- Relever les expressions qui prouvent la naïveté du bonze.
- Sur quoi repose le comique de l'anecdote.

À retenir :

La mise en question des superstitions, le plus souvent reliées à l'emprise des religions, est au cœur de la philosophie des Lumières. Deux positions découlent du refus d'un dogmatisme étroit : le déisme de Voltaire et sans doute aussi de Montesquieu, et le matérialisme allant jusqu'à l'athéisme de La Mettrie, d'Holbach et de Diderot.

Lettre CXXVI
RICA À USBEK, À***

Je t'attends ici demain ; cependant je t'envoie tes lettres d'Ispahan. Les miennes portent que l'ambassadeur du Grand Mogol a reçu ordre de sortir du royaume. On ajoute qu'on a fait arrêter le prince, oncle du roi, qui est chargé de son éducation ; qu'on l'a fait conduire dans un château, où il est très étroitement gardé, et qu'on l'a privé de tous ses honneurs[1]. Je suis touché du sort de ce prince, et je le plains.

Je te l'avoue, Usbek, je n'ai jamais vu couler les larmes de personne sans en être attendri : je sens de l'humanité pour les malheureux, comme s'il n'y avait qu'eux qui fussent hommes, et les grands mêmes, pour lesquels je trouve dans mon cœur de la dureté quand ils sont élevés, je les aime sitôt qu'ils tombent.

En effet, qu'ont-ils à faire, dans la prospérité, d'une inutile tendresse ? Elle approche trop de l'égalité. Ils aiment bien mieux du respect, qui ne demande point de retour. Mais sitôt qu'ils sont déchus de leur grandeur, il n'y a que nos plaintes qui puissent leur en rappeler l'idée.

Je trouve quelque chose de bien naïf et même de bien grand dans les paroles d'un prince qui, près de tomber entre les mains de ses ennemis, voyant ses courtisans autour de lui qui pleuraient : « Je sens, leur dit-il, à vos larmes, que je suis encore votre roi[2]. »

De Paris, le 3 de la lune de Chalval, 1718.

1. **On ajoute [...] ses honneurs :** il s'agit de la transposition de la conspiration de Cellamare. Le prince de Cellamare, ambassadeur d'Espagne à Paris, complotait contre le Régent au nom de Philippe V, candidat au trône de France en cas de mort du jeune Louis XV. Son complice était le duc de Maine, bâtard de Louis XIV et de la Montespan. Il fut arrêté à son tour en 1 718.

2. **Mot de Quinte-Curce :** « *Fides vestra et constantia ut regem me esse credam facit.* »

Lettre CXXVII

RICA À IBBEN, À SMYRNE

Tu as ouï parler mille fois du fameux roi de Suède. Il assiégeait une place dans un royaume qu'on nomme *la Norvège* ; comme il visitait la tranchée, seul avec un ingénieur, il a reçu un coup dans la tête, dont il est mort[1]. On a fait sur-le-champ arrêter son premier ministre[2] ; les états se sont assemblés, et l'ont condamné à perdre la tête.

Il était accusé d'un grand crime : c'était d'avoir calomnié la nation et de lui avoir fait perdre la confiance de son roi ; forfait qui, selon moi, mérite mille morts.

Car, enfin, si c'est une mauvaise action de noircir dans l'esprit du prince le dernier de ses sujets, qu'est-ce lorsque l'on noircit la nation entière, et qu'on lui ôte la bienveillance de celui que la Providence a établi pour faire son bonheur ?

Je voudrais que les hommes parlassent aux rois comme les anges parlent à notre saint prophète.

Tu sais que, dans les banquets sacrés où le seigneur des seigneurs descend du plus sublime trône du monde pour se communiquer à ses esclaves, je me suis fait une loi sévère de captiver une langue indocile. On ne m'a jamais vu abandonner une seule parole qui pût être amère au dernier de ses sujets. Quand il m'a fallu cesser d'être sobre, je n'ai point cessé d'être honnête homme ; et, dans cette épreuve de notre fidélité, j'ai risqué ma vie, et jamais ma vertu.

1. **Il a reçu un coup dans la tête, dont il est mort :** Montesquieu est informé par les gazettes. Le roi Charles XII a été tué le 3 novembre 1718.

2. **Premier ministre :** son ministre favori, Görtz, fut arrêté et condamné à avoir la tête tranchée. Görtz passait pour être le mauvais génie financier de Charles XII.

Je ne sais comment il arrive qu'il n'y a presque jamais de prince si méchant que son ministre ne le soit encore davantage. S'il fait quelque action mauvaise, elle a presque toujours été suggérée ; de manière que l'ambition des princes n'est jamais si dangereuse que la bassesse d'âme de ses conseillers. Mais comprends-tu qu'un homme qui n'est que d'hier dans le ministère, qui peut-être n'y sera pas demain, puisse devenir dans un moment l'ennemi de lui-même, de sa famille, de sa patrie et du peuple qui naîtra à jamais de celui qu'il va faire opprimer ?

Un prince a des passions ; le ministre les remue. C'est de ce côté-là qu'il dirige son ministère ; il n'a point d'autre but, ni n'en veut connaître. Les courtisans le séduisent par leurs louanges, et lui le flatte plus dangereusement par ses conseils, par les desseins qu'il lui inspire, et par les maximes qu'il lui propose.

De Paris, le 25 de la lune de Saphar, 1719.

Lettre CXXVIII
RICA À USBEK, À***

Je passais l'autre jour sur le Pont-Neuf avec un de mes amis : il rencontra un homme de sa connaissance qu'il me dit être un géomètre, et il n'y avait rien qui n'y parût : car il était dans une rêverie profonde. Il fallut que mon ami le tirât longtemps par la manche et le secouât pour le faire descendre jusques à lui, tant il était occupé d'une courbe, qui le tourmentait peut-être depuis plus de huit jours. Ils se firent tous deux beaucoup d'honnêtetés, et s'apprirent réciproquement quelques nouvelles littéraires. Ces discours les menèrent jusque sur la porte d'un café, où j'entrai avec eux.

Je remarquai que notre géomètre y fut reçu de tout le monde avec empressement, et que les garçons du café en faisaient beaucoup plus de cas que de deux mousquetaires qui étaient dans un coin. Pour lui, il parut qu'il se trouvait dans un lieu agréable : car il dérida un peu son visage, et se mit à rire comme s'il n'avait pas eu la moindre teinture de géométrie.

Cependant son esprit régulier toisait tout ce qui se disait dans la conversation. Il ressemblait à celui qui, dans un jardin, coupait avec son épée la tête des fleurs qui s'élevaient au-dessus des autres[1] : martyr de sa justesse, il était offensé d'une saillie comme une vue délicate est offensée par une lumière trop vive. Rien pour lui n'était indifférent, pourvu qu'il fût vrai. Aussi sa conversation était-elle singulière. Il était arrivé ce jour-là de la campagne avec un homme qui avait vu un château superbe et des jardins magnifiques, et il n'avait vu, lui, qu'un bâtiment de soixante pieds de long sur trente-cinq de large, et un bosquet barlong de dix arpents[2]. Il aurait fort souhaité que les règles de la perspective eussent été tellement observées que les allées des avenues eussent paru partout de même largeur, et il aurait donné pour cela une méthode infaillible. Il parut fort satisfait d'un cadran qu'il y avait démêlé, d'une structure fort singulière, et il s'échauffa fort contre un savant qui était auprès de moi, qui malheureusement lui demanda si ce cadran marquait les heures babyloniennes[3]. Un nouvelliste parla du bombardement du château de Fontarabie[4] : et il nous donna soudain les propriétés de la

1. **Il ressemblait à [...] au-dessus des autres :** selon Tite-Live, Tarquin le Superbe décapitait les pavots les plus élevés pour indiquer à son fils Sextus qu'il devait exécuter les notables de Gabies.
2. **Arpents :** l'arpent est une ancienne mesure agraire, de 34 hectares.
3. **Babyloniennes :** ce sont les Babyloniens qui apprirent aux Grecs et aux Romains la division du jour en 12 heures.
4. **Fontarabie :** citadelle assiégée par le maréchal de Berwick, et qui se rendit le 18 juin 1719.

ligne que les bombes avaient décrite en l'air, et, charmé de 40
savoir cela, il voulut en ignorer entièrement le succès. Un
homme se plaignait d'avoir été ruiné l'hiver d'auparavant
par une inondation. « Ce que vous me dites là m'est fort
agréable, dit alors le géomètre : je vois que je ne me suis
pas trompé dans l'observation que j'ai faite, et qu'il est au 45
moins tombé sur la terre deux pouces d'eau plus que l'année
passée. »

Un moment après, il sortit, et nous le suivîmes. Comme
il allait assez vite, et qu'il négligeait de regarder devant lui,
il fut rencontré directement par un autre homme. Ils se 50
choquèrent rudement, et de ce coup ils rejaillirent, chacun
de leur côté, en raison réciproque de leur vitesse et de
leurs masses[1]. Quand ils furent un peu revenus de leur
étourdissement, cet homme, portant la main sur le front,
dit au géomètre : « Je suis bien aise que vous m'ayez 55
heurté, car j'ai une grande nouvelle à vous apprendre : je
viens de donner mon Horace au public. – Comment ! dit
le géomètre, il y a deux mille ans qu'il y est. – Vous ne
m'entendez pas, reprit l'autre : c'est une traduction de cet
ancien auteur que je viens de mettre au jour ; il y a vingt 60
ans que je m'occupe à faire des traductions. – Quoi !
Monsieur, dit le géomètre, il y a vingt ans que vous ne
pensez pas ? Vous parlez pour les autres, et ils pensent
pour vous ? – Monsieur, dit le savant, croyez-vous que je
n'aie pas rendu un grand service au public, de lui rendre 65
la lecture des bons auteurs familière ?

– Je ne dis pas tout à fait cela : j'estime autant qu'un
autre les sublimes génies que vous travestissez.

Mais vous ne leur ressemblerez point : car, si vous tra-
duisez toujours, on ne vous traduira jamais. Les traduc- 70
tions sont comme ces monnaies de cuivre qui ont bien la
même valeur qu'une pièce d'or et même sont d'un plus

1. **En raison réciproque de leur vitesse et de leurs masses :** il s'agit là
de la mécanique cartésienne, non encore de celle de Newton.

grand usage pour le peuple ; mais elles sont toujours faibles et d'un mauvais aloi. Vous voulez, dites-vous, faire renaître
75 parmi nous ces illustres morts, et j'avoue que vous leur donnez bien un corps ; mais vous ne leur rendez pas la vie : il y manque toujours un esprit pour les animer. Que ne vous appliquez-vous plutôt à la recherche de tant de belles vérités qu'un calcul facile nous fait découvrir tous
80 les jours ? »

Après ce petit conseil, ils se séparèrent, je crois, très mécontents l'un de l'autre.

De Paris, le dernier de la lune de Rébiab 2, 1719.

Lettre CXXIX
Usbek à Rhédi, à Venise

La plupart des législateurs ont été des hommes bornés, que le hasard a mis à la tête des autres, et qui n'ont presque consulté que leurs préjugés et leurs fantaisies.

Il semble qu'ils aient méconnu la grandeur et la dignité
5 même de leur ouvrage : ils se sont amusés à faire des institutions puériles, avec lesquelles ils se sont, à la vérité, conformés aux petits esprits, mais décrédités auprès des gens de bon sens.

Ils se sont jetés dans des détails inutiles ; ils ont donné
10 dans les cas particuliers, ce qui marque un génie étroit qui ne voit les choses que par parties, et n'embrasse rien d'une vue générale.

Quelques-uns ont affecté de se servir d'une autre langue que la vulgaire : chose absurde pour un faiseur de lois.
15 Comment peut-on les observer, si elles ne sont pas connues ?

Ils ont souvent aboli sans nécessité celles qu'ils ont trouvées établies ; c'est-à-dire qu'ils ont jeté les peuples dans les désordres inséparables des changements.

Il est vrai que, par une bizarrerie qui vient plutôt de la [20] nature que de l'esprit des hommes, il est quelquefois nécessaire de changer certaines lois. Mais le cas est rare, et, lorsqu'il arrive, il n'y faut toucher que d'une main tremblante : on y doit observer tant de solennités et apporter tant de précautions que le peuple en conclue naturelle- [25] ment que les lois sont bien saintes, puisqu'il faut tant de formalités pour les abroger.

Souvent ils les ont faites trop subtiles, et ont suivi des idées logiciennes plutôt que l'équité naturelle. Dans la suite, elles ont été trouvées trop dures, et, par un esprit d'équité, [30] on a cru devoir s'en écarter ; mais ce remède était un nouveau mal. Quelles que soient les lois, il faut toujours les suivre et les regarder comme la conscience publique, à laquelle celle des particuliers doit se conformer toujours.

Il faut pourtant avouer que quelques-uns d'entre eux [35] ont eu une attention qui marque beaucoup de sagesse : c'est qu'ils ont donné aux pères une grande autorité sur leurs enfants. Rien ne soulage plus les magistrats ; rien ne dégarnit plus les tribunaux ; rien, enfin, ne répand plus de tranquillité dans un État, où les mœurs font toujours de [40] meilleurs citoyens que les lois.

C'est, de toutes les puissances, celle dont on abuse le moins ; c'est la plus sacrée de toutes les magistratures[1] ; c'est la seule qui ne dépend pas des conventions, et qui les a même précédées. [45]

On remarque que, dans les pays où l'on met dans les mains paternelles plus de récompenses et de punitions, les familles sont mieux réglées : les pères sont l'image du créateur de l'univers, qui, quoiqu'il puisse conduire les hommes par son amour, ne laisse pas de se les attacher [50] encore par les motifs de l'espérance et de la crainte.

1. **C'est, de toutes les puissances [...] la plus sacrée de toutes les magistratures :** le pouvoir paternel est pour Montesquieu le modèle naturel de toute législation.

Lettre CXXIX

Je ne finirai pas cette lettre sans te faire remarquer la bizarrerie de l'esprit des Français. On dit qu'ils ont retenu des lois romaines un nombre infini de choses inutiles et même pis, et ils n'ont pas pris d'elles la puissance paternelle, qu'elles ont établie comme la première autorité légitime.

De Paris, le 4 de la lune de Gemmadi 2, 1719.

Lettre CXXX
RICA À***

Je te parlerai dans cette lettre d'une certaine nation qu'on appelle *les Nouvellistes*[1], qui s'assemble dans un jardin magnifique[2], où leur oisiveté est toujours occupée. Ils sont très inutiles à l'État, et leurs discours de cinquante ans n'ont pas un effet différent de celui qu'aurait pu produire un silence aussi long. Cependant ils se croient considérables, parce qu'ils s'entretiennent de projets magnifiques et traitent de grands intérêts.

La base de leurs conversations est une curiosité frivole et ridicule : il n'y a point de cabinet si mystérieux qu'ils ne prétendent pénétrer ; ils ne sauraient consentir à ignorer quelque chose ; ils savent combien notre auguste sultan a de femmes, combien il fait d'enfants toutes les années ; et, quoiqu'ils ne fassent aucune dépense en espions, ils sont instruits des mesures qu'il prend pour humilier l'empereur des Turcs et celui des Mogols.

À peine ont-ils épuisé le présent qu'ils se précipitent dans l'avenir, et, marchant au-devant de la Providence, ils la préviennent sur toutes les démarches des hommes. Ils conduisent un général par la main, et, après l'avoir loué de mille sottises qu'il n'a pas faites, ils lui en préparent mille autres qu'il ne fera pas.

1. **Les nouvellistes :** les journalistes (au courant des nouvelles).
2. **Un jardin magnifique :** les Tuileries.

Ils font voler les armées comme les grues et tomber les murailles comme des cartons ; ils ont des ponts sur toutes les rivières, des routes secrètes dans toutes les montagnes, des magasins immenses dans les sables brûlants ; il ne leur manque que le bon sens.

Il y a un homme avec qui je loge, qui reçut cette lettre d'un nouvelliste. Comme elle m'a paru singulière, je la gardai. La voici :

MONSIEUR,

Je me trompe rarement dans mes conjectures sur les affaires du temps. Le 1ᵉʳ janvier 1711, je prédis que l'empereur Joseph mourrait dans le cours de l'année. Il est vrai que, comme il se portait fort bien, je crus que je me ferais moquer de moi si je m'expliquais d'une manière bien claire : ce qui fit que je me servis de termes un peu énigmatiques ; mais les gens qui savent raisonner m'entendirent bien. Le 17 avril de la même année, il mourut de la petite vérole.

Dès que la guerre fut déclarée entre l'empereur et les Turcs[1], j'allai chercher nos messieurs dans tous les coins des Tuileries ; je les assemblai près du bassin et leur prédis qu'on ferait le siège de Belgrade, et qu'il serait pris. J'ai été assez heureux pour que ma prédiction ait été accomplie. Il est vrai que, vers le milieu du siège, je pariai cent pistoles qu'il serait pris le 18 août[2] ; il ne fut pris que le lendemain. Peut-on perdre à si beau jeu ?

Lorsque je vis que la flotte d'Espagne débarquait en Sardaigne, je jugeai qu'elle en ferait la conquête ; je le dis, et cela se trouva vrai. Enflé de ce succès, j'ajoutai que cette flotte victorieuse irait débarquer à Final, pour faire la conquête du Milanais. Comme je trouvai de la résistance à faire recevoir cette idée, je voulus la soutenir glorieusement :

1. **Dès que la guerre fut déclarée entre l'empereur et les Turcs :** le Prince Eugène, généralissime de l'empereur Charles VI entra en campagne contre les Turcs en juillet 1716.

2. **Le dix-huit août :** « de l'année 1717. » (Note de Montesquieu.)

je pariai cinquante pistoles, et je les perdis encore : car ce
55 *diable d'Alberoni[1], malgré la foi des traités, envoya sa flotte*
en Sicile et trompa tout à la fois deux grands politiques, le
duc de Savoie et moi.

Tout cela, Monsieur, me déroute si fort que j'ai résolu de
prédire toujours et de ne parier jamais. Autrefois nous ne
60 *connaissions point aux Tuileries l'usage des paris, et feu*
M. le comte de L...[2] ne les souffrait guère. Mais, depuis
qu'une troupe de petits-maîtres s'est mêlée parmi nous, nous
ne savons plus où nous en sommes : à peine ouvrons-nous la
bouche pour dire une nouvelle, qu'un de ces jeunes gens pro-
65 *pose de parier contre.*

L'autre jour, comme j'ouvrais mon manuscrit et accommo-
dais mes lunettes sur mon nez, un de ces fanfarons, saisis-
sant justement l'intervalle du premier mot au second, me
dit : « Je parie cent pistoles que non. » Je fis semblant de
70 *n'avoir pas fait d'attention à cette extravagance, et, repre-*
nant la parole d'une voix plus forte, je dis : « M. le maréchal
*de*** ayant appris... – Cela est faux, me dit-il. Vous avez*
toujours des nouvelles extravagantes, il n'a pas le sens com-
mun à tout cela. »

75 *Je vous prie, Monsieur, de me faire le plaisir de me prêter*
trente pistoles : car je vous avoue que ces paris m'ont fort
dérangé. Je vous envoie la copie de deux lettres que j'ai écri-
tes au ministre.

Je suis, etc.

80 LETTRES D'UN NOUVELLISTE AU MINISTRE
MONSEIGNEUR,
Je suis le sujet le plus zélé que le roi ait jamais eu. C'est
moi qui obligeai un de mes amis d'exécuter le projet que

1. **Alberoni :** il lança un corps expéditionnaire en Sardaigne qui y débar-
 qua le 2 août 1717. Puis il attaqua la Sicile en 1718. Le duc de Savoie
 dut céder la Sicile à Philippe V.
2. **Monsieur le comte de L... :** le comte de Lionne. Ses papiers conservés à la
 Bibliothèque témoignent d'une organisation préfigurant la presse moderne.

j'avais formé d'un livre pour démontrer que Louis le Grand était le plus grand de tous les princes qui ont mérité le nom 85
de Grand. Je travaille depuis longtemps à un autre ouvrage qui fera encore plus d'honneur à notre nation, si Votre Grandeur veut m'accorder un privilège : mon dessein est de prouver que, depuis le commencement de la monarchie, les Français n'ont jamais été battus, et que ce que les historiens 90
ont dit jusqu'ici de nos désavantages sont de véritables impostures. Je suis obligé de les redresser en bien des occasions, et j'ose me flatter que je brille surtout dans la critique.

Je suis, Monseigneur, etc.

MONSEIGNEUR, 95

Depuis la perte que nous avons faite de M. le comte de L..., nous vous supplions d'avoir la bonté de nous permettre d'élire un président. Le désordre se met dans nos conférences, et les affaires d'État n'y sont pas traitées avec la même discussion que par le passé : nos jeunes gens vivent absolu- 100
ment sans égard pour les anciens, et entre eux sans discipline ; c'est le véritable conseil de Roboam[1], où les jeunes imposent aux vieillards. Nous avons beau leur représenter que nous étions paisibles possesseurs des Tuileries vingt ans avant qu'ils fussent au monde ; je crois qu'ils nous en chas- 105
seront à la fin, et qu'obligés de quitter ces lieux où nous avons tant de fois évoqué les ombres de nos héros français, il faudra que nous allions tenir nos conférences au Jardin du Roi[2], ou dans quelque lieu plus écarté.

Je suis, etc. 110

De Paris, le 7 de la lune de Gemmadi, 1719.

1. **Roboam :** allusion à la Bible, Rois, XII, 8 : « Mais Roboam laissa le conseil que les vieillards lui avaient donné et consulta les jeunes gens qui avaient été nourris avec lui. »
2. **Jardin du Roi :** actuel jardin des Plantes.

Lettre CXXXI
RHÉDI À RICA, À PARIS

Une des choses qui a le plus exercé ma curiosité en arrivant en Europe, c'est l'histoire et l'origine des républiques. Tu sais que la plupart des Asiatiques n'ont pas seulement d'idée de cette sorte de gouvernement, et que l'imagination
5 ne les a pas servis jusques à leur faire comprendre qu'il puisse y en avoir sur la terre d'autre que le despotique.

Les premiers gouvernements que nous connaissons étaient monarchiques : ce ne fut que par hasard, et par la succession des siècles, que les républiques se formèrent.
10 La Grèce ayant été abîmée par un déluge, de nouveaux habitants vinrent la peupler. Elle tira presque toutes ses colonies d'Égypte et des contrées de l'Asie les plus voisines ; et, comme ces pays étaient gouvernés par des rois, les peuples qui en sortirent furent gouvernés de
15 même. Mais, la tyrannie de ces princes devenant trop pesante, on secoua le joug, et du débris de tant de royaumes s'élevèrent ces républiques qui firent si fort fleurir la Grèce, seule polie au milieu des barbares.

L'amour de la liberté, la haine des rois, conserva longtemps
20 la Grèce dans l'indépendance, et étendit au loin le gouvernement républicain. Les villes grecques trouvèrent des alliés dans l'Asie Mineure : elles y envoyèrent des colonies aussi libres qu'elles, qui leur servirent de remparts contre les entreprises des rois de Perse. Ce n'est pas tout : la Grèce peu-
25 pla l'Italie ; l'Italie, l'Espagne, et peut-être les Gaules. On sait que cette grande Hespérie[1], si fameuse chez les Anciens, était au commencement la Grèce, que ses voisins regardaient comme un séjour de félicité. Les Grecs, qui ne trouvaient point chez eux ce pays heureux, l'allèrent chercher en
30 Italie ; ceux de l'Italie, en Espagne ; ceux d'Espagne, dans la

1. **Hespérie :** nom par lequel les Grecs désignaient l'Italie.

Bétique[1] ou le Portugal : de manière que toutes ces régions portèrent ce nom chez les Anciens. Ces colonies grecques apportèrent avec elles un esprit de liberté qu'elles avaient pris dans ce doux pays. Ainsi on ne voit guère, dans ces temps reculés, de monarchies dans l'Italie, l'Espagne, les 35 Gaules. Tu verras bientôt que les peuples du Nord et d'Allemagne n'étaient pas moins libres ; et, si l'on trouve des vestiges de quelque royauté parmi eux, c'est qu'on a pris pour des rois les chefs des armées ou des républiques[2].

Tout ceci se passait en Europe ; car, pour l'Asie et l'Afrique, 40 elles ont toujours été accablées sous le despotisme, si vous en exceptez quelques villes de l'Asie Mineure dont nous avons parlé, et la république de Carthage en Afrique.

Le monde fut partagé entre deux puissantes républiques, celle de Rome et celle de Carthage. Il n'y a rien de si 45 connu que les commencements de la République romaine, et rien qui le soit si peu que l'origine de celle de Carthage. On ignore absolument la suite des princes africains depuis Didon[3], et comment ils perdirent leur puissance. C'eût été un grand bonheur pour le monde que l'agrandissement 50 prodigieux de la République romaine, s'il n'y avait pas eu cette différence injuste entre les citoyens romains et les peuples vaincus ; si l'on avait donné aux gouverneurs des provinces une autorité moins grande ; si les lois si saintes pour empêcher leur tyrannie avaient été observées ; et 55 s'ils ne s'étaient pas servis, pour les faire taire, des mêmes trésors que leur injustice avait amassés.

1. **Bétique :** ancienne province romaine d'Espagne correspondant à l'Andalousie actuelle.
2. **Ces colonies grecques [...] des républiques :** cette esquisse de l'histoire universelle sera prolongée dans les *Considérations* sur l'évolution de la République romaine et dans *L'Esprit des lois.*
3. **Didon :** princesse de Tyr, elle vint fonder Carthage sur la côte africaine. Elle s'immola sur un bûcher pour échapper à Iarbas, roi des Gétules, qui voulait l'épouser.

César opprima la République romaine, et la soumit à un pouvoir arbitraire.

60 L'Europe gémit longtemps sous un gouvernement militaire et violent, et la douceur romaine fut changée en une cruelle oppression.

Cependant une infinité de nations inconnues sortirent du Nord, se répandirent comme des torrents dans les pro- 65 vinces romaines, et, trouvant autant de facilités à faire des conquêtes qu'à exercer leurs pirateries, elles démembrèrent l'empire et fondèrent des royaumes. Ces peuples étaient libres, et ils bornaient si fort l'autorité de leurs rois qu'ils n'étaient proprement que des chefs ou des généraux. 70 Ainsi ces royaumes, quoique fondés par la force, ne sentirent point le joug du vainqueur. Lorsque les peuples d'Asie, comme les Turcs et les Tartares, firent des conquêtes, soumis à la volonté d'un seul, ils ne songèrent qu'à lui donner de nouveaux sujets et à établir par les armes son autorité 75 violente. Mais les peuples du Nord, libres dans leur pays, s'emparant des provinces romaines, ne donnèrent point à leurs chefs une grande autorité. Quelques-uns même de ces peuples, comme les Vandales en Afrique, les Goths en Espagne, déposaient leurs rois dès qu'ils n'en étaient pas 80 satisfaits ; et, chez les autres, l'autorité du prince était bornée de mille manières différentes : un grand nombre de seigneurs la partageaient avec lui ; les guerres n'étaient entreprises que de leur consentement ; les dépouilles étaient partagées entre le chef et les soldats ; aucun impôt 85 en faveur du prince ; les lois étaient faites dans les assemblées de la nation[1]. Voilà le principe fondamental de tous ces États qui se formèrent des débris de l'empire romain.

De Venise, le 20 de la lune de Rhégeb, 1719.

1. **Les lois étaient faites dans les assemblées de la nation :** il s'agit d'une erreur reproduite dans *L'Esprit des lois*. En fait, les rois mérovingiens exerçaient seuls le pouvoir.

Lettre CXXXII
RICA à***

Je fus, il y a cinq ou six mois, dans un café ; j'y remarquai un gentilhomme assez bien mis, qui se faisait écouter : il parlait du plaisir qu'il y avait de vivre à Paris ; il déplorait sa situation d'être obligé d'aller languir dans la province. « J'ai, dit-il, quinze mille livres de rente en fonds de terre, et je me croirais plus heureux si j'avais le quart de ce bien-là en argent et en effets portables partout. J'ai beau presser mes fermiers et les accabler de frais de justice, je ne fais que les rendre plus insolvables ; je n'ai jamais pu voir cent pistoles à la fois. Si je devais dix mille francs, on me ferait saisir toutes mes terres, et je serais à l'Hôpital[1]. »

Je sortis sans avoir fait grande attention à tout ce discours ; mais, me trouvant hier dans ce quartier, j'entrai dans la même maison, et j'y vis un homme grave, d'un visage pâle et allongé, qui, au milieu de cinq ou six discoureurs, paraissait morne et pensif jusques à ce que, prenant brusquement la parole : « Oui, Messieurs, dit-il en haussant la voix, je suis ruiné[2] ; je n'ai plus de quoi vivre ; car j'ai actuellement chez moi deux cent mille livres en billets de banque et cent mille écus d'argent. Je me trouve dans une situation affreuse : je me suis cru riche, et me voilà à l'hôpital. Au moins, si j'avais seulement une petite terre où je pusse me retirer, je serais sûr d'avoir de quoi vivre ; mais je n'ai pas grand comme ce chapeau de fonds de terre. »

Je tournai par hasard la tête d'un autre côté, et je vis un autre homme qui faisait des grimaces de possédé. « À qui se fier désormais ? s'écriait-il. Il y a un traître que je croyais si fort de mes amis que je lui avais prêté mon

1. **L'Hôpital** : asile pour les gens sans ressources.
2. **Ruiné** : Montesquieu décrit les conséquences de la crise financière déclenchée par le système de Law.

argent ; et il me l'a rendu ! Quelle perfidie horrible[1] ! Il a
30 beau faire : dans mon esprit, il sera toujours déshonoré. »

Tout près de là était un homme très mal vêtu, qui, éle-
vant les yeux au ciel, disait : « Dieu bénisse les projets de
nos ministres ! Puissé-je voir les actions à deux mille, et
tous les laquais de Paris plus riches que leurs maîtres ! »
35 J'eus la curiosité de demander son nom. « C'est un homme
extrêmement pauvre, me dit-on ; aussi a-t-il un pauvre
métier : il est généalogiste, et il espère que son art rendra
si les fortunes continuent, et que tous ces nouveaux
riches auront besoin de lui pour réformer leur nom,
40 décrasser leurs ancêtres et orner leurs carrosses. Il s'ima-
gine qu'il va faire autant de gens de qualité qu'il voudra,
et il tressaillit de joie de voir multiplier ses pratiques. »

Enfin je vis entrer un vieillard pâle et sec, que je recon-
nus pour nouvelliste[2] avant qu'il se fût assis. Il n'était pas
45 du nombre de ceux qui ont une assurance victorieuse
contre tous les revers et présagent toujours les victoires et
les trophées ; c'était, au contraire, un de ces trembleurs
qui n'ont que des nouvelles tristes. « Les affaires vont bien
mal du côté d'Espagne, dit-il : nous n'avons point de cava-
50 lerie sur la frontière, et il est à craindre que le prince Pio,
qui en a un gros corps, ne fasse contribuer tout le
Languedoc[3]. » Il y avait vis-à-vis de moi un philosophe
assez mal en ordre, qui prenait le nouvelliste en pitié et
haussait les épaules à mesure que l'autre haussait la voix.
55 Je m'approchai de lui, et il me dit à l'oreille : « Vous voyez
que ce fat nous entretient, il y a une heure, de sa frayeur

1. **Quelle perfidie horrible :** les débiteurs se dépêchaient de payer leurs dettes en billets dépréciés.
2. **Nouvelliste :** journaliste.
3. **Les affaires vont bien mal [...] le Languedoc :** pendant que Berwick prenait Fontarabie et Pasajes, le prince Pio de Savoie, au service de l'Espagne, concentrait ses troupes en Catalogne et menaçait d'envahir le Languedoc.

pour le Languedoc, et moi, j'aperçus hier au soir une tache dans le soleil, qui, si elle augmentait, pourrait faire tomber toute la nature en engourdissement, et je n'ai pas dit un seul mot. »

60

De Paris, le 17 de la lune de Rhamazan, 1719.

Lettre CXXXIII
RICA À***

J'allai l'autre jour voir une grande bibliothèque[1] dans un couvent de dervis, qui en sont comme les dépositaires, mais qui sont obligés d'y laisser entrer tout le monde à certaines heures.

En entrant, je vis un homme grave qui se promenait au milieu d'un nombre innombrable de volumes qui l'entouraient. J'allai à lui, et le priai de me dire quels étaient quelques-uns de ces livres que je voyais mieux reliés que les autres. « Monsieur, me dit-il, j'habite ici une terre étrangère : je n'y connais personne. Bien des gens font de pareilles questions ; mais vous voyez bien que je n'irai pas lire tous ces livres pour les satisfaire. J'ai mon bibliothécaire qui vous donnera satisfaction : car il s'occupe nuit et jour à déchiffrer tout ce que vous voyez là ; c'est un homme qui n'est bon à rien, et qui nous est très à charge, parce qu'il ne travaille point pour le couvent. Mais j'entends l'heure du réfectoire qui sonne. Ceux qui, comme moi, sont à la tête d'une communauté, doivent être les premiers à tous les exercices. » En disant cela, le moine me poussa dehors, ferma la porte, et comme s'il eût volé, disparut à mes yeux.

5

10

15

20

De Paris, le 21 de la lune de Rhamazan, 1719.

1. **Bibliothèque :** la tradition veut que ce soit celle de l'abbaye de Saint-Victor.

Lettre CXXXIV
Rica au même

Je retournai le lendemain à cette bibliothèque, où je trouvai tout un autre homme que celui que j'avais vu la première fois : son air était simple ; sa physionomie spiri-tuelle, et son abord, très affable. Dès que je lui eus fait
5 connaître ma curiosité, il se mit en devoir de la satisfaire, et même, en qualité d'étranger, de m'instruire. « Mon Père, lui dis-je, quels sont ces gros volumes qui tiennent tout ce côté de bibliothèque ? – Ce sont, me dit-il, les interprètes de l'Écriture. – Il y en a un grand nombre ! lui repartis-je. Il
10 faut que l'Écriture fût bien obscure autrefois et bien claire à présent. Reste-t-il encore quelques doutes ? Peut-il y avoir des points contestés ? – S'il y en a, bon Dieu ! s'il y en a ! me répondit-il. Il y en a presque autant que de lignes. – Oui ? lui dis-je. Et qu'ont donc fait tous ces auteurs ? –
15 Ces auteurs, me repartit-il, n'ont point cherché dans l'Écri-ture ce qu'il faut croire, mais ce qu'ils croient eux-mêmes ; ils ne l'ont point regardée comme un livre où étaient conte-nus les dogmes qu'ils devaient recevoir, mais comme un ouvrage qui pourrait donner de l'autorité à leurs propres
20 idées. C'est pour cela qu'ils en ont corrompu tous les sens et ont donné la torture à tous les passages. C'est un pays où les hommes de toutes les sectes font des descentes et vont comme au pillage ; c'est un champ de bataille où les nations ennemies qui se rencontrent livrent bien des com-
25 bats, où l'on s'attaque, où l'on s'escarmouche de bien des manières.

« Tout près de là, voyez les livres ascétiques ou de dévo-tion ; ensuite, les livres de morale, bien plus utiles ; ceux de théologie, doublement inintelligibles, et par la matière qui y
30 est traitée, et par la manière de la traiter ; les ouvrages des mystiques, c'est-à-dire des dévots qui ont le cœur tendre. – Ah ! mon Père, lui dis-je, un moment. N'allez pas si vite.

Parlez-moi de ces mystiques. – Monsieur, me dit-il, la dévotion échauffe un cœur disposé à la tendresse, et lui fait envoyer des esprits au cerveau, qui l'échauffent de même : d'où naissent les extases et les ravissements. Cet état est le délire de la dévotion. Souvent il se perfectionne, ou plutôt dégénère en quiétisme[1] : vous savez qu'un quiétiste n'est autre chose qu'un homme fou, dévot et libertin.

« Voyez les casuistes[2], qui mettent au jour les secrets de la nuit, qui forment dans leur imagination tous les monstres que le démon d'amour peut produire, les rassemblent, les comparent, et en font l'objet éternel de leurs pensées : heureux si le cœur ne se met pas de la partie et ne devient pas lui-même complice de tant d'égarements si naïvement décrits et si nûment peints !

« Vous voyez, Monsieur, que je pense librement, et que je vous dis tout ce que je pense. Je suis naturellement naïf, et plus encore avec vous qui êtes un étranger, qui voulez savoir les choses, et les savoir telles qu'elles sont. Si je voulais, je ne vous parlerais de tout ceci qu'avec admiration ; je vous dirais sans cesse : « Cela est divin, cela est respectable ; il y a du merveilleux. » Et il en arriverait de deux choses l'une, ou que je vous tromperais, ou que je me déshonorerais dans votre esprit. »

Nous en restâmes là ; une affaire qui survint au dervis rompit notre conversation jusques au lendemain.

De Paris, le 23 de la lune de Rhamazan, 1719.

1. **Quiétisme :** doctrine mystique de Molinos qui faisait consister la perfection chrétienne dans un état de communion mystique avec Dieu : l'âme est alors indifférente aux œuvres et à son propre salut.
2. **Casuistes :** ceux qui font l'étude des cas de conscience, en morale chrétienne.

Lettre CXXXV
RICA AU MÊME

Je revins à l'heure marquée, et mon homme me mena précisément à l'endroit où nous nous étions quittés. « Voici, me dit-il, les grammairiens, les glossateurs et les commentateurs. — Mon Père, lui dis-je, tous ces gens-là ne peuvent-ils
5 pas se dispenser d'avoir du bon sens ? — Oui, dit-il ; ils le peuvent, et même il n'y paraît pas : leurs ouvrages n'en sont pas plus mauvais ; ce qui est très commode pour eux. — Cela est vrai, lui dis-je, et je connais bien des philosophes qui feraient bien de s'appliquer à ces sortes de sciences.

10 « — Voilà, poursuivit-il, les orateurs, qui ont le talent de persuader indépendamment des raisons, et les géomètres, qui obligent un homme, malgré lui, d'être persuadé, et le convainquent avec tyrannie.

« Voici les livres de métaphysique, qui traitent de si
15 grands intérêts, et dans lesquels l'infini se rencontre partout ; les livres de physique, qui ne trouvent pas plus de merveilleux dans l'économie du vaste univers que dans la machine la plus simple de nos artisans ; les livres de médecine, ces monuments de la fragilité de la nature et de
20 la puissance de l'art, qui font trembler quand ils traitent des maladies même les plus légères, tant ils nous rendent la mort présente, mais qui nous mettent dans une sécurité entière quand ils parlent de la vertu des remèdes, comme si nous étions devenus immortels.

25 « Tout près de là, sont les livres d'anatomie, qui contiennent bien moins la description des parties du corps humain que les noms barbares qu'on leur a donnés : chose qui ne guérit ni le malade de son mal, ni le médecin de son ignorance.

« Voici la chimie, qui habite tantôt l'Hôpital et tantôt les
30 Petites-Maisons[1], comme des demeures qui lui sont également propres.

1. **Petites-Maisons :** lieu où on enfermait les fous, alors que l'Hôpital servait d'asile aux plus pauvres. Montesquieu pense plutôt ici aux alchimistes.

« Voici les livres de science, ou plutôt d'ignorance occulte ; tels sont ceux qui contiennent quelque espèce de diablerie : exécrables, selon la plupart des gens, pitoyables, selon moi. Tels sont encore les livres d'astrologie judiciaire[1]. – Que dites-vous, mon Père ? Les livres d'astrologie judiciaire ! repartis-je avec feu. Et ce sont ceux dont nous faisons le plus de cas en Perse ; ils règlent toutes les actions de notre vie, et nous déterminent dans toutes nos entreprises. Les astrologues sont proprement nos directeurs ; ils font plus : ils entrent dans le gouvernement de l'État. – Si cela est, me dit-il, vous vivez sous un joug bien plus dur que celui de la raison. Voilà le plus étrange de tous les empires : je plains bien une famille, et encore plus une nation, qui se laisse si fort dominer par les planètes. – Nous nous servons, lui repartis-je, de l'astrologie comme vous vous servez de l'algèbre. Chaque nation a sa science, selon laquelle elle règle sa politique ; tous les astrologues ensemble n'ont jamais fait tant de sottises en notre Perse qu'un seul de vos algébristes[2] en a fait ici. Croyez-vous que le concours fortuit des astres ne soit pas une règle aussi sûre que les beaux raisonnements de votre faiseur de système ? Si l'on comptait les voix là-dessus en France et en Perse, ce serait un beau sujet de triomphe pour l'astrologie ; vous verriez les calculateurs bien humiliés. Quel accablant corollaire n'en pourrait-on pas tirer contre eux ? »

Notre dispute fut interrompue, et il fallut nous quitter.

De Paris, le 26 de la lune de Rhamazan, 1719.

1. **Judiciaire :** relatif au jugement, au pouvoir de discerner le vrai du faux.
2. **Un seul de vos algébristes :** allusion à Law.

Lettre CXXXVI
RICA AU MÊME

Dans l'entrevue suivante, mon savant me mena dans un cabinet particulier. « Voici les livres d'histoire moderne, me dit-il. Voyez premièrement les histoires de l'Église et des papes, livres que je lis pour m'édifier, et qui font en
5 moi souvent un effet tout contraire.

« Là, ce sont ceux qui ont écrit de la décadence du formidable empire romain, qui s'était formé du débris de tant de monarchies, et sur la chute duquel il s'en forma aussi tant de nouvelles. Un nombre infini de peuples barbares,
10 aussi inconnus que les pays qu'ils habitaient, parurent tout à coup, l'inondèrent, le ravagèrent, le dépecèrent, et fondèrent tous les royaumes que vous voyez à présent en Europe. Ces peuples n'étaient point proprement barbares, puisqu'ils étaient libres ; mais ils le sont devenus depuis
15 que, soumis pour la plupart à une puissance absolue, ils ont perdu cette douce liberté si conforme à la raison, à l'humanité et à la nature.

« Vous voyez ici les historiens de l'empire d'Allemagne qui n'est qu'une ombre du premier empire, mais qui est, je
20 crois, la seule puissance qui soit sur la terre que la division n'a point affaiblie ; la seule, je crois encore, qui se fortifie à mesure de ses pertes, et qui, lente à profiter des succès, devient indomptable par ses défaites.

« Voici les historiens de France, où l'on voit d'abord la
25 puissance des rois se former, mourir deux fois, renaître de même, languir ensuite pendant plusieurs siècles ; mais, prenant insensiblement des forces, accrue de toutes parts, monter à son dernier période : semblable à ces fleuves qui, dans leur course, perdent leurs eaux ou se cachent
30 sous terre ; puis, reparaissant de nouveau, grossis par les rivières qui s'y jettent, entraînent avec rapidité tout ce qui s'oppose à leur passage.

« Là, vous voyez la nation espagnole sortir de quelques montagnes ; les princes mahométans subjugués aussi insensiblement qu'ils avaient rapidement conquis ; tant de royaumes réunis dans une vaste monarchie, qui devint presque la seule : jusqu'à ce qu'accablée de sa propre grandeur et de sa fausse opulence, elle perdit sa force et sa réputation même et ne conserva que l'orgueil de sa première puissance.

« Ce sont ici les historiens d'Angleterre, où l'on voit la liberté sortir sans cesse des feux de la discorde et de la sédition ; le prince toujours chancelant sur un trône inébranlable ; une nation impatiente, sage dans sa fureur même, et qui, maîtresse de la mer (chose inouïe jusqu'alors), mêle le commerce avec l'empire.

« Tout près de là sont les historiens de cette autre reine de la mer, la république de Hollande, si respectée en Europe et si formidable en Asie, où ses négociants voient tant de rois prosternés devant eux.

« Les historiens d'Italie vous représentent une nation autrefois maîtresse du monde, aujourd'hui esclave de toutes les autres ; ses princes divisés et faibles, et sans autre attribut de souveraineté qu'une vaine politique.

« Voilà les historiens des républiques : de la Suisse, qui est l'image de la liberté ; de Venise, qui n'a de ressources qu'en son économie ; et de Gênes, qui n'est superbe que par ses bâtiments.

« Voici ceux du Nord et, entre autres, de la Pologne, qui use si mal de sa liberté et du droit qu'elle a d'élire ses rois, qu'il semble qu'elle veuille consoler par là les peuples ses voisins, qui ont perdu l'un et l'autre. »

Là-dessus nous nous séparâmes jusques au lendemain.

De Paris, le 2 de la lune de Chalval, 1719.

Lettre CXXXVII
RICA AU MÊME

Le lendemain, il me mena dans un autre cabinet.

Ce sont ici les poètes, me dit-il, c'est-à-dire ces auteurs dont le métier est de mettre des entraves au bon sens et d'accabler la raison sous les agréments, comme on ensevelissait autrefois les femmes sous leurs ornements et leurs parures. Vous les connaissez ; ils ne sont pas rares chez les Orientaux, où le soleil plus ardent semble échauffer les imaginations mêmes.

« Voilà les poèmes épiques. – Eh ! qu'est-ce que les poèmes épiques ? – En vérité, me dit-il, je n'en sais rien ; les connaisseurs disent qu'on n'en a jamais fait que deux, et que les autres qu'on donne sous ce nom ne le sont point ; c'est aussi ce que je ne sais pas. Ils disent de plus qu'il est impossible d'en faire de nouveaux, et cela est encore plus surprenant.

« Voici les poètes dramatiques, qui, selon moi, sont les poètes par excellence et les maîtres des passions. Il y en a de deux sortes : les comiques, qui nous remuent si doucement, et les tragiques, qui nous troublent et nous agitent avec tant de violence.

« Voici les lyriques[1], que je méprise autant que j'estime les autres, et qui font de leur art une harmonieuse extravagance.

« On voit ensuite les auteurs des idylles[2] et des églogues[3], qui plaisent même aux gens de cour par l'idée qu'ils leur donnent d'une certaine tranquillité qu'ils n'ont pas, et qu'ils leur montrent dans la condition des bergers.

1. **Lyriques :** auteurs d'ouvrages destinés à être chantés, d'opéras.
2. **Idylles :** petits poèmes ou petites pièces à sujet pastoral.
3. **Églogues :** synonyme d'idylle, poèmes à sujet pastoral (mettant en scène des bergers).

« De tous les auteurs que nous avons vus, voici les plus dangereux : ce sont ceux qui aiguisent les épigrammes[1], qui sont de petites flèches déliées qui font une plaie profonde et inaccessible aux remèdes.

« Vous voyez ici les romans, dont les auteurs sont des espèces de poètes et qui outrent également le langage de l'esprit et celui du cœur : ils passent leur vie à chercher la nature et la manquent toujours, et leurs héros y sont aussi étrangers que les dragons ailés et les hippocentaures[2].

« – J'ai vu, lui dis-je, quelques-uns de vos romans, et, si vous voyiez les nôtres, vous en seriez encore plus choqué. Ils sont aussi peu naturels et, d'ailleurs, extrêmement gênés par nos mœurs : il faut dix années de passion avant qu'un amant ait pu voir seulement le visage de sa maîtresse. Cependant les auteurs sont forcés de faire passer les lecteurs dans ces ennuyeux préliminaires. Or il est impossible que les incidents soient variés. On a recours à un artifice pire que le mal même qu'on veut guérir : c'est aux prodiges. Je suis sûr que vous ne trouverez pas bon qu'une magicienne fasse sortir une armée de dessous terre, qu'un héros, lui seul, en détruise une de cent mille hommes. Cependant voilà nos romans. Ces aventures froides et souvent répétées nous font languir, et ces prodiges extravagants nous révoltent. »

De Paris, le 6 de la lune de Chalval, 1719.

1. **Épigrammes :** petits poèmes satiriques, ou traits d'esprit mordant contre quelqu'un.
2. **Hippocentaures :** centaures, êtres fabuleux moitié cheval moitié homme.

Lettre CXXXVIII
RICCA À IBBEN, À SMYRNE

Les ministres se succèdent et se détruisent ici comme les saisons : depuis trois ans, j'ai vu changer quatre fois de système sur les finances. On lève aujourd'hui les tributs, en Turquie et en Perse, comme les levaient les fondateurs
5 de ces empires ; il s'en faut bien qu'il en soit ici de même. Il est vrai que nous n'y mettons pas tant d'esprit que les Occidentaux : nous croyons qu'il n'y a pas plus de différence entre l'administration des revenus du prince et celle des biens d'un particulier, qu'il y en a entre compter cent
10 mille tomans[1] ou en compter cent. Mais il y a ici bien plus de finesse et de mystère. Il faut que de grands génies travaillent nuit et jour ; qu'ils enfantent sans cesse et avec douleur de nouveaux projets ; qu'ils écoutent les avis d'une infinité de gens qui travaillent pour eux sans en être
15 priés ; qu'ils se retirent et vivent dans le fond d'un cabinet impénétrable aux grands et sacré aux petits ; qu'ils aient toujours la tête remplie de secrets importants, de desseins miraculeux, de systèmes nouveaux, et qu'absorbés dans les méditations, ils soient privés de l'usage de la parole, et
20 quelquefois même de celui de la politesse.

Dès que le feu roi eut fermé les yeux, on pensa a établir une nouvelle administration. On sentait qu'on était mal, mais on ne savait comment faire pour être mieux. On ne s'était pas bien trouvé de l'autorité sans bornes des ministres
25 précédents ; on la voulut partager. On créa pour cet effet six ou sept conseils[2], et ce ministère est peut-être celui de tous qui a gouverné la France avec plus de sens. La durée en fut courte, aussi bien que celle du bien qu'il produisit.

1. **Tomans :** monnaie de Perse.
2. **Six ou sept conseils :** la polysynodie, c'est-à-dire les sept conseils qui assistaient le Régent et que celui-ci supprima en 1718.

La France, à la mort du feu roi, était un corps accablé de mille maux : N...[1] prit le fer à la main, retrancha les chairs inutiles, et appliqua quelques remèdes topiques. Mais il restait toujours un vice intérieur à guérir. Un étranger[2] est venu, qui a entrepris cette cure : après bien des remèdes violents, il a cru lui avoir rendu son embonpoint, et il l'a seulement rendue bouffie.

Tous ceux qui étaient riches il y a six mois sont à présent dans la pauvreté, et ceux qui n'avaient pas de pain regorgent de richesses. Jamais ces deux extrémités ne se sont touchées de si près. L'étranger a tourné l'État comme un fripier tourne un habit : il fait paraître dessus ce qui était dessous ; et ce qui était dessus, il le met à l'envers. Quelles fortunes inespérées, incroyables même à ceux qui les ont faites ! Dieu ne tire pas plus rapidement les hommes du néant. Que de valets servis par leurs camarades, et peut-être demain par leurs maîtres !

Tout ceci produit souvent des choses bizarres. Les laquais qui avaient fait fortune sous le règne passé vantent aujourd'hui leur naissance : ils rendent à ceux qui viennent de quitter leur livrée dans une certaine rue, tout le mépris qu'on avait pour eux il y a six mois ; ils crient de toute leur force : « La noblesse est ruinée ! Quel désordre dans l'État ! Quelle confusion dans les rangs ! On ne voit que des inconnus faire fortune ! » Je te promets que ceux-ci prendront bien leur revanche sur ceux qui viendront après eux, et que, dans trente ans, ces gens de qualité feront bien du bruit.

De Paris, le premier de la lune de Zilcadé, 1720.

1. **N***** : le maréchal de Noailles, président du Conseil des finances.
2. **Un étranger** : allusion à John Law (1671-1729), financier écossais, qui tenta une grande réforme financière fondée sur l'émission de papier-monnaie ; celle-ci s'acheva par une banqueroute générale, qui changea les fortunes du jour au lendemain.

Lettre CXXXIX
RICA AU MÊME

Voici un grand exemple de la tendresse conjugale, non seulement dans une femme, mais dans une reine. La reine de Suède[1], voulant à toute force associer le prince son époux à la couronne, pour aplanir toutes les difficultés, a
5 envoyé aux états une déclaration par laquelle elle se désiste de la régence en cas qu'il soit élu.

Il y a soixante et quelques années qu'une autre reine, nommée *Christine*, abdiqua la couronne pour se donner tout entière à la philosophie. Je ne sais lequel de ces deux
10 exemples nous devons admirer davantage.

Quoique j'approuve assez que chacun se tienne ferme dans le poste où la nature l'a mis, et que je ne puisse louer la faiblesse de ceux qui, se trouvant au-dessous de leur état, le quittent comme par une espèce de désertion, je suis
15 cependant frappé de la grandeur d'âme de ces deux princesses, et de voir l'esprit de l'une et le cœur de l'autre supérieurs à leur fortune. Christine a songé à connaître dans le temps que les autres ne songent qu'à jouir, et l'autre ne veut jouir que pour mettre tout son bonheur entre les
20 mains de son auguste époux.

De Paris, le 27 de la lune de Maharram, 1720.

1. **La reine de Suède :** Ulrique Éléonore, sœur de Charles XII, fut élue librement par les états de Suède le 13 janvier 1719 et renonça au pouvoir en faveur de son époux.

Lettre CXL
Rica à Usbek, à***

Le parlement de Paris vient d'être relégué dans une petite ville qu'on appelle *Pontoise*[1]. Le Conseil lui a envoyé enregistrer ou approuver une déclaration qui le déshonore, et il l'a enregistrée d'une manière qui déshonore le Conseil.

On menace d'un pareil traitement quelques parlements 5 du royaume.

Ces compagnies sont toujours odieuses : elles n'approchent des rois que pour leur dire de tristes vérités, et, pendant qu'une foule de courtisans leur représentent sans cesse un peuple heureux sous leur gouvernement, elles viennent 10 démentir la flatterie, et apporter aux pieds du trône les gémissements et les larmes dont elles sont dépositaires.

C'est un pesant fardeau, mon cher Usbek, que celui de la vérité, lorsqu'il faut la porter jusques aux princes. Ils doivent bien penser que ceux qui s'y déterminent y sont 15 contraints, et qu'ils ne se résoudraient jamais à faire des démarches si tristes et si affligeantes pour ceux qui les font, s'ils n'y étaient forcés par leur devoir, leur respect, et même leur amour.

De Paris, le 21 de la lune de Gemmadi 1, 1720.

1. **Le Parlement [...]** *Pontoise* : le Parlement fut exilé à Pontoise pour avoir refusé d'enregistrer l'édit royal qui imposait à la Compagnie des Indes l'obligation d'absorber une somme de 600 millions de papier.

Lettre CXLI
Rica au même

J'irai te voir sur la fin de la semaine. Que les jours couleront agréablement avec toi !

Je fus présenté, il y a quelques jours, à une dame de la cour qui avait quelque envie de voir ma figure étrangère.
5 Je la trouvai belle, digne des regards de notre monarque et d'un rang auguste dans le lieu sacré où son cœur repose.

Elle me fit mille questions sur les mœurs des Persans, et sur la manière de vivre des Persanes. Il me parut que la vie du sérail n'était pas de son goût, et qu'elle trouvait de
10 la répugnance à voir un homme partagé entre dix ou douze femmes. Elle ne put voir sans envie le bonheur de l'un et sans pitié la condition des autres. Comme elle aime la lecture, surtout celle des poètes et des romans, elle souhaita que je lui parlasse des nôtres. Ce que je lui en dis
15 redoubla sa curiosité : elle me pria de lui faire traduire un fragment de quelques-uns de ceux que j'ai apportés. Je le fis et je lui envoyai quelques jours après un conte persan. Peut-être seras-tu bien aise de le voir travesti.

Du temps de Cheik-Ali-Khan[1], il y avait en Perse une
20 femme nommée *Zuléma* ; elle savait par cœur tout le saint Alcoran ; il n'y avait point de dervis qui entendît mieux qu'elle les traditions des saints prophètes ; les docteurs arabes n'avaient rien de si mystérieux qu'elle n'en comprît tous les sens ; et elle joignait à tant de connaissances un certain
25 caractère d'esprit enjoué, qui laissait à peine deviner si elle voulait amuser ceux à qui elle parlait, ou les instruire.

Un jour qu'elle était avec ses compagnes dans une des salles du sérail, une d'elles lui demanda ce qu'elle pensait de l'autre vie, et si elle ajoutait foi à cette ancienne tradition de
30 nos docteurs, que le paradis n'est fait que pour les hommes.

1. **Cheik Ali Kan :** le shah Soliman III le prit pour grand vizir en 1668. Il avait la réputation d'être très sensé.

« C'est le sentiment commun, leur dit-elle ; il n'y a rien que l'on n'ait fait pour dégrader notre sexe. Il y a même une nation répandue par toute la Perse, qu'on appelle la *nation juive*, qui soutient, par l'autorité de ses livres sacrés, que nous n'avons point d'âme. 35

« Ces opinions si injurieuses n'ont d'autre origine que l'orgueil des hommes, qui veulent porter leur supériorité au-delà même de leur vie, et ne pensent pas que, dans le grand jour, toutes les créatures paraîtront devant Dieu comme le néant, sans qu'il y ait entre elles de prérogatives 40 que celles que la vertu y aura mises.

« Dieu ne se bornera point dans ses récompenses ; et comme les hommes qui auront bien vécu et bien usé de l'empire qu'ils ont ici-bas sur nous, seront dans un paradis plein de beautés célestes et ravissantes, et telles que, si un 45 mortel les avait vues, il se donnerait aussitôt la mort dans l'impatience d'en jouir, aussi les femmes vertueuses iront dans un lieu de délices, où elles seront enivrées d'un torrent de voluptés avec des hommes divins qui leur seront soumis : chacune d'elles aura un sérail dans lequel ils 50 seront enfermés, et des eunuques, encore plus fidèles que les nôtres, pour les garder.

« J'ai lu, ajouta-t-elle, dans un livre arabe, qu'un homme nommé *Ibrahim* était d'une jalousie insupportable. Il avait douze femmes extrêmement belles, qu'il traitait d'une 55 manière très dure : il ne se fiait plus à ses eunuques ni aux murs de son sérail ; il les tenait presque toujours sous la clef, enfermées dans leur chambre, sans qu'elles pussent se voir ni se parler : car il était même jaloux d'une amitié innocente. Toutes ses actions prenaient la teinture de sa 60 brutalité naturelle ; jamais une douce parole ne sortit de sa bouche, et jamais il ne fit le moindre signe qui n'ajoutât quelque chose à la rigueur de leur esclavage.

« Un jour qu'il les avait toutes assemblées dans une salle de son sérail, une d'entre elles, plus hardie que les autres, 65 lui reprocha son mauvais naturel. Quand on cherche si

fort les moyens de se faire craindre, lui dit-elle, on trouve
toujours auparavant ceux de se faire haïr. Nous sommes si
malheureuses que nous ne pouvons nous empêcher de
70 désirer un changement. D'autres, à ma place, souhaite-
raient votre mort ; je ne souhaite que la mienne ; et, ne
pouvant espérer d'être séparée de vous que par là, il me
sera encore bien doux d'en être séparée. » Ce discours, qui
aurait dû le toucher, le fit entrer dans une furieuse colère ;
75 il tira son poignard et le lui plongea dans le sein. « Mes
chères compagnes, dit-elle d'une voix mourante, si le ciel
a pitié de ma vertu, vous serez vengées. » À ces mots, elle
quitta cette vie infortunée pour aller dans le séjour des
délices où les femmes qui ont bien vécu jouissent d'un
80 bonheur qui se renouvelle toujours.

« D'abord elle vit une prairie riante, dont la verdure était
relevée par les peintures des fleurs les plus vives ; un ruis-
seau, dont les eaux étaient plus pures que le cristal, y fai-
sait un nombre infini de détours. Elle entra ensuite dans
85 des bocages charmants, dont le silence n'était interrompu
que par le doux chant des oiseaux. De magnifiques jardins
se présentèrent ensuite : la nature les avait ornés avec sa
simplicité et toute sa magnificence. Elle trouva enfin un
palais superbe, préparé pour elle et rempli d'hommes
90 célestes destinés à ses plaisirs.

« Deux d'entre eux se présentèrent aussitôt pour la dés-
habiller ; d'autres la mirent dans le bain et la parfumèrent
des plus délicieuses essences. On lui donna ensuite des
habits infiniment plus riches que les siens. Après quoi, on
95 la mena dans une grande salle, où elle trouva un feu fait
avec des bois odoriférants, et une table couverte des mets
les plus exquis. Tout semblait concourir au ravissement de
ses sens : elle entendait, d'un côté, une musique d'autant
plus divine qu'elle était plus tendre ; de l'autre, elle ne
100 voyait que des danses de ces hommes divins, uniquement
occupés à lui plaire. Cependant tant de plaisirs ne devaient
servir qu'à la conduire insensiblement à des plaisirs plus

grands. On la mena dans sa chambre, et, après l'avoir encore une fois déshabillée, on la porta dans un lit superbe, où deux hommes d'une beauté charmante la reçurent dans leurs bras. C'est pour lors qu'elle fut enivrée, et que ses ravissements passèrent même ses désirs. « Je suis toute hors de moi, leur disait-elle ; je croirais mourir, si je n'étais sûre de mon immortalité. C'est en trop, laissez-moi : je succombe sous la violence des plaisirs. Oui, vous rendez un peu le calme à mes sens, je commence à respirer et à revenir à moi-même. D'où vient que l'on a ôté les flambeaux ? Que ne puis-je à présent considérer votre beauté divine ? Que ne puis-je voir... Mais pourquoi voir ? Vous me faites rentrer dans mes premiers transports. Ô dieux ! que ces ténèbres sont aimables ! Quoi ! je serai immortelle, et immortelle avec vous ? Je serai...

Non, je vous demande grâce : car je vois bien que vous êtes gens à n'en demander jamais. »

« Après plusieurs commandements réitérés, elle fut obéie ; mais elle ne le fut que lorsqu'elle voulut l'être bien sérieusement. Elle se reposa languissamment, et s'endormir dans leurs bras. Deux moments de sommeil réparèrent sa lassitude ; elle reçut deux baisers qui l'enflammèrent soudain et lui firent ouvrir les yeux. « Je suis inquiète, dit-elle : je crains que vous ne m'aimiez plus. » C'était un doute dans lequel elle ne voulait pas rester longtemps : aussi eut-elle avec eux tous les éclaircissements qu'elle pouvait désirer. « Je suis désabusée, s'écria-t-elle. Pardon, pardon ! Je suis sûre de vous. Vous ne me dites rien, mais vous prouvez mieux que tout ce que vous me pourriez dire. Oui, oui ! Je vous le confesse, on n'a jamais tant aimé. Mais quoi ! vous vous disputez tous deux l'honneur de me persuader ! Ah ! si vous vous disputez, si vous joignez l'ambition au plaisir de ma défaite, je suis perdue : vous serez tous deux vainqueurs, il n'y aura que moi de vaincue, mais je vous vendrai bien cher la victoire. »

« Tout ceci ne fut interrompu que par le jour. Ses fidèles et aimables domestiques entrèrent dans sa chambre, et

firent lever ces deux jeunes hommes, que deux vieillards
140 ramenèrent dans les lieux où ils étaient gardés pour ses
plaisirs. Elle se leva ensuite, et parut d'abord à cette cour
idolâtre dans les charmes d'un déshabillé simple, et ensuite
couverte des plus somptueux ornements. Cette nuit l'avait
embellie : elle avait donné de la vie à son teint et de l'ex-
145 pression à ses grâces. Ce ne fut pendant tout le jour que
danses, que concerts, que festins, que jeux, que promena-
des, et l'on remarquait qu'Anaïs se dérobait de temps en
temps et volait vers ses deux jeunes héros. Après quelques
précieux instants d'entrevue, elle revenait vers la troupe
150 qu'elle avait quittée, toujours avec un visage plus serein.
Enfin, sur le soir, on la perdit tout à fait : elle alla s'enfer-
mer dans le sérail, où elle voulait, disait-elle, faire connais-
sance avec ces captifs immortels qui devaient à jamais
vivre avec elle. Elle visita donc les appartements de ces
155 lieux les plus reculés et les plus charmants, où elle compta
cinquante esclaves d'une beauté miraculeuse : elle erra
toute la nuit de chambre en chambre, recevant partout des
hommages toujours différents et toujours les mêmes.

« Voilà comment l'immortelle Anaïs passait sa vie, tantôt
160 dans des plaisirs éclatants, tantôt dans des plaisirs solitai-
res ; admirée d'une troupe brillante, ou bien aimée d'un
amant éperdu. Souvent elle quittait le palais enchanté
pour aller dans une grotte champêtre ; les fleurs sem-
blaient naître sous ses pas, et les jeux se présentaient en
165 foule au-devant d'elle.

« Il y avait plus de huit jours qu'elle était dans cette
demeure heureuse, que, toujours hors d'elle-même, elle
n'avait pas fait une seule réflexion : elle avait joui de son
bonheur sans le connaître, et sans avoir eu un seul de ces
170 moments tranquilles où l'âme se rend, pour ainsi dire,
compte à elle-même, et s'écoute dans le silence des passions.

« Les bienheureux ont des plaisirs si vifs qu'ils peuvent
rarement jouir de cette liberté d'esprit. C'est pour cela
qu'attachés invinciblement aux objets présents, ils perdent

entièrement la mémoire des choses passées et n'ont plus 175
aucun souci de ce qu'ils ont connu ou aimé dans l'autre
vie.

« Mais Anaïs, dont l'esprit était vraiment philosophe,
avait passé presque toute sa vie à méditer ; elle avait
poussé ses réflexions beaucoup plus loin qu'on n'aurait dû 180
l'attendre d'une femme laissée à elle-même. La retraite
austère que son mari lui avait fait garder ne lui avait laissé
que cet avantage. C'est cette force d'esprit qui lui avait fait
mépriser la crainte dont ses compagnes étaient frappées,
et la mort, qui devait être la fin de ses peines et le com- 185
mencement de sa félicité.

« Ainsi elle sortit peu à peu de l'ivresse des plaisirs, et
s'enferma seule dans un appartement de son palais. Elle se
laissa aller à des réflexions bien douces sur sa condition
passée et sur sa félicité présente ; elle ne put s'empêcher 190
de s'attendrir sur le malheur de ses compagnes : on est
sensible à des tourments que l'on a partagés. Anaïs ne se
tint pas dans les simples bornes de la compassion : plus
tendre envers ces infortunées, elle se sentit portée à les
secourir. 195

« Elle donna ordre à un de ces jeunes hommes qui
étaient auprès d'elle, de prendre la figure de son mari, d'al-
ler dans son sérail, de s'en rendre maître, de l'en chasser, et
d'y rester à sa place jusqu'à ce qu'elle le rappelât.

« L'exécution fut prompte : il fendit les airs, arriva à la 200
porte du sérail d'Ibrahim, qui n'y était pas. Il frappe ; tout
lui est ouvert : les eunuques tombent à ses pieds ; il vole
vers les appartements où les femmes d'Ibrahim étaient
enfermées : il avait, en passant, pris les clefs dans la poche
de ce jaloux, à qui il s'était rendu invisible. Il entre, et les 205
surprend d'abord par son air doux et affable ; et, bientôt
après, il les surprend davantage par ses empressements et
par la rapidité de ses entreprises. Toutes eurent leur part
de l'étonnement, et elles l'auraient pris pour un songe, s'il
y eût eu moins de réalité. 210

317

« Pendant que ces nouvelles scènes se jouent dans le sérail, Ibrahim heurte, se nomme, tempête et crie. Après avoir essuyé bien des difficultés, il entre et jette les eunuques dans un désordre extrême. Il marche à grands pas ; mais il recule en arrière et tombe comme des nues, quand il voit le faux Ibrahim, sa véritable image, dans toutes les libertés d'un maître. Il crie au secours : il veut que les eunuques lui aident à tuer cet imposteur ; mais il n'est pas obéi. Il n'a plus qu'une bien faible ressource : c'est de s'en rapporter au jugement de ses femmes. Dans une heure, le faux Ibrahim avait séduit tous ses juges. L'autre est chassé et traîné indignement hors du sérail ; et il aurait reçu la mort mille fois, si son rival n'avait ordonné qu'on lui sauvât la vie. Enfin le nouvel Ibrahim, resté maître du champ de bataille, se montra de plus en plus digne d'un tel choix, et se signala par des miracles jusqu'alors inconnus.

« Vous ne ressemblez pas à Ibrahim, disaient ces femmes. — Dites, dites plutôt que cet imposteur ne me ressemble pas, disait le triomphant Ibrahim. Comment faut-il faire pour être votre époux, si ce que je fais ne suffit pas ? – Ah ! nous n'avons garde de douter, dirent les femmes. Si vous n'êtes pas Ibrahim, il nous suffit que vous ayez si bien mérité de l'être ; vous êtes plus Ibrahim en un jour qu'il ne l'a été dans le cours de dix années. — Vous me promettez donc, reprit-il, que vous vous déclarerez en ma faveur contre cet imposteur ? – N'en doutez pas, dirent-elles d'une commune voix : nous vous jurons une fidélité éternelle ; nous n'avons été que trop longtemps abusées : le traître ne soupçonnait point notre vertu ; il ne soupçonnait que sa faiblesse. Nous voyons bien que les hommes ne sont point faits comme lui ; c'est à vous sans doute qu'ils ressemblent. Si vous saviez combien vous nous le faites haïr ! – Ah ! Je vous donnerai souvent de nouveaux sujets de haine, reprit le faux Ibrahim : vous ne connaissez point encore tout le tort qu'il vous a fait. – Nous jugeons de son injustice par la grandeur de votre vengeance, reprirent-

elles. – Oui, vous avez raison, dit l'homme divin – j'ai mesuré l'expiation au crime ; je suis bien aise que vous soyez contentes de ma manière de punir. – Mais, dirent ces femmes, si cet imposteur revient, que ferons-nous ? – Il lui serait, je crois, difficile de vous tromper, répondit-il ; dans la place que j'occupe auprès de vous, on ne se soutient guère par la ruse ; et, d'ailleurs, je l'enverrai si loin, que vous n'entendrez plus parler de lui. Pour lors, je prendrai sur moi le soin de votre bonheur : je ne serai point jaloux ; je saurai m'assurer de vous sans vous gêner ; j'ai assez bonne opinion de mon mérite pour croire que vous me serez fidèles. Si vous n'étiez pas vertueuses avec moi, avec qui le seriez-vous ? »

« Cette conversation dura longtemps entre lui et ces femmes, qui, plus frappées de la différence des deux Ibrahim que de leur ressemblance, ne songeaient pas même à se faire éclaircir de tant de merveilles. Enfin le mari désespéré revint encore les troubler : il trouva toute sa maison dans la joie et ses femmes plus incrédules que jamais. La place n'était pas tenable pour un jaloux : il sortit furieux, et un instant après le faux Ibrâhim le suivit, le prit, le transporta dans les airs, et le laissa à deux mille lieues de là.

« Ô dieux ! dans quelle désolation se trouvèrent ces femmes dans l'absence de leur cher Ibrahim ! Déjà leurs eunuques avaient repris leur sévérité naturelle ; toute la maison était en larmes ; elles s'imaginaient quelquefois que tout ce qui leur était arrivé n'était qu'un songe ; elles se regardaient toutes les unes les autres, et se rappelaient les moindres circonstances de ces étranges aventures. Enfin le céleste Ibrahim revint, toujours plus aimable ; il leur parut que son voyage n'avait pas été pénible. Le nouveau maître prit une conduite si opposée à celle de l'autre qu'elle surprit tous les voisins. Il congédia les eunuques, rendit sa maison accessible à tout le monde ; il ne voulut pas même souffrir que ses femmes se voilassent. C'était une chose singulière de les voir dans les festins parmi des hommes,

aussi libres qu'eux. Ibrahim crut avec raison que les coutumes du pays n'étaient pas faites pour des citoyens comme lui. Cependant il ne se refusait aucune dépense : il dissipa avec une immense profusion les biens du jaloux, qui, de retour trois ans après des pays lointains où il avait été transporté, ne trouva plus que ses femmes et trente-six enfants.

De Paris, le 26 de la lune de Gemmadi1, 1720.

Synthèse Lettre CXLI

Bonheur et passion
dans les Lettres persanes

Le bonheur semble introuvable dans les *Lettres persanes*. Ni Usbek ni ses femmes ne le connaissent. Rica, est, quant à lui, plus gai qu'heureux.

Personnages

Deux amoureux

Le conte persan d'Ibrahim et d'Anaïs (lettre CXLI), pourrait faire penser que l'amour est la source du bonheur. Mais il ne se réalise qu'au paradis, il faut donc d'abord mourir, en étant frappée par un odieux mari dans le cas d'Anaïs. Ensuite, pour aider ses compagnes demeurées dans le sérail, elle leur envoie l'un de ses amants du paradis. Il chasse le mari cruel, comble les femmes et ouvre leur prison. Le bonheur peut donc s'établir, mais dans un conte de fées : le paradis d'Anaïs est un monde à l'envers où les femmes sont comblées par un sérail d'hommes. Dans la vie réelle du sérail, c'est l'inverse : femmes et eunuques sont frustrés (lettres III et VII), seuls les hommes sont satisfaits (lettre LXII).

Langage

Passion et jalousie

L'asservissement de la femme est à la mesure de la peur qu'elle inspire. C'est le thème de « l'empire de ce sexe » que développent surtout les eunuques (lettres XXII ou LXXIX relatant l'achat d'une Circassienne, par exemple).

Peut-on échapper au pouvoir des femmes, au désir et aux passions ? Usbek, par la séparation et le voyage, prétend être devenu insensible (lettre VI). Mais cette soi-disant « insensibilité » n'empêche en rien la jalousie. Le sérail et la clôture des femmes a pour seule justification l'amortissement des passions et la protection contre la puissance féminine, comme l'exprime Usbek dans la lettre LVI. Toutefois, cette tranquillité apparente

contient mal l'ébullition des passions, qui se répandent sans frein lors du désordre final. Le sérail ne permet pas de se protéger des passions, au contraire, il les condense et les renforce.

Société

Le vertu

Si l'homme peut être heureux, c'est en pratiquant la vertu, en subordonnant son intérêt personnel au bien commun. Montesquieu fait l'apologie des liens familiaux et de l'amour conjugal. La reine de Suède, qui renonce au pouvoir en faveur de son époux, donne dans la lettre CXXXIX « un grand exemple de la tendresse conjugale ». Dans l'histoire des Troglodytes, la vertu sociale est indissociable de la vertu familiale (lettres XI à XIV). La lettre X de Mirza à Usbek dit clairement que c'est par la vertu et non par la satisfaction des sens que l'homme accède au bonheur. Ne vivre que selon le désir est en revanche une impasse. Au paradis, Anaïs mène cette vie avant de s'élever à la vertu et de ressentir de la compassion pour ses anciennes compagnes d'infortune : « Ainsi elle sortit peu à peu de l'ivresse des plaisirs [...] elle se sentit portée à les secourir. » Anaïs, parce qu'elle est philosophe, quitte l'égocentrisme des plaisirs pour accéder à un vertueux altruisme. Tel doit être le cheminement intérieur de quiconque cherche le bonheur.

Le bonheur se trouve plutôt, pour Montesquieu, dans des sentiments tempérés comme la tendresse paternelle, filiale, conjugale et la compassion pour son prochain. Il n'est ni dans la démesure des passions, ni dans l'insensibilité. Le bonheur repose sur la liberté, car c'est librement qu'un homme ou une femme peut faire le choix de pratiquer la vertu : seule façon d'être en repos avec soi-même et les autres. Montesquieu annonce les drames sérieux ou bourgeois du XVIIIᵉ siècle, ceux de Diderot (*Le Père de famille*, *Le Fils naturel*) ou de Beaumarchais (*Les Deux amis*, *La Mère coupable*) dans lesquels le bonheur est indissociable de la vertu.

Lettre CXLII
RICA À USBEK, À***

Voici une lettre que je reçus hier d'un savant ; elle te paraîtra singulière :

MONSIEUR,

Il y a six mois que j'ai recueilli la succession d'un oncle très riche, qui m'a laissé cinq ou six cent mille livres et une maison superbement meublée. Il y a plaisir d'avoir du bien, lorsqu'on en sait faire un bon usage. Je n'ai point d'ambition, ni de goût pour les plaisirs : je suis presque toujours enfermé dans un cabinet, où je mène la vie d'un savant ; c'est dans ce lieu que l'on trouve un curieux amateur de la vénérable antiquité. 10

Lorsque mon oncle eut fermé les yeux, j'aurais fort souhaité de le faire enterrer avec les cérémonies observées par les anciens Grecs et Romains ; mais je n'avais pour lors ni lacrymatoires, ni urnes, ni lampes antiques.

Mais, depuis, je me suis bien pourvu de ces précieuses raretés. Il y a quelques jours que je vendis ma vaisselle d'argent pour acheter une lampe de terre qui avait servi à un philosophe stoïcien. Je me suis défait de toutes les glaces dont mon oncle avait couvert presque tous les murs de ses appartements, pour avoir un petit miroir, un peu fêlé, qui fut autrefois à 20 *l'usage de Virgile : je suis charmé d'y voir ma figure représentée au lieu de celle du Cygne de Mantoue. Ce n'est pas tout : j'ai acheté cent louis d'or cinq ou six pièces d'une monnaie de cuivre qui avait cours il y a deux mille ans. Je ne sache pas avoir à présent dans ma maison un seul meuble qui n'ait été* 25 *fait avant la décadence de l'empire. J'ai un petit cabinet de manuscrits fort précieux et fort chers. Quoique je me tue la vue à les lire, j'aime beaucoup mieux m'en servir que des exemplaires imprimés, qui ne sont pas si corrects, et que tout le monde a entre les mains. Quoique je ne sorte presque jamais, je ne laisse* 30 *pas d'avoir une passion démesurée de connaître tous les anciens chemins qui étaient du temps des Romains. Il y en a*

*un qui est près de chez moi, qu'un proconsul des Gaules fit
faire, il y a environ douze cents ans ; lorsque je vais à ma mai-*
35 *son de campagne, je ne manque jamais d'y passer, quoiqu'il
soit très incommode, et qu'il m'allonge de plus d'une lieue.
Mais ce qui me fait enrager, c'est qu'on y a mis des poteaux de
bois de distance en distance pour marquer l'éloignement des
villes voisines : je suis désespéré de voir ces misérables indices,*
40 *au lieu des colonnes milliaires qui y étaient autrefois ; je ne
doute pas que je ne les fasse rétablir par mes héritiers, et que je
ne les engage à cette dépense par mon testament. Si vous avez,
Monsieur, quelque manuscrit persan, vous me ferez plaisir de
m'en accommoder ; je vous le paierai tout ce que vous voudrez,*
45 *et je vous donnerai par-dessus le marché quelques ouvrages de
ma façon, par lesquels vous verrez que je ne suis point un
membre inutile de la république des lettres. Vous y remarque-
rez entre autres une dissertation où je fais voir que la cou-
ronne dont on se servait autrefois dans les triomphes était de*
50 *chêne, et non pas de laurier. Vous en admirerez une autre où
je prouve, par de doctes conjectures tirées des plus graves
auteurs grecs, que Cambyse[1] fut blessé à la jambe gauche, et
non pas à la droite ; une autre où je démontre qu'un petit
front était une beauté très recherchée par les Romains. Je vous*
55 *enverrai encore un volume in-quarto, en forme d'explication
d'un vers du sixième livre de l'Énéide de Virgile. Vous ne rece-
vrez tout ceci que dans quelques jours, et, quant à présent, je
me contente de vous envoyer ce fragment d'un ancien mytholo-
giste grec qui n'avait point paru jusques ici, et que j'ai décou-*
60 *vert dans la poussière d'une bibliothèque.*

*Je vous quitte pour une affaire importante que j'ai sur les
bras : il s'agit de restituer un beau passage de Pline le natu-
raliste, que les copistes du cinquième siècle ont étrangement
défiguré.*
65 *Je suis, etc.*

1. **Cambyse :** Cambyse II, roi de Perse, qui conquit l'Égypte.

FRAGMENT D'UN ANCIEN MYTHOLOGISTE[1]

Dans une île près des Orcades, il naquit un enfant qui avait pour père Éole, dieu des vents, et pour mère une nymphe de Calédonie. On dit de lui qu'il apprit tout seul à compter avec ses doigts, et que, dès l'âge de quatre ans, il distinguait si parfaitement les métaux que, sa mère ayant voulu lui donner une bague de laiton au lieu d'une d'or, il reconnut la tromperie, et la jeta par terre.

Dès qu'il fut grand, son père lui apprit le secret d'enfermer les vents dans des outres, qu'il vendait ensuite à tous les voyageurs. Mais, comme la marchandise n'était pas fort prisée dans son pays, il le quitta et se mit à courir le monde en compagnie de l'aveugle dieu du hasard.

Il apprit dans ses voyages que, dans la Bétique[2], l'or reluisait de toutes parts ; cela fit qu'il y précipita ses pas. Il y fut fort mal reçu de Saturne[3] qui régnait pour lors. Mais ce dieu ayant quitté la terre, il s'avisa d'aller dans tous les carrefours, où il criait sans cesse d'une voix rauque : « Peuples de Bétique, vous croyez être riches parce que vous avez de l'or et de l'argent. Votre erreur me fait pitié. Croyez-moi, quittez le pays des vils métaux ; venez dans l'empire de l'imagination, et je vous promets des richesses qui vous étonneront vous-mêmes. » Aussitôt il ouvrit une grande partie des outres qu'il avait apportées, et il distribua de sa marchandise à qui en voulut.

Le lendemain, il revint dans les mêmes carrefours, et il s'écria : « Peuples de Bétique, voulez-vous être riches ? Imaginez-vous que je le suis beaucoup, et que vous l'êtes beaucoup aussi ; mettez-vous tous les matins dans l'esprit que votre fortune a doublé pendant la nuit ; levez-vous ensuite ; et, si vous avez des créanciers, allez les payer de ce que vous aurez imaginé, et dites-leur d'imaginer à leur tour. »

1. **Fragment d'un ancien mythologiste :** c'est l'histoire de Law, qui est né à Edimbourg.
2. **La Bétique :** dans Fénelon, c'est en fait la France.
3. **Saturne :** Louis XIV.

Il reparut quelques jours après, et il parla ainsi : « Peuples de Bétique, je vois bien que votre imagination n'est pas si vive que les premiers jours. Laissez-vous conduire à la mienne. Je
100 *mettrai tous les matins devant vos yeux un écriteau qui sera pour vous la source des richesses ; vous n'y verrez que quatre paroles, mais elles seront bien significatives : car elles régle-ront la dot de vos femmes, la légitime de vos enfants, le nom-bre de vos domestiques. Et quant à vous, dit-il à ceux de la*
105 *troupe qui étaient le plus près de lui, quant à vous, mes chers enfants (Je puis vous appeler de ce nom : car vous avez reçu de moi une seconde naissance), mon écriteau décidera de la magnificence de vos équipages, de la somptuosité de vos fes-tins, du nombre et de la pension de vos maîtresses. »*
110 *À quelques jours de là, il arriva dans le carrefour tout essoufflé, et, transporté de colère, il s'écria : « Peuples de Bétique, je vous avais conseillé d'imaginer, et je vois que vous ne le faites pas. Eh bien ! à présent, je vous l'ordonne. » Là-dessus il les quitta brusquement ; mais la réflexion le*
115 *rappela sur ses pas. « J'apprends que quelques-uns de vous sont assez détestables pour conserver leur or et leur argent. Encore passe pour l'argent ; mais pour de l'or... pour de l'or... Ah ! cela me met dans une indignation... Je jure, par mes outres sacrées, que, s'ils ne viennent pas me l'apporter, je*
120 *les punirai sévèrement. » Puis il ajouta d'un air tout à fait persuasif : « Croyez-vous que ce soit pour garder ces miséra-bles métaux que je vous les demande ? Une marque de ma candeur, c'est que, lorsque vous me les apportâtes, il y a quelques jours, je vous en rendis sur-le-champ la moitié. »*
125 *Le lendemain, on l'aperçut de loin, et on le vit s'insinuer avec une voix douce et flatteuse : « Peuples de Bétique, j'ap-prends que vous avez une partie de vos trésors dans les pays étrangers. Je vous prie, faites-les-moi venir : vous me ferez plaisir, et je vous en aurai une reconnaissance éternelle. »*
130 *Le fils d'Éole parlait à des gens qui n'avaient pas grande envie de rire ; ils ne purent pourtant s'en empêcher : ce qui fit qu'il s'en retourna bien confus. Mais, reprenant courage,*

il hasarda encore une petite prière : « Je sais que vous avez des pierres précieuses. Au nom de Jupiter, défaites-vous-en : rien ne vous appauvrit comme ces sortes de choses. Défaites- 135 *vous-en, vous dis-je. Si vous ne le pouvez pas par vous-mêmes, je vous donnerai des hommes d'affaires excellents. Que de richesses vont couler chez vous, si vous faites ce que je vous conseille ! Oui, je vous promets tout ce qu'il y a de plus pur dans mes outres. »* 140

Enfin, il monta sur un tréteau, et, prenant une voix assurée, il dit : « Peuples de Bétique, j'ai comparé l'heureux état dans lequel vous êtes, avec celui où je vous trouvai lorsque j'arrivai ici : je vous vois le plus riche peuple de la terre ; mais, pour achever votre fortune, souffrez que je vous ôte la 145 *moitié de vos biens. » À ces mots, d'une aile légère, le fils d'Éole disparut, et laissa ses auditeurs dans une consternation inexprimable ; ce qui fit qu'il revint le lendemain, et parla ainsi : « Je m'aperçus hier que mon discours vous déplut extrêmement. Eh bien ! prenez que je ne vous aie rien* 150 *dit. Il est vrai, la moitié, c'est trop : il n'y a qu'à prendre d'autres expédients pour arriver au but que je me suis proposé : assemblons nos richesses dans un même endroit ; nous le pouvons facilement : car elles ne tiennent pas un gros volume. » Aussitôt il en disparut les trois quarts.* 155

De Paris, le 9 de la lune de Chahban, 1720.

Lettre CXLIII
RICA À NATHANAËL LÉVI, MÉDECIN JUIF
À LIVOURNE

Tu me demandes ce que je pense de la vertu des amulettes et de la puissance des talismans. Pourquoi t'adresses-tu à moi ? Tu es juif, et je suis mahométan ; c'est-à-dire que nous sommes tous deux bien crédules. 5

5 Je porte toujours sur moi plus de deux mille passages du saint Alcoran ; j'attache à mes bras un petit paquet où sont écrits les noms de plus de deux cents dervis ; ceux d'Ali[1], de Fatmé[2] et de tous les Purs, sont cachés en plus de vingt endroits de mes habits.

10 Cependant je ne désapprouve point ceux qui rejettent cette vertu que l'on attribue à de certaines paroles : il nous est bien plus difficile de répondre à leurs raisonnements qu'à eux de répondre à nos expériences.

Je porte tous ces chiffons sacrés par une longue habi-
15 tude, pour me conformer à une pratique universelle ; je crois que, s'ils n'ont pas plus de vertu que les bagues et les autres ornements dont on se pare, ils n'en ont pas moins. Mais, toi, tu mets toute ta confiance sur quelques lettres mystérieuses, et, sans cette sauvegarde, tu serais dans un
20 effroi continuel.

Les hommes sont bien malheureux ! Ils flottent sans cesse entre de fausses espérances et des craintes ridicules ; et, au lieu de s'appuyer sur la raison, ils se font des mons-tres qui les intimident, ou des fantômes qui les séduisent.

25 Quel effet veux-tu que produise l'arrangement de certai-nes lettres ? Quel effet veux-tu que leur dérangement puisse troubler ? Quelle relation ont-elles avec les vents, pour apai-ser les tempêtes ; avec la poudre à canon, pour en vaincre l'effort ; avec ce que les médecins appellent l'*humeur pec-*
30 *cante*[3] et la cause *morbifique*[4] des maladies, pour les guérir ?

Ce qu'il y a d'extraordinaire, c'est que ceux qui fatiguent leur raison pour lui faire rapporter de certains événements à des vertus occultes, n'ont pas un moindre effort à faire pour s'empêcher d'en voir la véritable cause.

1. **Ali :** époux de Fatmé (Fatima).
2. **Fatmé :** ou Fatima, fille de Mahomet.
3. ***Humeurs peccantes :*** humeurs mauvaises.
4. **Causes *morbifiques* :** causes produisant une maladie (il faut rappro-cher *morbifique* de *morbide*).

Tu me diras que de certains prestiges ont fait gagner 35
une bataille ; et, moi, je te dirai qu'il faut que tu t'aveugles
pour ne pas trouver dans la situation du terrain, dans le
nombre ou dans le courage des soldats, dans l'expérience
des capitaines, des causes suffisantes pour produire cet
effet dont tu veux ignorer la cause. 40

Je te passe pour un moment qu'il y ait des prestiges. Passe-
moi à mon tour, pour un moment, qu'il n'y en ait point : car
cela n'est pas impossible. Ce que tu m'accordes n'empêche
pas que les deux armées ne puissent se battre. Veux-tu que,
dans ce cas-là, aucune des deux ne puisse remporter la vic- 45
toire ? Crois-tu que leur sort restera incertain jusques à ce
qu'une puissance invisible vienne le déterminer ; que tous
les coups seront perdus, toute la prudence vaine, et tout le
courage inutile ? Penses-tu que la mort, dans ces occasions,
rendue présente de mille manières, ne puisse pas produire 50
dans les esprits ces terreurs paniques que tu as tant de peine
à expliquer ? Veux-tu que, dans une armée de cent mille
hommes, il ne puisse pas y avoir un seul homme timide ?
Crois-tu que le découragement de celui-ci ne puisse pas pro-
duire le découragement d'un autre ; que le second, qui 55
quitte un troisième, ne lui fasse pas bientôt abandonner un
quatrième ? Il n'en faut pas davantage pour que le désespoir
de vaincre saisisse soudain toute une armée et la saisisse
d'autant plus facilement qu'elle se trouve plus nombreuse.

Tout le monde sait et tout le monde sent que les hommes, 60
comme toutes les créatures qui tendent à conserver leur
être, aiment passionnément la vie. On sait cela en général,
et on cherche pourquoi, dans une certaine occasion parti-
culière, ils ont craint de la perdre !

Quoique les livres sacrés de toutes les nations soient 65
remplis de ces terreurs paniques ou surnaturelles, je
n'imagine rien de si frivole, parce que, pour s'assurer
qu'un effet, qui peut être produit par cent mille causes
naturelles, est surnaturel, il faut avoir auparavant examiné
si aucune de ces causes n'a agi ; ce qui est impossible. 70

Je ne t'en dirai pas davantage, Nathanaël ; il me semble que la matière ne mérite pas d'être si sérieusement traitée.

De Paris, le 20 de la lune de Chahban, 1720.

P.-S. — Comme je finissais, j'ai entendu crier dans la rue une lettre d'un médecin de province à un médecin de Paris (car ici toutes les bagatelles s'impriment, se publient, et s'achètent) ; j'ai cru que je ferais bien de te l'envoyer, parce qu'elle a du rapport à notre sujet. Il y a bien des choses que je n'entends pas : mais toi qui es médecin, tu dois entendre le langage de tes confrères.

LETTRE D'UN MÉDECIN DE PROVINCE À UN MÉDECIN DE PARIS

Il y avait dans notre ville un malade qui ne dormait point depuis trente-cinq jours. Son médecin lui ordonna l'opium ; mais il ne pouvait se résoudre à le prendre, et il avait la coupe à la main qu'il était plus indéterminé que jamais. Enfin il dit à son médecin : « Monsieur, je vous demande seulement quartier jusqu'à demain : je connais un homme qui n'exerce pas la médecine, mais qui a chez lui un nombre innombrable de remèdes contre l'insomnie. Souffrez que je l'envoie quérir, et, si je ne dors pas cette nuit, je vous promets que je reviendrai à vous. » Le médecin congédié, le malade fit fermer les rideaux, et dit à un petit laquais : « Tiens, va-t'en chez M. Anis, et dis-lui qu'il vienne me parler. » M. Anis arrive. « Mon cher monsieur Anis, je me meurs : je ne puis dormir. N'auriez-vous point dans votre boutique La C. du G.[1] *ou bien quelque livre de dévotion, composé par un R. P. J.[2], que vous n'avez pas pu vendre ? Car souvent les remèdes les plus gardés sont les meilleurs. — Monsieur, dit le libraire, j'ai chez moi* La Cour sainte *du père Caussin[3], en six volumes, à*

1. *La C. du G. :* La Connaissance du Globe.
2. **Un R. P. J. :** un Révérend Père Jésuite.
3. **Père Caussin :** Nicolas Caussin (1583-1651), auteur de *La Cour sainte* ou *Institution chrétienne des Grands.*

votre service ; je vais vous l'envoyer ; je souhaite que vous vous en trouviez bien. Si vous voulez les œuvres du révérend père Rodriguez[1], jésuite espagnol, ne vous en faites faute. Mais, croyez-moi, tenons-nous-en au père Caussin : j'espère, avec l'aide de Dieu, qu'une période du père Caussin vous 105 *fera autant d'effet qu'un feuillet tout entier de* La C. du G. »
Là-dessus M. Anis sortit et courut chercher le remède à sa boutique. La Cour sainte arrive ; on en secoue la poudre ; le fils du malade, jeune écolier, commence à la lire. Il en sentit le premier l'effet : à la seconde page, il ne prononçait plus que 110 *d'une voix mal articulée, et déjà toute la compagnie se sentait affaiblie. Un instant après, tout ronfla, excepté le malade, qui, après avoir été longtemps éprouvé, s'assoupit à la fin.*

Le médecin arrive de grand matin : « Eh bien ! a-t-on pris mon opium ? » On ne lui répond rien : la femme, la fille, le 115 *petit garçon, tous transportés de joie, lui montrent le père Caussin. Il demande ce que c'est.*

On lui dit : « Vive le père Caussin ! Il faut l'envoyer relier. Qui l'eût dit ? Qui l'eût cru ? C'est un miracle ! Tenez, Monsieur, voyez donc le père Caussin ; c'est ce volume-là qui a fait dormir 120 *mon père. » Et là-dessus on lui expliqua la chose comme elle s'était passée.*

Le médecin était un homme subtil, rempli des mystères de la Cabale et de la puissance des paroles et des esprits. Cela le frappa, et, après plusieurs réflexions, il résolut de 125 changer absolument sa pratique. « Voilà un fait bien singulier, dit-il. Je tiens une expérience ; il faut la pousser plus loin. Et pourquoi un esprit ne pourrait-il pas transmettre à son ouvrage les mêmes qualités qu'il a lui-même ? Ne le voyons-nous pas tous les jours ? Au moins 130 cela vaut-il bien la peine de l'essayer. Je suis las des apothicaires : leurs sirops, leurs juleps[2] et toutes les drogues

1. **Père Rodriguez** : Alonso Rodriguez (1526-1616) auteur d'ouvrages ascétiques.
2. **Juleps** : potions à base d'eau et de sucre.

galéniques[1] ruinent les malades et leur santé. Changeons de méthode ; éprouvons la vertu des esprits. » Sur cette idée, il dressa une nouvelle pharmacie, comme vous allez voir par la description que je vous vais faire des principaux remèdes qu'il mit en pratique :

Tisane purgative.

« *Prenez trois feuilles de la Logique d'Aristote en grec, deux feuilles d'un traité de théologie scolastique le plus aigu (comme, par exemple, du subtil Scot), quatre de Paracelse, une d'Avicenne, six d'Averroès, trois de Porphyre, autant de Plotin, autant de Jamblique. Faites infuser le tout pendant vingt-quatre heures, et prenez-en quatre prises par jour.* »

Purgatif plus violent.

« *Prenez dix A... du C... concernant la B... et la C... des I...[2] ; faites-les distiller au bain-marie ; mortifiez une goutte de l'humeur âcre et piquante qui en viendra dans un verre d'eau commune ; avalez le tout avec confiance.* »

Vomitif.

« *Prenez six harangues, une douzaine d'oraisons funèbres indifféremment, prenant garde pourtant de ne point se servir de celles de M. de N.[3], un recueil de nouveaux opéras, cinquante romans, trente mémoires nouveaux ; mettez le tout dans un matras, laissez-le en digestion pendant deux jours, puis faites-le distiller au feu de sable.*

« *Et, si tout cela ne suffit pas :*

Autre plus puissant.

« *Prenez une feuille de papier marbré qui ait servi à couvrir un recueil de pièces des J. F.[4] ; faites-la infuser l'espace de trois minutes ; faites chauffer une cuillerée de cette infusion ; et avalez.* »

1. **Galéniques :** conformes à la doctrine de Galien.
2. **« Prenez dix A... du C... concernant la B... et la C... des I... » :** dix arrêts du Conseil concernant la Banque et la Compagnie des Indes.
3. **M. de N. :** Monsieur de Nîmes, ou Fléchier, auteur d'oraisons funèbres.
4. **J. F. :** jeux Floraux.

Remède très simple pour guérir de l'asthme.

« *Lisez tous les ouvrages du révérend père Maimbourg[1], ci-devant jésuite, prenant garde de ne vous arrêter qu'à la fin de chaque période, et vous sentirez la faculté de respirer vous revenir peu à peu, sans qu'il soit besoin de réitérer le remède.* »

Pour préserver de la gale, grattelle, teigne, farcin des chevaux.

« *Prenez trois catégories d'Aristote, deux degrés métaphysiques, une distinction, six vers de Chapelain, une phrase tirée des lettres de M. l'abbé de Saint-Cyran, écrivez le tout sur un morceau de papier, que vous plierez, attacherez à un ruban, et porterez au col.* »

Miraculum chymicum de violenta fermentatione cum fumo, igne et flamma.

« *Misce Quesnellianam infusionem, cum infusions Lallemaniana[2] ; fiat fermentatio cum magna vi, impetu et tonitru, acidis pugnantibus et invicem penetrantibus alcalines sales ; fiet evaporatio ardentium spirituum. Pone liquorem fermentatum in alambico : nihil inde extrahes et nihil invenies, nisi caput mortuum.* »

Lenitivum.

« *Recipe Molinae[3] anodyni chartas duas ; Escobatis relaxativi paginas sex ; Vasquii emollientis folium unum ; infunde in aquae communis lib. iiij. Ad consumptionem dimidiae partis colentur et exprimantur ; et in expressions dissolve Bauni detersivi et Tamburini[4] abluentis folia iij.*

1. **Maimbourg :** le père Louis Maimbourg (1610-1686), historien très pompeux.
2. **Lallemania :** le jésuite Lallemant écrivit contre le père Quesnel, janséniste.
3. **Molinae :** Molina (1536-1600), théologien espagnol (jésuite) qui déclencha la controverse sur la grâce.
4. On reconnaît les noms des casuistes rendus célèbres par Pascal : Escobar, Vasquez, Bauny, Tambourini.

Lettre CXLIII

« *Fiat clister.* »

190 In chlorosim, quam vulgus « pallidos colores » aut « febrim amatrice » appellat.

« *Recipe Aretini figuras quatuor ; R. Thomae Sanchii De Matrimonio[1] folia ij. Infundantur in aquae communis libras quinque.*

195 « *Fiat ptisana aperiens.* »

Voilà les drogues que notre médecin mit en pratique avec un succès imaginable. Il ne voulait pas, disait-il, pour ne pas ruiner ses malades, employer des remèdes rares, et qui ne se trouvent presque point ; comme, par exemple, 200 une épître dédicatoire qui n'ait fait bâiller personne ; une préface trop courte ; un mandement fait par un évêque ; et l'ouvrage d'un janséniste méprisé par un janséniste ou bien admiré par un jésuite. Il disait que ces sortes de remèdes ne sont propres qu'à entretenir la charlatanerie, contre 205 laquelle il avait une antipathie insurmontable.

Lettre CXLIV
RICA À USBEK

Je trouvai, il y a quelques jours, dans une maison de campagne où j'étais allé, deux savants qui ont ici une grande célébrité. Leur caractère me parut admirable. La conversation du premier, bien appréciée, se réduisait à 5 ceci : « Ce que j'ai dit est vrai, parce que je l'ai dit. » La conversation du second portait sur autre chose : « Ce que je n'ai pas dit n'est pas vrai, parce que je ne l'ai pas dit. »

J'aimais assez le premier : car qu'un homme soit opiniâtre, cela ne me fait absolument rien ; mais qu'il soit 10 impertinent, cela me fait beaucoup. Le premier défend ses

1. *Disputationes de matrimonio* (1637) de Sanchez, essais qui dévoilent les secrets des alcôves.

opinions ; c'est son bien. Le second attaque les opinions des autres, et c'est le bien de tout le monde.

Oh ! mon cher Usbek, que la vanité sert mal ceux qui en ont une dose plus forte que celle qui est nécessaire pour la conservation de la nature ! Ces gens-là veulent être admirés à force de déplaire. Ils cherchent à être supérieurs, et ils ne sont pas seulement égaux.

Hommes modestes, venez, que je vous embrasse vous faites la douceur et le charme de la vie. Vous croyez que vous n'avez rien, et moi, je vous dis que vous avez tout. Vous pensez que vous n'humiliez personne, et vous humiliez tout le monde. Et, quand je vous compare dans mon idée avec ces hommes absolus que je vois partout, je les précipite de leur tribunal, et je les mets à vos pieds.

De Paris, le 22 de la lune de Chahban, 1720.

Lettre CXLV

USBEK À***

Un homme d'esprit est ordinairement difficile dans les sociétés ; il choisit peu de personnes ; il s'ennuie avec tout ce grand nombre de gens qu'il lui plaît appeler mauvaise compagnie ; il est impossible qu'il ne fasse un peu sentir
5 son dégoût : autant d'ennemis.

Sûr de plaire quand il voudra, il néglige très souvent de le faire.

Il est porté à la critique, parce qu'il voit plus de choses qu'un autre et les sent mieux.

10 Il ruine presque toujours sa fortune, parce que son esprit lui fournit pour cela un plus grande nombre de moyens.

Il échoue dans ses entreprises, parce qu'il hasarde beaucoup. Sa vue, qui se porte toujours loin, lui fait voir des objets qui sont à de trop grandes distances. Sans compter
15 que, dans la naissance d'un projet, il est moins frappé des difficultés, qui viennent de la chose, que des remèdes qui sont de lui, et qu'il tire de son propre fonds.

Il néglige les menus détails, dont dépend cependant la réussite de presque toutes les grandes affaires.

20 L'homme médiocre, au contraire, cherche à tirer parti de tout : il sent bien qu'il n'a rien à perdre en négligences.

L'approbation universelle est plus ordinairement pour l'homme médiocre. On est charmé de donner à celui-ci, on est enchanté d'ôter à celui-là. Pendant que l'envie fond
25 sur l'un, et qu'on ne lui pardonne rien, on supplée tout en faveur de l'autre : la vanité se déclare pour lui.

Mais, si un homme d'esprit a tant de désavantages, que dirons-nous de la dure condition des savants ?

Je n'y pense jamais que je ne me rappelle une lettre d'un
30 d'eux à un de ses amis. La voici :

MONSIEUR,

Je suis un homme qui m'occupe, toutes les nuits, à regarder, avec des lunettes de trente pieds, ces grands corps qui

roulent sur nos têtes ; et, quand je veux me délasser, je
prends mes petits microscopes, et j'observe un ciron ou une 35
mite.

Je ne suis point riche, et je n'ai qu'une seule chambre ; je
n'ose même y faire du feu, parce que j'y tiens mon thermo-
mètre, et que la chaleur étrangère le ferait hausser. L'hiver
dernier, je pensai mourir de froid, et, quoique mon thermo- 40
mètre, qui était au plus bas degré, m'avertit que mes mains
allaient se geler, je ne me dérangeai point, et j'ai la consola-
tion d'être instruit exactement des changements de temps les
plus insensibles de toute l'année passée[1].

Je me communique fort peu, et, de tous les gens que je vois, 45
je n'en connais aucun. Mais il y a un homme à Stockholm,
un autre à Leipsick, un autre à Londres, que je n'ai jamais
vus, et que je ne verrai sans doute jamais, avec lesquels j'en-
tretiens une correspondance si exacte, que je ne laisse pas
passer un courrier sans leur écrire. 50

Mais, quoique je ne connaisse personne dans mon quar-
tier, j'y suis dans une si mauvaise réputation, que je serai, à
la fin, obligé de le quitter. Il y a cinq ans que je fus rude-
ment insulté par une de mes voisines pour avoir fait la dis-
section d'un chien[2] qu'elle prétendait lui appartenir. La 55
femme d'un boucher, qui se trouva là, se mit de la partie, et,
pendant que celle-là m'accablait d'injures, celle-ci m'assom-
mait à coups de pierres, conjointement avec le docteur, qui
était avec moi, et qui reçut un coup terrible sur l'os frontal et
occipital, dont le siège de sa raison fut très ébranlé. 60

Depuis ce temps-là, dès qu'il s'écarte quelque chien au
bout de la rue, il est aussitôt décidé qu'il a passé par mes
mains. Une bonne bourgeoise, qui en avait perdu un petit,
qu'elle aimait, disait-elle, plus que ses enfants, vint l'autre

1. **J'ai la consolation [...] toute l'année passée :** l'Académie de Bordeaux
 se préoccupait de météorologie.
2. **La dissection d'un chien :** l'Académie de Bordeaux pratiquait les vivi-
 sections de chiens.

65 *jour s'évanouir dans ma chambre ; et, ne le trouvant pas,*
elle me cita devant le magistrat. Je crois que je ne serai
jamais délivré de la malice importune de ces femmes, qui,
avec leurs voix glapissantes, m'étourdissent sans cesse de
l'oraison funèbre de tous les automates qui sont morts
70 *depuis dix ans.*

Je suis, etc.

Tous les savants étaient autrefois accusés de magie. Je
n'en suis point étonné. Chacun disait en lui-même : « J'ai
porté les talents naturels aussi loin qu'ils peuvent aller ;
75 cependant un certain savant a des avantages sur moi : il
faut bien qu'il y ait là quelque diablerie. »

À présent que ces sortes d'accusation sont tombées dans
le décri[1], on a pris un autre tour, et un savant ne saurait
guère éviter le reproche d'irréligion ou d'hérésie. Il a beau
80 être absous par le peuple : la plaie est faite ; elle ne se fer-
mera jamais bien. C'est toujours pour lui un endroit
malade. Un adversaire viendra, trente ans après, lui dire
modestement : « À Dieu ne plaise que je dise que ce dont
on vous accuse soit vrai ! Mais vous avez été obligé de
85 vous défendre. » C'est ainsi qu'on tourne contre lui sa jus-
tification même.

S'il écrit quelque histoire et qu'il ait de la noblesse dans
l'esprit et quelque droiture dans le cœur, on lui suscite
mille persécutions. On ira contre lui soulever le magistrat
90 sur un fait qui s'est passé il y a mille ans, et on voudra que
sa plume soit captive, si elle n'est pas vénale.

Plus heureux cependant que ces hommes lâches qui
abandonnent leur foi pour une médiocre pension ; qui, à
prendre toutes leurs impostures en détail, ne les vendent
95 pas seulement une obole ; qui renversent la constitution de
l'empire, diminuent les droits d'une puissance, augmentent
ceux d'une autre, donnent aux princes, ôtent aux peuples,

1. **Décri :** défaveur, discrédit.

font revivre des droits surannés, flattent les passions qui sont en crédit de leur temps, et les vices qui sont sur le trône ; imposant à la postérité d'autant plus indignement qu'elle a moins de moyens de détruire leur témoignage. 100

Mais ce n'est point assez pour un auteur d'avoir essuyé toutes ces insultes ; ce n'est point assez pour lui d'avoir été dans une inquiétude continuelle sur le succès de son ouvrage. Il voit le jour enfin, cet ouvrage qui lui a tant 105 coûté : il lui attire des querelles de toutes parts. Et comment les éviter ? Il avait un sentiment ; il l'a soutenu par ses écrits ; il ne savait pas qu'un homme, à deux cents lieues de lui, avait dit tout le contraire. Voilà cependant la guerre qui se déclare. 110

Encore s'il pouvait espérer d'obtenir quelque considération ! Non. Il n'est tout au plus estimé que de ceux qui se sont appliqués au même genre de science que lui. Un philosophe a un mépris souverain pour un homme qui a la tête chargée de faits, et il est, à son tour, regardé comme 115 un visionnaire par celui qui a une bonne mémoire.

Quant à ceux qui font profession d'une orgueilleuse ignorance, ils voudraient que tout le genre humain fût enseveli dans l'oubli où ils seront eux-mêmes.

Un homme à qui il manque un talent se dédommage en 120 le méprisant : il ôte cet obstacle qu'il rencontrait entre le mérite et lui, et, par là, se trouve au niveau de celui dont il redoute les travaux.

Enfin, il faut joindre à une réputation équivoque la privation des plaisirs et la perte de la santé. 125

De Paris, le 26 de la lune de Chahban, 1720.

Lettre CXLVI
USBEK À RHÉDI, À VENISE

Il y a longtemps que l'on a dit que la bonne foi était l'âme d'un grand ministère.

Un particulier peut jouir de l'obscurité où il se trouve : il ne se décrédite que devant quelques gens ; il se tient couvert devant les autres ; mais un ministre qui manque à la probité a autant de témoins, autant de juges, qu'il y a de gens qu'il gouverne.

Oserai-je le dire ? Le plus grand mal que fait un ministre sans probité n'est pas de desservir son prince et de ruiner son peuple ; il y en a un autre, à mon avis, mille fois plus dangereux : c'est le mauvais exemple qu'il donne.

Tu sais que j'ai longtemps voyagé dans les Indes[1]. J'y ai vu une nation, naturellement généreuse, pervertie en un instant, depuis le dernier de ses sujets jusqu'aux plus grands, par le mauvais exemple d'un ministre. J'y ai vu tout un peuple, chez qui la générosité, la probité, la candeur et la bonne foi ont passé de tous temps pour les qualités naturelles, devenir tout à coup le dernier des peuples ; le mal se communiquer et n'épargner pas même les membres les plus sains ; les hommes les plus vertueux faire des choses indignes et violer les premiers principes de la justice, sur ce vain prétexte qu'on la leur avait violée.

Ils appelaient des lois odieuses en garantie des actions les plus lâches, et nommaient *nécessité* l'injustice et la perfidie.

J'ai vu la foi des contrats bannie, les plus saintes conventions anéanties, toutes les lois des familles renversées. J'ai vu des débiteurs avares, fiers d'une insolente pauvreté,

1. **Les Indes :** ici la France, ruinée « en un instant » par la banqueroute du système de Law.

instruments indignes de la fureur des lois et de la rigueur des temps, feindre un paiement au lieu de le faire, et porter le couteau dans le sein de leurs bienfaiteurs[1]. 30

J'en ai vu d'autres, plus indignes encore, acheter presque pour rien, ou plutôt ramasser de terre des feuilles de chêne, pour les mettre à la place de la substance des veuves et des orphelins. 35

J'ai vu naître soudain, dans tous les cœurs, une soif insatiable des richesses. J'ai vu se former en un moment une détestable conjuration de s'enrichir, non par un honnête travail et une généreuse industrie, mais par la ruine du prince, de l'État et des concitoyens. 40

J'ai vu un honnête citoyen, dans ces temps malheureux, ne se coucher qu'en disant : « J'ai ruiné une famille aujourd'hui ; j'en ruinerai une autre demain. »

« Je vais, disait un autre, avec un homme noir qui porte une écritoire à la main et un fer pointu à l'oreille, assassiner tous ceux à qui j'ai de l'obligation. » 45

Un autre disait : « Je vois que j'accommode mes affaires. Il est vrai que, lorsque j'allai, il y a trois jours, faire un certain paiement, je laissai toute une famille en larmes, que je dissipai la dot de deux honnêtes filles, que j'ôtai l'éducation à un petit garçon. Le père en mourra de douleur, la mère périt de tristesse ; mais je n'ai fait que ce qui est permis par la loi. » 50

Quel plus grand crime que celui que commet un ministre lorsqu'il corrompt les mœurs de toute une nation, dégrade les âmes les plus généreuses, ternit l'éclat des dignités, obscurcit la vertu même, et confond la plus haute naissance dans le mépris universel ? 55

Que dira la postérité lorsqu'il lui faudra rougir de la honte de ses pères ? Que dira le peuple naissant lorsqu'il 60

1. **Bienfaiteurs :** il était légal de rembourser une dette empruntée en or par du papier-monnaie dévalué.

comparera le fer de ses aïeux avec l'or de ceux à qui il doit immédiatement le jour ? Je ne doute pas que les nobles ne retranchent de leurs quartiers un indigne degré de noblesse, qui les déshonore, et ne laissent la génération
65 présente dans l'affreux néant où elle s'est mise.

De Paris, le 11 de la lune de Rhamazan, 1720.

Lettre CXLVII
LE GRAND EUNUQUE À USBEK, À PARIS

Les choses sont venues à un état qui ne se peut plus soutenir : tes femmes se sont imaginé que ton départ leur laissait une impunité entière ; il se passe ici des choses horribles. Je tremble moi-même au cruel récit que je vais
5 te faire.

Zélis, allant il y a quelques jours à la mosquée, laissa tomber son voile et parut presque à visage découvert devant tout le peuple.

J'ai trouvé Zachi couchée avec une de ses esclaves,
10 chose si défendue par les lois du sérail.

J'ai surpris, par le plus grand hasard du monde, une lettre que je t'envoie ; je n'ai jamais pu découvrir à qui elle était adressée.

Hier au soir, un jeune garçon fut trouvé dans le jardin
15 du sérail, et il se sauva par-dessus les murailles.

Ajoute à cela ce qui n'est pas parvenu à ma connaissance ; car sûrement tu es trahi. J'attends tes ordres, et jusques à l'heureux moment que je les recevrai, je vais être dans une situation mortelle. Mais, si tu ne mets toutes ces femmes à
20 ma discrétion[1], je ne te réponds d'aucune d'elles, et j'aurai tous les jours des nouvelles aussi tristes à te mander.

Du sérail d'Ispahan, le premier de la lune de Rhégeb, 1717.

1. **À ma discrétion :** sous mon autorité.

Lettre CXLVIII

USBEK AU PREMIER EUNUQUE, AU SÉRAIL D'ISPAHAN

complète pour avec le sérail,

Recevez par cette lettre un pouvoir sans bornes sur tout le sérail : commandez avec autant d'autorité que moi-même. Que la crainte et la terreur marchent avec vous ; courez d'appartements en appartements porter les punitions et les châtiments. Que tout vive dans la consternation ; que tout fonde en larmes devant vous. Interrogez tout le sérail ; 5 commencez par les esclaves. N'épargnez pas mon amour : que tout subisse votre tribunal redoutable. Mettez au jour les secrets les plus cachés. Purifiez ce lieu infâme, et faites-y rentrer la vertu bannie : car, dès ce moment, je mets sur votre tête les moindres fautes qui se commettront. Je soup- 10 çonne Zélis d'être celle à qui la lettre que vous avez surprise s'adressait. Examinez cela avec des yeux de lynx. ← *prédateur.*

*De***, le 11 de la lune de Zilhagé, 1718.*

Lettre CXLIX

NARSIT À USBEK, À PARIS

Le grand eunuque vient de mourir, magnifique Seigneur. Comme je suis le plus vieux de tes esclaves, j'ai pris sa place jusques à ce que tu aies fait connaître sur qui tu veux jeter les yeux.

Deux jours après sa mort, on m'apporta une de tes lettres 5 qui lui était adressée ; je me suis bien gardé de l'ouvrir : je l'ai enveloppée avec respect, et l'ai serrée jusques à ce que tu m'aies fait connaître tes sacrées volontés.

Hier, un esclave vint, au milieu de la nuit, me dire qu'il avait trouvé un jeune homme dans le sérail. Je me levai, 10 j'examinai la chose, et je trouvai que c'était une vision.

Je te baise les pieds, sublime Seigneur, et je te prie de compter sur mon zèle, mon expérience et ma vieillesse.

Du sérail d'Ispahan, le 5 de la lune de Gemmadi 1, 1718.

Lettre CL

USBEK À NARSIT, AU SÉRAIL D'ISPAHAN

letter important act quick!

Malheureux que vous êtes ! vous avez dans vos mains des lettres qui contiennent des ordres prompts et violents ; le moindre retardement peut me désespérer, et vous demeurez tranquille sous un vain prétexte !

5 Il se passe des choses horribles : j'ai peut-être la moitié de mes esclaves qui méritent la mort. Je vous envoie la lettre que le premier eunuque m'écrivit là-dessus avant de mourir. Si vous aviez ouvert le paquet qui lui est adressé, vous y auriez trouvé des ordres sanglants. Lisez-les donc, ces

10 ordres, et vous périrez si vous ne les exécutez pas.

*De***, le 25 de la lune de Chalval, 1718.*

Lettre CLI

SOLIM À USBEK, À PARIS

Si je gardais plus longtemps le silence, je serais aussi coupable que tous ces criminels que tu as dans le sérail.

he's sad he saw his master's wives behaving poorly

J'étais le confident du grand eunuque, le plus fidèle de tes esclaves. Lorsqu'il se vit près de sa fin, il me fit appeler

5 et me dit ces paroles : « Je me meurs ; mais le seul chagrin que j'ai en quittant la vie, c'est que mes derniers regards ont trouvé les femmes de mon maître criminelles. Le ciel puisse le garantir de tous les malheurs que je prévois ! Puisse, après ma mort, mon ombre menaçante venir aver-

10 tir ces perfides de leur devoir et les intimider encore Voilà les clefs de ces redoutables lieux. Va les porter au plus vieux des noirs. Mais si, après ma mort, il manque de vigilance, songe à en avertir ton maître. » En achevant ces mots, il expira dans mes bras.

Je sais ce qu'il t'écrivit, quelque temps avant sa mort, sur la conduite de tes femmes : il y a dans le sérail une lettre qui aurait porté la terreur avec elle, si elle avait été ouverte. Celle que tu as écrite depuis a été surprise à trois lieues d'ici. Je ne sais ce que c'est : tout se tourne malheureusement.

Cependant tes femmes ne gardent plus aucune retenue : depuis la mort du grand eunuque, il semble que tout leur soit permis. La seule Roxane est restée dans le devoir, et conserve de la modestie. On voit les mœurs se corrompre tous les jours. On ne trouve plus sur le visage de tes femmes cette vertu mâle et sévère qui y régnait autrefois : une joie nouvelle, répandue dans ces lieux, est un témoignage infaillible, selon moi, de quelque satisfaction nouvelle ; dans les plus petites choses, je remarque des libertés jusqu'alors inconnues. Il règne même parmi tes esclaves une certaine indolence pour leur devoir et pour l'observation des règles, qui me surprend : ils n'ont plus ce zèle ardent pour ton service qui semblait animer tout le sérail.

Tes femmes ont été huit jours à la campagne à une de tes maisons les plus abandonnées. On dit que l'esclave qui en a soin a été gagné, et qu'un jour avant qu'elles arrivassent, il avait fait cacher deux hommes dans un réduit de pierre qui est dans la muraille de la principale chambre, d'où ils sortaient le soir, lorsque nous étions retirés. Le vieux eunuque qui est à présent à notre tête est un imbécile, à qui l'on fait croire tout ce qu'on veut.

Je suis agité d'une colère vengeresse contre tant de perfidies, et, si le ciel voulait, pour le bien de ton service, que tu me jugeasses capable de gouverner, je te promets que, si tes femmes n'étaient pas vertueuses, au moins elles seraient fidèles.

Du sérail d'Ispahan, le 6 de la lune de Rébiab 1, 1719.

345

Lettre CLII
NARSIT À USBEK, À PARIS

Roxane et Zélis ont souhaité d'aller à la campagne ; je n'ai pas cru devoir le leur refuser. Heureux Usbek ! tu as des femmes fidèles et des esclaves vigilants : je commande en des lieux où la vertu semble s'être choisi un asile. Compte
5 qu'il ne s'y passera rien que tes yeux ne puissent soutenir.

Il est arrivé un malheur qui me met en grande peine. Quelques marchands arméniens, nouvellement arrivés à Ispahan, avaient apporté une de tes lettres pour moi ; j'ai envoyé un esclave pour la chercher ; il a été volé à son
10 retour, et la lettre est perdue. Écris-moi donc promptement : car je m'imagine que, dans ce changement, tu dois avoir des choses de conséquence à me mander.

Du sérail de Fatmé, le 6 de la lune de Rébiab 1, 1719.

Lettre CLIII
USBEK À SOLIM, AU SÉRAIL D'ISPAHAN

Je te mets le fer à la main. Je te confie ce que j'ai à présent dans le monde de plus cher, qui est ma vengeance. Entre dans ce nouvel emploi ; mais n'y porte ni cœur ni pitié. J'écris à mes femmes de t'obéir aveuglément. Dans la confu-
5 sion de tant de crimes, elles tomberont devant tes regards. Il faut que je te doive mon bonheur et mon repos. Rends-moi mon sérail comme je l'ai laissé ; mais commence par l'expier. Extermine les coupables, et fais trembler ceux qui se proposaient de le devenir. Que ne peux-tu pas espérer de
10 ton maître pour des services si signalés ? Il ne tiendra qu'à toi de te mettre au-dessus de ta condition même, et de toutes les récompenses que tu as jamais désirées.

De Paris, le 4 de la lune de Chahban, 1719.

Lettre CLIV
USBEK À SES FEMMES, AU SÉRAIL D'ISPAHAN

Puisse cette lettre être comme la foudre qui tombe au milieu des éclairs et des tempêtes ! Solim est votre premier eunuque, non pas pour vous garder, mais pour vous punir. Que tout le sérail s'abaisse devant lui. Il doit juger vos actions passées, et, pour l'avenir, il vous fera vivre sous un joug si rigoureux que vous regretterez votre liberté, si vous ne regrettez pas votre vertu.

De Paris, le 4 de la lune de Chahban, 1719.

Lettre CLV
USBEK À NESSIR, À ISPAHAN

Heureux celui qui, connaissant le prix d'une vie douce et tranquille, repose son cœur au milieu de sa famille et ne connaît d'autre terre que celle qui lui a donné le jour !

Je vis dans un climat barbare, présent à tout ce qui m'importune, absent de tout ce qui m'intéresse. Une tristesse sombre me saisit ; je tombe dans un accablement affreux : il me semble que je m'anéantis, et je ne me retrouve moi-même que lorsqu'une sombre jalousie vient s'allumer et enfanter dans mon âme la crainte, les soupçons, la haine et les regrets.

Tu me connais, Nessir ; tu as toujours vu dans mon cœur comme dans le tien. Je te ferais pitié si tu savais mon état déplorable. J'attends quelquefois six mois entiers des nouvelles du sérail ; je compte tous les instants qui s'écoulent ; mon impatience me les allonge toujours ; et, lorsque celui qui a été tant attendu est prêt d'arriver, il se fait dans mon cœur une révolution soudaine : ma main tremble d'ouvrir une lettre fatale. Cette inquiétude qui me désespérait, je la

trouve l'état le plus heureux où je puisse être, et je crains
20 d'en sortir par un coup plus cruel pour moi que mille
morts.

Mais, quelque raison que j'aie eue de sortir de ma patrie,
quoique je doive ma vie à ma retraite, je ne puis plus,
Nessir, rester dans cet affreux exil. Eh ! ne mourrais-je pas
25 tout de même, en proie à mes chagrins ? J'ai pressé mille
fois Rica de quitter cette terre étrangère ; mais il s'oppose
à toutes mes résolutions : il m'attache ici par mille prétex-
tes ; il semble qu'il ait oublié sa patrie, ou plutôt il semble
qu'il m'ait oublié moi-même, tant il est insensible à mes
30 déplaisirs.

Malheureux que je suis ! Je souhaite de revoir ma patrie,
peut-être pour devenir plus malheureux encore ! Eh ! qu'y
ferai-je ? Je vais rapporter ma tête à mes ennemis. Ce n'est
pas tout : j'entrerai dans le sérail ; il faut que j'y demande
35 compte du temps funeste de mon absence. Et si j'y trouve
des coupables, que deviendrai-je ? Et si la seule idée m'ac-
cable de si loin, que sera-ce, lorsque ma présence la ren-
dra plus vive ? Que sera-ce, s'il faut que je voie, s'il faut
que j'entende ce que je n'ose imaginer sans frémir ? Que
40 sera-ce, enfin, s'il faut que des châtiments que je pronon-
cerai moi-même soient des marques éternelles de ma
confusion et de mon désespoir ?

J'irai m'enfermer dans des murs plus terribles pour moi
que pour les femmes qui y sont gardées. J'y porterai tous
45 mes soupçons ; leurs empressements ne m'en déroberont
rien ; dans mon lit, dans leurs bras, je ne jouirai que de
mes inquiétudes ; dans un temps si peu propre aux
réflexions, ma jalousie trouvera à en faire. Rebut indigne
de la nature humaine, esclaves vils dont le cœur a été
50 fermé pour jamais à tous les sentiments de l'amour, vous
ne gémiriez plus sur votre condition si vous connaissiez le
malheur de la mienne.

De Paris, le 4 de la lune de Chahban, 1719.

348

Clefs d'analyse

Compréhension

Une lettre d'exil

- Dire quelles lettres entourent cette lettre.
- Expliquer ce qui fait l'unité des dernières lettres de l'œuvre.

Registre et caractère

- Définir le registre de cette lettre.
- Préciser ce que révèle cette lettre du caractère d'Usbek.

Réflexion

Le pathétique et son expression

- Montrer que la situation d'Usbek relève du dilemme, tel qu'on pourrait le trouver dans une tragédie.
- Observer le passage du premier au deuxième paragraphe et plus précisément les pronoms personnels.

L'expression de la souffrance

- Dire à quelles images sont associés la souffrance et le malheur.
- Relever les expressions qui paraissent particulièrement pathétiques.

À retenir :

Le pathétique vient du grec « pathos », signifiant malheur, émotion de l'âme. Employé dans le domaine artistique, il distingue un registre du discours dont la visée est d'émouvoir. L'adjectif « tragique » se rattache au genre théâtral de la tragédie, désignant à l'origine, à Athènes (VIᵉ-Vᵉ siècles avant J.-C.), le dialogue d'un chœur et de comédiens. À partir du XVIIᵉ siècle, il désigne un genre dramatique noble inspirant la terreur et la pitié, et s'achevant par la mort et le malheur.

Lettre CLVI
ROXANE À USBEK, À PARIS

L'horreur, la nuit et l'épouvante règnent dans le sérail :
un deuil affreux l'environne. Un tigre y exerce à chaque
instant toute sa rage : il a mis dans les supplices deux
eunuques blancs qui n'ont avoué que leur innocence ; il a
vendu une partie de nos esclaves, et nous a obligées de ⁵
changer entre nous celles qui nous restaient. Zachi et Zélis
ont reçu dans leur chambre, dans l'obscurité de la nuit, un
traitement indigne : le sacrilège n'a pas craint de porter
sur elles ses viles mains. Il nous tient enfermées chacune
dans notre appartement, et quoique nous y soyons seules, ¹⁰
il nous y fait vivre sous le voile. Il ne nous est plus permis
de nous parler ; ce serait un crime de nous écrire ; nous
n'avons plus rien de libre que les pleurs.

Une troupe de nouveaux eunuques est entrée dans le
sérail, où ils nous assiègent nuit et jour : notre sommeil ¹⁵
est sans cesse interrompu par leurs méfiances feintes ou
véritables. Ce qui me console, c'est que tout ceci ne durera
pas longtemps, et que ces peines finiront avec ma vie. Elle
ne sera pas longue, cruel Usbek : je ne te donnerai pas le
temps de faire cesser tous ces outrages. ²⁰

Du sérail d'Ispahan, le 4 de la lune de Maharram, 1720.

Lettre CLVII[1]
ZACHI À USBEK, À PARIS

Ô Ciel ! un barbare m'a outragée jusque dans la manière
de me punir ! Il m'a infligé ce châtiment qui commence
par alarmer la pudeur ; ce châtiment qui met dans l'humi-
liation extrême ; ce châtiment qui ramène, pour ainsi dire,
à l'enfance. ⁵

1. **Lettre CLVII :** cette lettre n'apparaît qu'en 1754.

Lettre CLVII

Mon âme, d'abord anéantie sous la honte, reprenait le sentiment d'elle-même et commençait à s'indigner, lorsque mes cris firent retentir les voûtes de mes appartements. On m'entendit demander grâce au plus vil de tous les humains, et tenter sa pitié, à mesure qu'il était plus inexorable.

Depuis ce temps, son âme insolente et servile s'est élevée sur la mienne. Sa présence, ses regards, ses paroles, tous les malheurs viennent m'accabler. Quand je suis seule, j'ai du moins la consolation de verser des larmes ; mais, lorsqu'il s'offre à ma vue, la fureur me saisit, je la trouve impuissante, et je tombe dans le désespoir.

Le tigre ose me dire que tu es l'auteur de toutes ces barbaries. Il voudrait m'ôter mon amour et profaner jusques aux sentiments de mon cœur. Quand il me prononce le nom de celui que j'aime, je ne sais plus me plaindre, et je ne puis plus que mourir.

J'ai soutenu ton absence, et j'ai conservé mon amour par la force de mon amour. Les nuits, les jours, les moments, tout a été pour toi. J'étais superbe de mon amour même, et le tien me faisait respecter ici. Mais à présent... Non, je ne puis plus soutenir l'humiliation où je suis descendue. Si je suis innocente, reviens pour m'aimer. Reviens, si je suis coupable, pour que j'expire à tes pieds.

Du sérail d'Ispahan, le 2 de la lune de Maharram, 1720.

Lettre CLVIII
ZÉLIS À USBEK, À PARIS

À mille lieues de moi, vous me jugez coupable ; à mille lieues de moi, vous me punissez.

Qu'un eunuque barbare porte sur moi ses viles mains, il agit par votre ordre. C'est le tyran qui m'outrage, et non pas celui qui exerce la tyrannie.

Vous pouvez, à votre fantaisie, redoubler vos mauvais traitements. Mon cœur est tranquille depuis qu'il ne peut plus vous aimer.

Votre âme se dégrade, et vous devenez cruel. Soyez sûr que vous n'êtes point heureux.

Adieu.

Du sérail d'Ispahan, le 2 de la lune de Maharram, 1720.

Lettre CLIX
Solim à Usbek, à Paris

Je me plains, magnifique Seigneur, et je te plains : jamais serviteur fidèle n'est descendu dans l'affreux désespoir où je suis. Voici tes malheurs et les miens. Je ne t'en écris qu'en tremblant.

Je jure, par tous les prophètes du ciel, que, depuis que tu m'as confié tes femmes, j'ai veillé nuit et jour sur elles ; que je n'ai jamais suspendu un moment le cours de mes inquiétudes. J'ai commencé mon ministère par les châtiments, et je les ai suspendus sans sortir de mon austérité naturelle.

Mais que te dis-je ? Pourquoi te vanter ici une fidélité qui t'a été inutile ? Oublie tous mes services passés ; regarde-moi comme un traître ; et punis-moi de tous les crimes que je n'ai pas pu empêcher.

Roxane, la superbe Roxane, ô ciel ! à qui se fier désormais ? Tu soupçonnais Zélis, et tu avais pour Roxane une sécurité entière. Mais sa vertu farouche était une cruelle imposture : c'était le voile de sa perfidie. Je l'ai surprise dans les bras d'un jeune homme, qui, dès qu'il s'est vu découvert, est venu sur moi. Il m'a donné deux coups de poignard. Les eunuques, accourus au bruit, l'ont entouré. Il s'est défendu longtemps, en a blessé plusieurs ; il voulait

même rentrer dans la chambre, pour mourir, disait-il, aux
yeux de Roxane. Mais enfin, il a cédé au nombre, et il est
25 tombé à nos pieds.

Je ne sais si j'attendrai, sublime Seigneur, tes ordres
sévères : tu as mis ta vengeance en mes mains ; je ne dois
pas la faire languir.

Du sérail d'Ispahan, le 8 de la lune de Rébiab 1, 1720.

Lettre CLX[1]
SOLIM À USBEK, À PARIS

J'ai pris mon parti : tous tes malheurs vont disparaître ;
je vais punir.

Je sens déjà une joie secrète ; mon âme et la tienne vont
s'apaiser : nous allons exterminer le crime, et l'innocence
5 va pâlir.

Ô vous qui semblez n'être faites que pour ignorer tous
vos sens, et être indignées de vos désirs mêmes, éternelles
victimes de la honte et de la pudeur, que ne puis-je vous
faire entrer à grands flots dans ce sérail malheureux, pour
10 vous voir étonnées de tout le sang que j'y vais répandre !

Du sérail d'Ispahan, le 8 de la lune de Rébiab 1, 1720.

Lettre CLXI
ROXANE À USBEK, À PARIS

une affirmation.

Oui, je t'ai trompé ; j'ai séduit tes eunuques ; je me suis
jouée de ta jalousie ; et j'ai su, de ton affreux sérail, faire
un lieu de délices et de plaisirs.

1. **Lettre CLX :** cette lettre n'apparaît qu'en 1754.

Je vais mourir ; le poison va couler dans mes veines.

Car que ferais-je ici, puisque le seul homme qui me retenait à la vie n'est plus ? Je meurs ; mais mon ombre s'envole bien accompagnée : je viens d'envoyer devant moi ces gardiens sacrilèges qui ont répandu le plus beau sang du monde.

Comment as-tu pensé que je fusse assez crédule pour m'imaginer que je ne fusse dans le monde que pour adorer tes caprices ? que, pendant que tu te permets tout, tu eusses le droit d'affliger tous mes désirs ?

Non : j'ai pu vivre dans la servitude, mais j'ai toujours été libre : j'ai réformé tes lois sur celles de la nature, et mon esprit s'est toujours tenu dans l'indépendance.

Tu devrais me rendre grâces encore du sacrifice que je t'ai fait ; de ce que je me suis abaissée jusqu'à te paraître fidèle ; de ce que j'ai lâchement gardé dans mon cœur ce que j'aurais dû faire paraître à toute la terre ; enfin, de ce que j'ai profané la vertu, en souffrant qu'on appelât de ce nom ma soumission à tes fantaisies.

Tu étais étonné de ne point trouver en moi les transports de l'amour. Si tu m'avais bien connue, tu y aurais trouvé toute la violence de la haine.

Mais tu as eu longtemps l'avantage de croire qu'un cœur comme le mien t'était soumis. Nous étions tous deux heureux : tu me croyais trompée, et je te trompais.

Ce langage, sans doute, te paraît nouveau. Serait-il possible qu'après t'avoir accablé de douleurs, je te forçasse encore d'admirer mon courage ? Mais c'en est fait : le poison me consume ; ma force m'abandonne ; la plume me tombe des mains ; je sens affaiblir jusqu'à ma haine ; je me meurs.

Du sérail d'Ispahan, le 8 de la lune de Rébiab 1, 1720.

Synthèse
Le roman du sérail
(lettres CXLVII à CLXI
et XXVI, LXIV, LXV,
XCVI)

Le dénouement tragique du roman du sérail

Montesquieu choisit de clore fermement une narration qui s'était parfois perdue dans la diversité et même l'hétérogénéité des thématiques traitées. Le danger de la forme choisie par Montesquieu est celui de l'éclatement, qui fait perdre de vue la cohérence de l'ensemble.

Personnages

> *Les regards croisés de Roxane et Usbek*

La lettre XXVI est essentielle : Usbek écrit à Roxane pour lui dire combien elle est heureuse de vivre dans la paix du sérail ; il s'y remémore leur mariage et s'y montre amoureux et admiratif de sa résistance lors de la nuit de noces, qu'il attribue à sa pudeur. Confrontée au dénouement, où Roxane se suicide en clamant sa fureur d'avoir été si longtemps contrainte et bafouée, cette vision masculine se révèle fausse. Les mêmes événements prennent ainsi une signification opposée selon qu'ils sont vus par Roxane ou Usbek.

Dans son œuvre majeure, *L'Esprit des lois,* Montesquieu pose que la diversité des lois et des coutumes, qui résulte de celle des climats, des religions et des mœurs, doit inviter les hommes à la prudence. Elle doit les garder de tout fanatisme en matière de religion. Dans les *Lettres persanes*, la « polyphonie » du roman par lettres, qui permet la confrontation violente de points de vue divergents, est un moyen romanesque de montrer que, puisque la vérité est relative, les hommes doivent remettre en question les coutumes qui avilissent l'homme ou la femme.

Synthèse Le roman du sérail
(lettres CXLVII à CLXI
et XXVI, LXIV, LXV, XCVI)

Langage

Le roman du sérail

On peut relier cette lettre XXVI, où Usbek peint son malheur d'être en exil, à la lettre CLV. Le pathétique qui s'y exprime témoigne des déchirements d'Usbek. Homme grave (contrairement à l'enjoué Rica), il réfléchit et incarne un homme des Lumières, raisonnable. Mais, finalement, ses préjugés orientaux reprennent le dessus par le biais de la jalousie : critique sévère de tous les despotismes, Usbek règne pourtant en tyran sur son sérail.

Le dénouement dévoile la fin violente de la tyrannie du sérail. Les lettres finales sur le harem montrent que le roman du sérail, l'histoire qui relie Usbek à ses femmes, structure les *Lettres persanes,* dont les motivations débordent toutefois très largement ce cadre.

Société

Une réflexion sur le despotisme

Le sérail n'offre pas seulement une trame au roman épistolaire : il associe la réflexion sur le pouvoir et sur la nature humaine. Le sérail est en effet un microcosme dans lequel éclate toute l'inhumanité de la tyrannie masculine. On peut voir jusqu'à quels excès peut aller la violence égoïste d'un homme auquel son sexe et la coutume donnent tout pouvoir. En faisant par ailleurs d'Usbek un homme converti à la philosophie des Lumières, et presque un double de Montesquieu, ce roman du sérail ne laisse pas d'inquiéter. Il montre que nul n'échappe à la déraison de la passion, que chacun peut être entraîné par la jalousie, par l'obscur désir de posséder l'autre. Il révèle la part d'obscurité que tout homme porte en soi, sur laquelle repose toute tyrannie. Le despotisme est pris dans le cercle vicieux de la violence : une violence qui explose lors du dénouement, comme dans une tragédie. Pourtant le suicide de Roxane est un acte de liberté par lequel Roxane reconquiert sa dignité et donc, dans une certaine mesure, son humanité.

POUR
APPROFONDIR

Genre, action, personnages

Genres et registres

Un roman épistolaire

On peut lire dans *Quelques réflexions sur les Lettres persanes* :
« Rien n'a plu davantage que d'y trouver, sans y penser, une
espèce de roman. On en voit le commencement, le progrès, la
fin. Les divers personnages sont placés dans une chaîne qui les
lie. » Montesquieu insiste par ces mots sur la cohérence d'une
œuvre où tout se tient, sans que les liaisons ne soient brutales
ni serrées : miracle d'une « chaîne » qui sait demeurer secrète
pour faire croire au désordre, au disparate, à la désinvolture.
Cependant, par l'expression « une espèce de roman », l'écrivain
attire aussi notre attention sur le rattachement problématique
des *Lettres persanes* au genre romanesque.

Les *Lettres persanes* sont d'abord et avant tout un roman épisto-
laire de type polyphonique, c'est-à-dire combinant les voix de
divers épistoliers. Ce choix d'une structure complexe et souple
est fondamental. Il autorise une pluralité de points de vue
autant que la diversification des tons. Ces différents registres,
plus ou moins graves ou enjoués, faussement frivoles ou sérieu-
sement profonds, ont aussi pour fonction de dérober aux lec-
teurs la figure de l'auteur. La structure générique interdit en
effet à ce dernier de faire irruption dans son œuvre, d'y parler
en son nom. Mais on sent bien que certaines lettres, pour ne
pas dire la plupart, servent à Montesquieu de tribune. Les
Persans sont ses porte-parole. Par eux, par leur étonnement,
leur ironie ou leur colère, par leur réserve et même par leurs
préjugés, se fait jour l'idéal naissant des Lumières.

Un récit en trompe-l'œil

Cette structure imposée par le genre a bien évidemment un
effet sur le récit, la « diégèse ». Dans les *Lettres persanes*, il n'y a
pas de narration suivie des faits : l'intelligence du lecteur, qui
doit en reconstituer la trame d'ensemble à partir de plusieurs
points de vue subjectifs, est davantage sollicitée que dans un

roman classique. Cette trame est en partie laissée à recons-
truire par le lecteur. En outre l'histoire est double, à la fois
« roman du sérail » et récit de voyage. Usbek et Rica évoluent,
se transforment (le rôle formateur des voyages est bien connu),
mais, pendant qu'ils s'acclimatent, le sérail, livré à lui-même, se
désagrège : les progrès de la réflexion et de la culture réalisés à
Paris trouvent un contrepoint dans la montée en puissance des
passions qui envahissent le sérail. Ordre et désordre, pôle mas-
culin et pôle féminin sont mis en balance, en relation d'opposi-
tion et de complémentarité, d'autant que l'œuvre mêle subtile-
ment les genres : récit de voyage, roman oriental, roman de
formation, apologue, satire, conte...

Un recueil satirique

Dans les *Lettres persanes,* la satire, conformément à sa tradition
(du latin *satura*, « pot-pourri, mélange ») de genre discontinu et
disparate, ne suit pas un ordre précis, mais elle juxtapose des
thèmes différents.

Les lettres satiriques se concentrent dans la période qui va de
l'arrivée des héros à Paris jusqu'à la mort du roi Louis XIV. Elles
sont souvent adressées à Ibben (à Smyrne, porte de l'Occident)
et à Rhédi (à Venise pour s'instruire).

La satire est polémique, elle a donc des cibles qui pourront être
sociales, politiques ou religieuses et, dans les *Lettres persanes*,
les dénonciations sont parfois si audacieuses qu'elles expliquent
l'anonymat protégeant l'auteur lors de la première publication.

La satire sociale

C'est la plus traditionnelle, parfois inspirée du classique Boileau
(les embarras des rues, lettre XXIV) ; elle occupe une cinquan-
taine de lettres-portraits, notamment la lettre XLVIII où défilent
un financier, un directeur, un poète, un vieil officier, un homme
à bonnes fortunes. Elle s'attaque surtout aux mondains victi-
mes de l'amour-propre, aux femmes qui se soucient trop de
leur apparence (lettre LII ou CX). D'une manière générale, sont
visés par la satire de mœurs ceux qui cultivent les apparences,

comme les habitants de Paris, qui, dans la lettre XXX, confondent l'homme avec son habit. Montesquieu, conformément à la tradition moraliste du siècle précédent, s'en prend à l'amour-propre et à la vanité (lettres XLIV et L) et aux excentriques (l'alchimiste, par exemple, lettre XLV), ce qui rappelle certains des *Caractères* de La Bruyère, tout en évoquant, a contrario, l'idéal de mesure qu'incarnait « l'honnête homme » de l'âge classique. La satire sociale est donc tournée vers le passé.

La satire politique

Tournée vers l'avenir, en s'attaquant au roi ou au pape, elle annonce l'esprit critique des philosophes des Lumières. Ici les rois sont ridicules : les rois perses sont ivrognes (lettre XXXIII), en Inde le Mogol ne fait que s'engraisser (lettre XL), le roi de Guinée ou celui des Tartares se prennent pour des maîtres du monde. Les rois de France ne sont pas en reste : la lettre XXXVII raille Louis XIV ; il s'est choisi une maîtresse de 80 ans et un ministre de 18 ! Les abus de Louis XV (autorité des confesseurs et des femmes) sont pour leur part moqués dans la lettre CVII. La satire, comme l'apologue et le roman du sérail, contribuent à la réflexion politique, omniprésente dans le roman.

La satire religieuse

Montesquieu s'attaque à l'intolérance et aux clergés, mais pas aux religions. Car il pense qu'elles protègent l'ordre moral en indiquant la voie du bien et en garantissant la justice. Ce n'est donc pas le catholicisme, mais le pape, qui est objet de satire (lettre XXIX). Montesquieu lui reproche notamment son intolérance contre les jansénistes. Autres cibles : le célibat des prêtres et son effet sur la dépopulation de la planète (lettre CXVII), les confesseurs et les casuistes (lettre LVII) qui appliquent au cas par cas la justice divine, quitte à pardonner des péchés majeurs aux gens riches qui les protègent ; on pense aux attaques contre les « bons pères jésuites » à qui Pascal reprochait, dans ses *Provinciales*, de pardonner leurs mauvaises actions aux puissants. L'Orient n'est pas épargné : la lettre XVIII, en raillant

l'interdiction de manger du porc, critique les superstitions, les dogmes, les rites, les interdits, tout ce qui s'impose à la pensée sans pouvoir être passé au crible de la raison.

Moyens littéraires de la satire

Pour frapper les esprits, la satire a recours à l'hyperbole (qui grossit et exagère sans cesse) : « [...] nous achetâmes non seulement un carrosse, mais encore pour cent mille francs de marchandises en moins d'une heure » (lettre XLV).

Elle tend aussi à « mécaniser » les comportements et à les généraliser en effaçant les particularités propres à l'individu. La reprise des mêmes structures grammaticales, les anaphores, les accumulations font entrer les comportements humains satirisés dans une logique de répétition qui tourne à vide et révèle toute son absurdité : « Ils ont tout fait, tout vu, tout dit, tout pensé » (lettre L). Les lettres XXIV ou XXX montrent des mouvements de foule qui uniformisent les comportements et dissolvent les individus dans une masse grégaire.

Le portrait satirique s'achève souvent par une pointe, comme par exemple dans la lettre LXXII brossant le portrait d'un homme content de lui : « Je le laissai parler, et il décide encore. » Cette pointe est ici fondée sur le brusque passage du passé simple au présent.

L'esprit, l'ironie et l'humour soufflent dans la satire. L'ironie est l'un des registres les plus employés par la satire, et c'est souvent l'enjoué Rica qui l'utilise. Lorsqu'il s'exclame : « Chose admirable ! je trouvais de mes portraits partout » (lettre XXX), il laisse entendre que ce qu'il feint d'« admirer », ce qui l'étonne, est en fait parfaitement dérisoire. L'humour, pour sa part, montre la réalité sous un aspect insolite sans relever du double langage comme l'ironie : « Le pape est le chef des Chrétiens. C'est une vieille idole qu'on encense par habitude » (lettre XXIX). Là, l'humour tient à l'incongruité de l'attribut « vieille idole », cocasse et irrévérencieux pour caractériser le chef de la religion catholique.

Genre, action, personnages

Fonction de la satire

La satire dénonce la disproportion et l'excès du monde sans cependant inciter à le changer : c'est un genre traditionnel, critiquant une nature humaine donnée comme éternelle. Montesquieu se contente-t-il de cela ? Sans vouloir changer le monde, il peint, avec un regard « perçant », une société française en proie au vertige. Toutes les énergies se disséminent pour se perdre en futilités. L'agitation semble se déployer dans le vide et Law, inventeur du papier-monnaie, est représenté en Éole, vendant des outres gonflées de vent. La satire des *Lettres persanes* ne se contente pas de révéler une décadence. Sous le sourire de l'ironie et de l'humour, elle propose une vision pessimiste du monde et de la condition humaine. Et, pourtant, Montesquieu veut libérer la pensée de sa gangue de préjugés : il croit donc aussi au progrès, il annonce les Lumières.

Action

Une chronologie plausible

Le « roman » s'organise en trois parties :

1. Le voyage d'Ispahan à Paris dure 13 mois et demi, du 19 mars 1711 au 4 mai 1712 (23 lettres).

2. La deuxième partie raconte l'arrivée à Paris et la découverte du monde occidental, qui se décompose en deux phases :

– La première (69 lettres), centrée sur la mort de Louis XIV (lettre XCII), va de mai 1712 à septembre 1715. Cette phase donne lieu à l'observation des mœurs occidentales, à leur satire morale.

– La deuxième (54 lettres), centrée sur la Régence, va de septembre 1715 à novembre 1720. Le système financier de Law et ses conséquences désastreuses (lettre CXLVI) en sont le cœur.

3. Le drame du sérail (14 lettres) clôt le roman, mais il est annoncé dès les lettres XCVI et CXLVII). Il va du 5 juillet 1718 au 8 mai 1720.

Montesquieu a donc veillé à ce que la chronologie des faits soit plausible. Il a aussi misé sur une accélération finale, propre à frapper le lecteur.

Genre, action, personnages

Une composition habile

La composition de l'œuvre est particulièrement réfléchie : au début du roman, l'histoire des Troglodytes (lettres XI à XIV) est une mise en abyme de celle du sérail. Le pays des Troglodytes, comme le sérail, est un lieu clos, et, par sa clôture, son retrait du reste du monde, il a réussi à instaurer une harmonie entre les êtres, en faisant taire les désirs égoïstes et régner la vertu. Mais cette harmonie, précaire, est impossible à pérenniser. Ces deux apologues qui se reflètent l'un l'autre révèlent aussi le pessimisme politique de Montesquieu : aucun système n'est propre à assurer durablement le bonheur.

Personnages

Une galerie complexe

Les voyageurs sont Usbek, grand seigneur d'Ispahan, Rica, son ami, Ibbi, serviteur d'Usbek, et Jaron, eunuque renvoyé de Smyrne au sérail.

Les épouses favorites du sérail d'Usbek, sont Fatmé, Roxane, Zachi, Zélis, Zéphis.

Parmi les gardiens du sérail, on distingue Narsit, doyen des eunuques ; le premier eunuque noir ou Grand Eunuque ; le premier eunuque blanc ; Solim, successeur du premier eunuque, Pharam, esclave qu'on veut castrer.

Les amis : Ibben, à Smyrne ; Mirza, à Ispahan ; Nargum, envoyé de Perse en Moscovie ; Nessir, à Ispahan ; Rhédi, à Venise ; Rustan, à Ispahan.

Les deux Persans : une opposition de tempéraments

Nul portrait n'étant fait d'eux, on peut se demander si les Persans ont une épaisseur psychologique ou s'ils sont uniquement les porte-parole de Montesquieu. Cependant, Rica et Usbek ont une individualité, fondée sur la théorie des tempéraments et la prédominance de certaines humeurs : Usbek est mélancolique, Rica est sanguin ; l'un est grave et profond,

Genre, action, personnages

l'autre prend la vie du bon côté, il en dégage les aspects insolites ou amusants. Le contraste des tons de leurs lettres révèle cette opposition. Du reste, leur situation familiale est différente : Usbek a le souci du sérail, Rica est sans engagement. Usbek signale (lettre XXVII) la « jeunesse et la gaieté naturelle » de son compagnon et se plaint (lettre CLV) qu'il ne puisse partager ses « déplaisirs ». Mus par une même curiosité, ils choisissent des thèmes conformes à leurs caractères : à Usbek les grands problèmes sociologiques, politiques, religieux, à Rica la satire des mœurs.

Les deux personnages sont au demeurant mus par une même curiosité. Elle les pousse à la découverte, à l'observation, à la réflexion.

Le voyage a ici une fonction, traditionnelle, formatrice et philosophique. Mais Usbek est le seul qui évolue intellectuellement au fur et à mesure de ses découvertes.

Usbek, personnage pivot dans le roman

Le roman s'organise en sphères autour d'Usbek et de son « occidentalisation » progressive, bien plus nette que celle de Rica, dont l'humeur gaie est permanente. Les premières lettres d'Usbek témoignent de son attachement à sa culture : notamment lorsqu'il demande conseil au mollah Méhémet-Hali (lettre XVI). Dans la lettre XIX, sa haine des Turcs montre combien il est patriote. Puis, à partir de la lettre XLVIII (« Notre air étranger n'offense plus personne »), Usbek va s'exprimer en homme de raison, en citoyen du monde, en précurseur des Lumières : « J'ai souvent recherché quel était le gouvernement le plus conforme à la raison », écrit-il dans la lettre LXXX. Cependant, ce cosmopolitisme, cette élévation initiatique vers une réflexion de plus en plus ouverte et tolérante ne sont pas un mouvement continu. Ainsi la lettre CVI marque-t-elle une hésitation entre Orient et Occident : « Penses-tu, Rhédi, que la religion que notre saint Prophète a apportée du Ciel soit pernicieuse, parce qu'elle servira un jour à confondre les perfides chrétiens ? » Même déchirure entre Orient et Occident lorsqu'il est question des

Genre, action, personnages

femmes, il compare les Persanes et les Françaises : « Il est difficile de ne point aimer les premières et de ne point se plaire avec les secondes. » (lettre XXXIV). Quoique éclairé par la pensée occidentale, il reste attaché à la polygamie et continue à régner en tyran sur son sérail, qu'il foudroie de sa colère aveugle lors du dénouement.

En fait, deux mouvements psychologiques luttent tout au long du roman : la raison et la jalousie. Ainsi, dans la lettre CXLVIII : « Que tout vive dans la consternation ; que tout fonde en larmes devant vous. »

Dans la lettre CLV, il écrit à Nessir : « Je vis dans un climat barbare, présent à tout ce qui m'importune, absent de tout ce qui m'intéresse. » Usbek vit alors l'exil comme une situation bloquée, une impasse. Il ne sera plus jamais persan, et ne deviendra pas non plus français. Son exil est « affreux », comme il le qualifie dans cette même lettre CLV, car il est devenu absolu.

Usbek est déchiré entre passion et raison, entre Occident et Orient : il est aussi un homme semblable à tous les hommes, lucide et pourtant tourmenté par des forces obscures, capable d'élévation intellectuelle et de barbarie.

Les femmes : Zachi, Zéphis, Fatmé et Roxane

Elles apparaissent en groupe dans la lettre III où Zachi relate comment elles font toutes assaut de séduction pour conquérir leur mari pour la nuit. Cette même lettre les confond aussi dans une partie de campagne. En début de roman, elles sont l'occasion de donner quelques détails exotiques qui ne peuvent manquer de faire rêver le lecteur occidental.

Parmi les femmes, Roxane se distingue par son courage et son intelligence et impose le respect. Son suicide, dénouement du roman, symbolise le triomphe final de l'amour et de la liberté.

Les eunuques : victimes et bourreaux

Ils paraissent servir la couleur locale ; mais ils sont au centre d'une réflexion à la fois politique et érotique, domaines qu'on pourrait croire séparés et qui sont en fait indissociables, dans la pensée de Montesquieu.

Genre, action, personnages

Les eunuques sont victimes, comme les femmes sur lesquelles ils règnent. Ils sont aussi des bourreaux : l'un d'eux est traité de « monstre noir » par Zéphis dans la lettre IV. Leur destin scelle la violence à l'impuissance et les place au cœur du paradoxe de toute tyrannie. Cette réflexion politique sous-jacente s'associe à une réflexion sur le désir, qui s'exalte d'être empêché, mais s'adoucit lorsqu'il est respecté. Une lettre particulièrement pathétique se détache de celles écrites par les eunuques, la lettre IX : le premier eunuque y narre les souffrances qu'il a subies lors de sa castration. Il y raconte aussi celles qui ont suivi, puisqu'il a continué de désirer les femmes. Le premier eunuque noir fait part à Usbek de son projet de faire eunuque un esclave. Celui-ci, Pharan, résiste et écrit à Usbek (lettre XLII), qui lui accorde finalement sa grâce : est-ce la preuve qu'Usbek a évolué et qu'il a pris ses distances par rapport au sérail et à la barbarie de ses mœurs ? Une autre curiosité : la lettre LIII évoque le mariage d'un eunuque blanc.

Une réflexion sur le pouvoir

Au travers de ces personnages prisonniers du sérail, femmes et eunuques, la réflexion sur le pouvoir s'approfondit : la domination des hommes sur les femmes reflète celle de tous les tyrans, orientaux ou occidentaux. Les *Lettres persanes* s'interrogent autant sur les difficultés, pour l'homme et la femme, de parvenir à une entente sereine, que sur celles, pour un peuple, de trouver un système politique stable et harmonieux : comment trouver la voie raisonnable du bonheur ? Question aussi bien intime que politique, question lancinante dans toute l'œuvre.

L'œuvre : origines et prolongements

Des sources multiples

MONTESQUIEU connaissait l'*Histoire de l'État présent de l'Empire ottoman* de Rycaut, la *Relation du voyage de Perse et des Indes orientales* de Herbert traduite du flamand en 1673, le *Voyage en Moscovie, Tartarie et Perse* d'Olearius, traduit de l'allemand en 1659. Toutefois, ses maîtres furent Tavernier et surtout Chardin. C'est ainsi grâce à Chardin que Montesquieu a appris qu'on vénère le tombeau de Fatmé dans la mosquée de Com (lettre I), qu'il connaît les mœurs des harems ; il en tire aussi les remarques sur la tolérance des Turcs (lettre XIX) et la gravité ordinaire des Persans (lettre XXXIV). L'histoire du Guèbre qui a épousé sa sœur (lettre LXVII), les réflexions sur le paradis spécial pour les femmes des musulmans (lettre CXLI) et sur la croyance aux amulettes (lettre CXLIII) en viennent aussi. La lettre LXXXV qui traite des conséquences économiques de l'intolérance semble inspirée par Tavernier, tout comme la lettre CXXI, ou la lettre CXXV où Rica parle d'une veuve hindoue qui veut se brûler à la mort de son mari, puis refuse en apprenant qu'elle recommencerait alors un autre mariage avec son défunt mari dans l'autre monde.

LE CORAN, traduit en français en 1647 par du Ryer, est aussi présent : la lettre XXXVIII s'achève par une citation directe de ce livre sacré : « Les femmes doivent honorer leurs maris ; leurs maris les doivent honorer : mais ils ont l'avantage d'un degré sur elles. »

Une source essentielle : L'Espion turc de Marana

L'INFLUENCE de *L'Espion du Grand Seigneur et ses relations secrètes envoyées au Divan de Constantinople...* (ou *L'Espion turc*) de Jean-Paul Marana, publié à Paris en 1674, est d'autant plus détermi-

nante que cette œuvre est composée de lettres où se succèdent des nouvelles diplomatiques, des tableaux des mœurs, et des remarques philosophiques en un mélange imprévisible. Du reste, par sa gravité, l'espion turc n'est pas sans annoncer Usbek. Plusieurs éditions hollandaises présentaient d'ailleurs les *Lettres persanes* comme étant « dans le goût de l'espion turc ». Mais cet espion ne pénètre pas, comme les Persans de Montesquieu, dans les salons parisiens, et Marana était beaucoup plus superficiel que notre président à mortier. Son influence se marque aussi par certains motifs, ou certaines anecdotes : la réponse d'un aveugle dans la lettre XXXII se retrouve presque mot à mot dans une lettre de *L'Espion turc*, la remarque sur le vin que fait Usbek dans la lettre XXXIII se retrouve aussi sous la plume de Marana, tout comme la lettre XLV sur l'alchimiste ou LV sur les jaloux...

Le souvenir discret de Pierre Bayle

En inventant ses deux personnages de Persan, un grand seigneur d'âge mûr plutôt désabusé, possesseur d'un sérail, Usbek, et un plus jeune et enthousiaste, célibataire, Rica, Montesquieu semble aussi exaucer le vœu formulé par Bayle, en 1682, dans ses *Pensées sur la comète* : « Si ceux qui viennent à Paris avec les ambassadeurs osaient publier, quand ils sont retournés chez eux, des relations aussi libres que celles que les Français publient touchant les pays étrangers, je ne doute pas qu'ils n'eussent bien des choses à dire. » C'est d'abord Cotolendi qui répond au souhait de Bayle en promenant dans Paris son Sicilien. Puis Dufresny dans ses *Amusements* invente un conteur qui prend « le génie d'un voyageur siamois ». En 1716, le philosophe persan de J. Bonnet écrit à Musala, son correspondant d'Ispahan, sur les mœurs et la religion des Français. Ces prédécesseurs montrent que Montesquieu n'est pas l'inventeur de l'observateur oriental, qui est déjà un « type » au début du xviiie siècle. Mais Montesquieu en tire un grand profit.

L'œuvre : origines et prolongements

L'invention de Montesquieu

Quant à savoir comment l'idée des *Lettres persanes* est née dans la tête de Montesquieu, il n'y faut guère compter : l'auteur n'a fait nulle confidence à ce sujet. On peut certes souligner que le moralisme politique est bien affaire de magistrat. C'est toutefois l'exotisme du sérail qui semble plus mystérieusement original, et ne peut qu'entrer en résonance avec des zones plus profondes de la psychologie de l'écrivain. Ainsi structurée, par sa combinaison d'un regard oriental et d'une forme épistolaire, l'œuvre autorise une diversité, elle laisse l'écrivain manifester plusieurs facettes de sa personnalité, une personnalité complexe, en partie rieuse, en partie angoissée, avec une facette lumineuse où brille l'humour de Rica et une facette plus obscure, où se reflètent les tourments d'Usbek.

Montesquieu occupe des fonctions dont le sérieux lui semble incompatible avec la fantaisie de ses *Lettres persanes.* C'est pourquoi il les publie anonymement, et les fait imprimer en Hollande. Les deux volumes *in-*12 portent le nom et l'adresse de Pierre Marteau à Cologne, avec la date de 1721. Ce Pierre Marteau n'existe pas. Dix éditions suivent, attestant du grand succès de l'œuvre ; il y en aura trente jusqu'à la mort de Montesquieu. L'engouement atteint jusqu'aux pays étrangers, notamment l'Angleterre et la Hollande.

L'engouement pour l'Orient

Les *Lettres persanes* témoignent bien évidemment de l'engouement du début du xviiie siècle pour l'Orient. Sans remonter aux échanges entre François Ier et Soliman le Magnifique, il faut savoir que des relations diplomatiques existent depuis longtemps entre la France et l'Orient. Des missions de savants vont rechercher des manuscrits anciens dans l'Empire ottoman. S'y ajoutent des voyages de missionnaires dans le Proche-, le Moyen- et l'Extrême-Orient. La littérature s'inspire des histoires orientales et, notamment de celles de l'Orient musulman. On peut évoquer *La Sultane* de Georges Bounyn, une tragédie irrégulière de 1651,

L'œuvre : origines et prolongements

Le Grand et Dernier Soliman, de 1639, et *Ibrahim ou l'illustre Bassa,* de 1641, deux textes de Mlle de Scudéry, et, plus près de Montesquieu, *Les Aventures du Grand Vizir Ibrahim Pacha et d'Isabelle de Monaco.* Ce sont surtout les mœurs du sérail, la polygamie qui fascinent. Mais aussi la philosophie orientale : en 1644, *Les Lumières canopiques* (ou aussi *Le Livre des Lumières ou la Conduite des Rois*) est une œuvre encore plus proche des *Lettres persanes,* car censée avoir été composée par un Persan, le sage Puilpay, et traduite par David Sahib d'Ispahan (capitale de la Perse). En fait, l'œuvre a été écrite par un orientaliste français, Gaulmin. On peut aussi rappeler que les turqueries du *Bourgeois gentilhomme* de Molière ont été inspirées par l'arrivée en France de Soliman Muta Feraca, envoyé de la Sublime Porte. Enfin, *Bajazet* a été écrit par Racine en 1672 : « C'est une aventure arrivée dans le sérail, il n'y a pas plus de trente ans », écrit Racine pour présenter sa pièce. L'orientalisme fait des progrès surprenants en France après *Bajazet,* en partie à cause de la pièce, et surtout du fait des voyages de Tavernier, dont les observations furent consignées dans les *Voyages en Turquie, en Perse et aux Indes* (1677-1679), rédigés non par Tavernier mais par Chapuzeau et La Chapelle. Un autre voyageur est Chardin, qui a séjourné en Perse. Il fait paraître en 1686 à Londres 18 gravures présentant son voyage de Paris à Ispahan et, en 1711, une relation de ses voyages. C'est d'après son œuvre que Montesquieu, comme Helvétius, apprennent à connaître la Perse, et à l'analyser comme le prototype des pays à gouvernement despotique.

L'ENGOUEMENT pour l'Orient a aussi été suscité par deux orientalistes de profession. Le premier est Barthélemi d'Herbelot (1625-1695), qui a la chaire de syriaque au Collège royal et donne un dictionnaire arabe, persan, turc en trois volumes in-folio. Il est aussi l'auteur d'une Bibliothèque orientale contenant généralement tout ce qui concerne la connaissance des peuples d'Orient (1697). Le deuxième est Antoine Galland (1646-1715), traducteur des *Contes des Mille et Une Nuits.* L'énorme succès de cette traduction se place à l'apogée de la vogue orientaliste.

L'œuvre : origines et prolongements

Un témoignage sur la société de la Régence

Écrites entre 1717 et 1721, les *Lettres persanes* sont situées au cœur de la régence de Philippe d'Orléans (1715-1723) et à l'aube des Lumières. Homme d'État avisé, libéral et curieux (il s'adonne à la chimie, il protège Watteau), le Régent est aussi un débauché. Le libertinage intellectuel des libres-penseurs du XVII^e siècle s'est transformé à sa cour en libertinage des mœurs. C'est ce relâchement des mœurs, qui s'oppose au puritanisme de la fin du règne de Louis XIV, que retiendra surtout la postérité.

LE RÉGENT n'est pourtant pas qu'un débauché : il fait casser le testament par lequel Louis XIV limitait son pouvoir, rend son droit de remontrance au Parlement, gouverne avec l'aristocratie (bridée depuis la Fronde), qu'il associe aux décisions royales par le système de la polysynodie de 1715 à 1718, revenant ensuite à un pouvoir absolu. La réflexion sur l'absolutisme, la royauté, la tyrannie et le pouvoir politique est au centre des *Lettres persanes*, et sera reposée à l'échelle du monde dans *L'Esprit des lois*. Contrairement au duc de Saint-Simon (1675-1755) pour qui l'absolutisme est un mal engendré par Louis XIV, Montesquieu pense qu'il s'agit de l'aboutissement d'un mouvement séculaire. S'il défend les privilèges héréditaires et les prérogatives des Parlements, c'est parce qu'ils lui paraissent être une limite à l'absolutisme royal.

LA RÉGENCE est marquée par une banqueroute célèbre : pour résoudre la crise due aux guerres désastreuses et à la rigueur des hivers, l'État français fait confiance à un aventurier écossais, Law (prononcer [las]), qui propose la création d'une banque fabriquant du papier-monnaie gagé sur les compagnies exploitant les ressources des Indes ou du Canada. Les paiements en espèces métalliques sont remplacés par du papier-monnaie. Les prêteurs affluent, l'État rembourse une partie de ses dettes, le commerce est relancé. C'est le premier essai en France d'un système bancaire moderne. Mais la confiance retombe dès septembre 1719 : les prêteurs se font rembourser leur papier-

monnaie en espèces sonnantes, et le système s'écroule, entraî-
nant banqueroutes, suicides et bouleversement des fortunes.
Les lettres CXXXII, CXXXVIII, CXLII et CXLVI renvoient à cet épi-
sode financier.

LA RELIGION est l'autre grand thème des *Lettres persanes*, objet
d'une quarantaine de lettres. Pour Montesquieu, la question de
l'existence de Dieu est secondaire par rapport à celle des reli-
gions, et du fanatisme. Selon lui, les rites religieux divisent les
hommes et rigidifient la pensée par le dogmatisme et les préju-
gés. Montesquieu ouvre ainsi la voie à Voltaire, sans pourtant
croire, comme celui-ci, que le pouvoir religieux puisse être assu-
jetti au pouvoir civil. Dans les *Lettres persanes*, il critique violem-
ment l'acharnement de Louis XIV, qui avait obtenu en 1713 une
condamnation du pape contre les jansénistes : la bulle
Unigenitus dei filius, contre les jansénistes.

Le roman par lettres et la crise du romanesque

GENRE TRÈS À LA MODE au XVIII^e siècle, le roman par lettres partage
avec les pseudo-mémoires l'intérêt de pouvoir passer pour un
témoignage pris sur le vif. À l'aube du XVIII^e siècle, le roman est
considéré comme un genre trop frivole, offrant une lecture amol-
lissante, de ce fait plutôt destiné aux femmes oisives. On constate
une véritable méfiance à l'égard de la fiction romanesque, parfois
interprétée comme une véritable crise du roman dans la première
moitié du XVIII^e siècle. C'est en tout cas une sorte de « réalisme »
avant la lettre, qui impose alors des genres de récit écrits à la pre-
mière personne et se donnant pour arrachés à la vie même. Le
romancier prend alors le masque du simple arrangeur d'un
manuscrit retrouvé par hasard. Montesquieu reprend ce strata-
gème de convention, dont nul n'est dupe, dans la préface de son
œuvre : « Les Persans qui écrivent ici étaient logés avec moi ; nous
passions notre vie ensemble. Comme ils me regardaient comme
un homme d'un autre monde, ils ne me cachaient rien. En effet,
des gens transplantés de si loin ne pouvaient plus avoir de secrets.
Ils me communiquaient la plupart de leurs lettres ; je les copiai.

L'œuvre : origines et prolongements

J'en surpris même quelques-unes dont ils se seraient bien gardés de me faire confidence, tant elles étaient mortifiantes pour la vanité et la jalousie persanes. Je ne fais donc que l'office de traducteur : toute ma peine a été de mettre l'ouvrage à nos mœurs. J'ai soulagé le lecteur du langage asiatique autant que je l'ai pu, et l'ai sauvé d'une infinité d'expressions sublimes, qui l'auraient envoyé jusque dans les nues. »

CETTE RÉFLEXION sur les corrections soi-disant apportées au style persan révèle en partie dans quelles bornes l'écriture doit, dans cette période postclassique, se tenir. L'écrivain est contraint à employer la langue des « honnêtes gens » qu'il fréquente, c'est-à-dire celle des mondains éclairés qui font la haute société parisienne. Le style des œuvres de cette époque (parmi lesquelles se placent les *Lettres persanes*) se veut sans gravité affichée ni lourdeur inélégante ; il joue en permanence sur la concision, l'implicite et le brio. Il peut se concevoir comme le prolongement de l'art de la conversation qui s'épanouit dans les salons où se retrouvent aristocrates, grands bourgeois et hommes de lettres, où s'entretiennent de beaux esprits de toutes sortes, régnant sur tous les domaines de la création et de la pensée, que Montesquieu a fréquentés lors de son séjour parisien de 1709 à 1713.

LES PERSANES s'inscrivent enfin dans la lignée des *Caractères* de La Bruyère : l'esthétique de la disparate est commune aux deux œuvres qui parcourent aussi les mêmes topoï de la satire des mœurs : la prédominance du paraître (« Comment peut-on être Persan ? », question au centre de la célébrissime lettre XXX), le pouvoir des femmes ou celui des confesseurs, la morgue des grands, l'inanité des modes, surtout vestimentaires, les faux-semblants de l'amour-propre. Les *Persanes* et *Les Caractères* sont aussi traversés par un même pessimisme : la dénonciation des vices du monde a beau se faire « en riant », elle n'est pas mue pour autant par l'espoir de parvenir à les corriger vraiment.

L'œuvre : origines et prolongements

La réception de l'œuvre, son influence européenne

DANS SES *Pensées et fragments*, Montesquieu écrit : « Lorsque cet ouvrage parut, on ne le regarda pas comme un ouvrage sérieux. Il ne l'était pas. Tout lecteur se rendit témoignage à lui-même. Il ne se souvint que de sa gaieté. » L'auteur insiste, on le voit, sur la légèreté, la frivolité de ses *Lettres persanes*. Elles auraient séduit le public par leur fantaisie, en lui offrant un joyeux divertissement. Le mélange d'orientalisme et de satire est heureux ; il plaît. Voltaire témoigne dans une lettre adressée à Vauvenargues le 15 avril 1743 de l'engouement qu'il suscite : « La France fut d'abord ivre des *Lettres persanes*. »

CEPENDANT, le livre devient ensuite suspect, interdit même, non parce que les lettres narrant la vie du sérail apparaissent trop lestes, mais à cause des thèses audacieuses que soutiennent les lettres les plus « sérieuses ». Moins que l'insolence vis-à-vis de l'Académie française (lettre LXXIII), ce sont surtout ses lettres sur la religion qui lui valent des réactions négatives. Ainsi Marivaux, honnête catholique pratiquant, reproche-t-il à Montesquieu dans la 8e feuille de son *Spectateur français* de traiter avec frivolité un sujet exigeant d'être sérieux : « Avant que de finir cette feuille, je ne puis m'empêcher de dire un mot d'un livre que je lisais ce matin, et qui était intitulé les *Lettres persanes,* dont je n'ai encore lu que quelques-unes ; et par celles-là, je juge que l'auteur est un homme de beaucoup d'esprit ; mais entre les sujets hardis qu'il se choisit et sur lesquels il me paraît briller, le sujet qui réussit le mieux à l'ingénieuse vivacité de ses idées, c'est celui de la Religion et des choses qui ont rapport à elle... Je voudrais qu'un esprit aussi fin que le sien eût senti qu'il n'y a pas un si grand mérite à donner du joli et du neuf sur pareilles matières, et que tout homme, qui les traite avec quelque liberté peut se montrer spirituel à peu de frais. » Pourtant l'Église ne réagit pas immédiatement aux idées séditieuses que développent les *Lettres persanes*. C'est un abbé janséniste, l'abbé Gaultier, qui les attaquera en 1851, soit après l'interdiction de *L'Esprit des lois*.

L'œuvre : origines et prolongements

Et en effet, on est, comme Voltaire, étonné qu'un ouvrage aussi audacieux ne soit pas d'emblée interdit (on ne songera à son interdiction qu'après la mise à l'index de *L'Esprit des lois*) : on y défend le suicide et le divorce, on fait de la religion une simple supposition, et on y dit que les évêques n'ont d'autre fonction que de dispenser d'accomplir la loi ; on y traite aussi le pape de « magicien » qui fait accroire que trois ne sont qu'un et que le pain qu'on mange n'est pas du pain. D'Alembert rend hommage à la pertinence de ses idées sur la religion dans son *Éloge de M. de Montesquieu*, alors qu'Helvétius lui reproche de ne pas avoir été encore plus loin. Quant à Rousseau, il conseille la lecture des *Persanes* à tout jeune homme qui veut écrire.

Enfin les *Lettres persanes* ont eu une grande influence sur les esprits européens. Elles favorisent la conversion philosophique de l'auteur italien Beccaria, auteur du *Traité des délits et des peines*. Après avoir été éditées quatre fois en Angleterre, elles inspirent à Lord Lyttelton en 1735 ses *Letters from a Persian in England to his Friend at Ispahan*. En Espagne, le colonel Don José Cadalso fait paraître des *Lettres marocaines*. C'est surtout en France que le premier roman de Montesquieu lance la vogue des lettres : les *Lettres anglaises*, puis *Lettres philosophiques* de Voltaire, et même, moins connues mais plus clairement inspirées des *Persanes*, *Les Lettres d'Amabed* de 1769 ; *Lettres d'une Turque à Paris* de Sainte-Foix (1730), *Lettres chinoises* du marquis d'Argens (1735), *Lettres d'un sauvage dépaysé* de Joubert de La Rue (1735), *Lettres d'une Péruvienne* de Madame de Graffigny, en 1747, *Les Lettres siamoises* de Landon en 1751, *Les Lettres iroquoises* de Maubert de Gouvest, en 1769, et bien d'autres œuvres encore témoignent de cette mode.

Les *Lettres persanes* lancent aussi et surtout un mouvement de pensée : se libérer des préjugés, penser par soi-même en usant de la raison, pratiquer la tolérance, rechercher la vertu autrement que par les impératifs moraux qu'impose la religion.

L'œuvre
et ses représentations

Des reprises sous forme d'écho

Les *Lettres persanes*, si elles ont inspiré de nombreuses œuvres littéraires et de multiples imitations, n'ont jamais été véritablement adaptées au théâtre, à l'opéra ou bien au cinéma. En revanche on peut identifier de nombreux échos du sérail et de l'Orient dans la peinture, l'opéra et le théâtre. Nous évoquerons des représentations qui peuvent légitimement être mises en relations avec l'œuvre de Montesquieu

En peinture

Sultanes, odalisques et harem

Les *Lettres persanes,* parce qu'elles prennent pour trame et pour argument majeur la thématique du sérail, trouvent dans des œuvres picturales qui leur sont presque contemporaines, ou dans d'autres plus tardives, de nombreux reflets. Les femmes orientales, lorsque Montesquieu les campe dans son roman, excitent l'imaginaire des peintres. Ces femmes tenues à l'abri des regards incarnent une sensualité mystérieuse parce que défendue. Elles sont convoitées et considérées comme des instruments de plaisir. Les peintres les imaginent souvent nues, rivalisant de beauté pour conquérir l'époux (voir la lettre III). Sans les avoir vues ni observées, les artistes vont les représenter dans la gloire d'une éclatante féminité. On peut évoquer la sensualité généreuse que peint François Boucher (1703-1770), au travers de ses *Sultanes*. Au musée des Arts décoratifs de Paris, on peut admirer *La Sultane prenant le café* de Carle Van Loo, décoration qui fut réalisée en 1755 pour orner la chambre de Mme de Pompadour. Boucher peint aussi une *Odalisque* en 1754. Les odalisques étaient à l'origine les femmes de chambre esclaves dans un sérail. Mais ce terme va désigner, surtout en peinture, toute femme vivant dans un harem. Les odalisques offrent aux peintres la possibilité de travailler sur des nus féminins et de transformer les spectateurs en voyeurs. Toutefois,

dans cet Orient fantasmé, dépourvu de réalisme, c'est davantage l'Empire ottoman qui est représenté que la Perse.

Ingres

Le peintre le plus célèbre pour ses odalisques, c'est Ingres (1780-1867). Sa *Grande Odalisque* est un nu qu'il a peint en 1814 et que l'on peut admirer au Louvre. Même inspiration d'un Orient sensuel avec l'*Odalisque à l'esclave* datée de 1839. On trouve également des odalisques chez Matisse (1869-1954) : l'*Odalisque aux magnolias* et l'*Odalisque au pantalon rouge*. Le hammam, les bains turcs rattachés au harem nourrissent aussi l'imaginaire des peintres orientalistes : *Un bain au sérail* est une œuvre de Théodore Chassériau datée de 1849 et exposée au Louvre, comme *Le Bain turc* d'Ingres, daté de 1863: c'est le triomphe de l'érotisme au travers de l'exaltation des courbes féminines. On trouve même un tableau évoquant l'achat de nouvelles femmes pour le sérail (voir lettre LXXIX relatant l'achat d'une Circassienne) : *L'Achat d'une esclave à Constantinople* de Stanislas Chlebowski, daté de 1879, exposé à Knokke-le-Zoute. Eugène Delacroix a peint en 1834 ses *Femmes d'Alger*, autre tableau inspiré par l'Orient que l'on peut admirer au Louvre.

À l'opéra

Mozart, un sérail comique et fraternel

Si l'on cherche maintenant un reflet des *Lettres persanes* dans l'opéra, on le trouvera sans conteste dans *L'Enlèvement au sérail* de Mozart, daté de 1782. Son livret a été écrit par J.-C. Stéphanie le Jeune, à partir d'une pièce de Friedrich Bretzner. Mozart en a composé la musique de juillet 1781 à mai 1782. Il a alors 26 ans. L'opéra est représenté pour la première fois à Vienne au Burgtheater le 16 juillet 1782. Cet opéra met en scène deux couples : les maîtres, Belmonte, ténor, et Constance, soprano, et les valets, Pédrillo, autre ténor, et Blonde, autre soprano. Belmonte, le héros, est un jeune seigneur espagnol parti à la recherche de

sa fiancée, Constance, enlevée et vendue à un pacha qui la retient dans son sérail. Constance est en effet la prisonnière du pacha Sélim. Belmonte rencontre par hasard son ancien valet Pédrillo, fait prisonnier par Sélim. À l'acte II, apparaît la servante Blonde, pleine de malice et de fantaisie. Elle cherche à endormir Osmin, le gardien du sérail au service de Sélim. Ce dernier tente en vain d'obtenir l'amour de Constance. Elle l'éconduit malgré ses menaces. C'est l'occasion du célèbre grand air de défi aux supplices : « *Martern aller arten mögen meiner warten* », ce qui signifie « des supplices de toutes sortes peuvent bien m'attendre ». Blonde et Pédrillo cherchent alors un plan d'évasion. Il font boire à Osmin un vin narcotisé. Les deux couples vont en profiter pour s'évader, et ils chantent l'amour.

À l'acte III, l'enlèvement doit avoir lieu après une sérénade que chantera Pédrillo sous les fenêtres de Constance. Dans le port, un bateau attend les deux couples. Mais voici qu'arrive Osmin, titubant. Il voit les échelles qui pendent des fenêtres et donne aussitôt l'alarme. Les fugitifs sont conduits devant le pacha Sélim. On peut craindre pour leur vie. Mais le pacha Sélim, contre toute attente, annonce le pardon : il met en liberté les captifs. C'est l'occasion, en célébrant la générosité du pacha, de faire l'apologie de la fraternité universelle. Sur une musique turque, les deux couples prennent la mer vers leur liberté.

Cet opéra mêle plusieurs styles, il exige une grande virtuosité de la part de la cantatrice qui chante Constance, de l'entrain, de la vivacité, de la part de celle qui incarne Blonde, et beaucoup de drôlerie chez Osmin, personnage franchement comique.

Au théâtre

Un sérail voltairien

On pourra rapprocher les *Lettres persanes* de la pièce de théâtre *Zaïre* de Voltaire, située dans un sérail et datée de 1732. L'histoire se déroule au XIIe siècle, dans le sérail de Jérusalem. Zaïre, esclave d'origine française et chrétienne, est captive

depuis sa plus tendre enfance et elle est devenue musulmane. Elle aime le jeune sultan Orosmane, qui l'aime passionnément en retour et veut la prendre pour épouse. Cependant, un chevalier, Nérestan, vient apporter une rançon destinée à libérer Zaïre et dix autres Français. Orosmane accorde à Nérestan la liberté de cent chevaliers, mais non celle de Zaïre et de Lusignan, descendant des rois de Jérusalem. Dans une émouvante scène de reconnaissance, Lusignan reconnaît Zaïre et Nérestan comme étant ses deux enfants pris par les Sarrasins lors de la chute de Césarée. Si Lusignan n'avait pas pu auparavant reconnaître sa propre fille, c'est aussi parce qu'il est presque aveugle. Lusignan, avant de mourir, demande à sa fille Zaïre de recevoir le baptême chrétien. Elle se trouve donc déchirée entre ce serment et son amour pour Orosmane. Cet embarras de Zaïre fait naître des soupçons chez Orosmane, qui prend Nérestan pour le nouvel amant de celle-ci. Se croyant trahi, il attend, caché dans la nuit, que Zaïre vienne au rendez-vous que lui a fixé Nérestan. Orosmane, éperdu de jalousie, frappe Zaïre d'un poignard avant que Nérestan n'ait eu le temps de lui apprendre qu'elle était, non pas sa maîtresse, mais sa sœur. Accablé de douleur, Orosmane demande alors que soient délivrés tous les chrétiens avant de se donner la mort. Ainsi *Zaïre* finit, comme les *Lettres persanes,* par un suicide.

Boucher (1703-1770), *L'Odalisque brune*, peinture sur toile, 1754.

Eugène Delacroix (1798-1863),
Femmes d'Alger dans leur appartement, huile sur toile, 1834.

Jean-Auguste Dominique Ingres, *Le Bain turc*, huile sur bois,
1862.

Illustration pour les *Lettres persanes*.
Dessin d'un élégant du XVII^e siècle par Charles Martin, 1926.

L'œuvre à l'examen

SUJET 1

À l' *écrit*

Objet d'étude : la délibération.

**Corpus bac : les *Lettres persanes*,
une œuvre polémique et satirique.**

TEXTE 1

Lettre LXXXVIII d'Usbek à Rhédi, p. 210.

TEXTE 2

Les Caractères (1688), La Bruyère
Des biens de fortune, De la société
et de la conversation, De la mode.

Il y a des misères sur la terre qui saisissent le cœur. Il manque à quelques-uns jusqu'aux aliments ; ils redoutent l'hiver ; ils appréhendent de vivre. L'on mange ailleurs des fruits précoces ; l'on force la terre et les saisons pour fournir à sa délicatesse : de simples bourgeois, seulement à cause qu'ils étaient riches, ont eu l'audace d'avaler en un seul morceau la nourriture de cent familles. Tienne qui voudra contre de si grandes extrémités ; je ne veux être, si je puis, ni malheureux ni heureux ; je me jette et je me réfugie dans la médiocrité.

« Des biens de fortune », 47.

L'on voit des gens qui, dans les conversations ou dans le peu de commerce que l'on a avec eux, vous dégoûtent par leurs ridi-

cules expressions, par la nouveauté, et j'ose dire par l'impropriété des termes dont ils se servent, comme par l'alliance de certains mots qui ne se rencontrent ensemble que dans leur bouche, et à qui ils font signifier des choses que leurs premiers inventeurs n'ont jamais eu intention de leur faire dire. Ils ne suivent en parlant ni la raison ni l'usage, mais leur génie, que l'envie de toujours plaisanter, et peut-être de briller tourne insensiblement en un jargon qui leur est propre, et qui devient enfin leur idiome naturel ; ils accompagnent un langage si extravagant d'un geste affecté et d'une prononciation qui est contrefaite. Tous sont contents d'eux-mêmes et de l'agrément de leur esprit, et l'on ne peut pas dire qu'ils en soient entièrement dénués ; mais on les plaint de ce peu qu'ils en ont ; et, ce qui est pire, on en souffre.

« De la société et de la conversation », 6.

Une personne à la mode ressemble à une fleur bleue qui croît de soi-même dans les sillons, où elle étouffe les épis, diminue la moisson, et tient la place de quelque chose de meilleur ; qui n'a de prix et de beauté que ce qu'elle emprunte d'un caprice léger qui naît et qui tombe presque dans le même instant : aujourd'hui elle est courue, les femmes s'en parent ; demain elle est négligée, et rendue au peuple.

Une personne de mérite, au contraire, est une fleur qu'on ne désigne pas par sa couleur, mais que l'on nomme par son nom, que l'on cultive pour sa beauté ou pour son odeur ; l'une des grâces de la nature, l'une de ces choses qui embellissent le monde ; qui est de tous les temps et d'une vogue ancienne et populaire ; que nos pères ont estimée, et que nous estimons après nos pères ; à qui le dégoût ou l'antipathie de quelques-uns ne sauraient nuire : un lis, une rose.

« De la mode », 8.

L'œuvre à l'examen

TEXTE 3

▌ Satire 6 (1606), Mathurin Régnier (1573-1613).

Or ce n'est point de voir en règne la sottise,
L'avarice, le luxe entre les gens d'Église,
La Justice à l'encan[1], l'innocent oppressé,
Le conseil corrompu suivre l'intéressé,
Les États pervertis, toute chose se vendre,
Et n'avoir du crédit qu'au prix qu'on peut dépendre[2] ;
Ni moins que la valeur n'ait ici plus de lieu,
Que la noblesse courre en poste à l'Hôtel Dieu,
Que les jeunes oisifs aux plaisirs s'abandonnent,
Que les femmes du temps soient à qui plus leur donnent,
Que l'usure ait trouvé (bien que je n'ai de quoi
Tant elle a bonnes dents) que mordre dessus moi.
Tout ceci ne me pèse et l'esprit ne me trouble ;
Que tout s'y pervertisse, il ne m'en chaut d'un double[3],
Du temps ni de l'état il ne faut s'affliger,
Selon le temps qu'il fait, l'homme doit naviguer.

1. **À l'encan :** à vendre aux enchères.
2. **Dépendre :** dépenser.
3. **Il ne m'en chaut d'un double :** cela m'est égal (comme s'il s'agissait d'un double, monnaie sans valeur).

L'œuvre à l'examen

a. Question préliminaire (sur 4 points)

Quelles sont les cibles de ces trois satiristes ? Quels sont ceux qui utilisent l'humour et l'ironie comme Rica ? Quels sont ceux qui restent graves comme Usbek ?

b. Travaux d'écriture (sur 16 points) – au choix

Sujet 1. Commentaire.

Vous ferez le commentaire composé de la lettre LXXXVIII de Montesquieu (texte 1).

Sujet 2. Dissertation.

« Les *Lettres persanes* sont un roman philosophique et non un véritable roman parce que la fiction y est subordonnée à la pensée et qu'au fond l'auteur s'adresse à notre raison plus qu'à notre cœur. » Vous analyserez et au besoin discuterez cette phrase d'Henri Coulet.

Sujet 3. Écriture d'invention.

Réécrivez la lettre LXXXVIII en changeant l'épistolier : cette lettre ne sera plus écrite par Usbek, mais par Rica.

L'œuvre à l'examen

SUJET 2

Objet d'étude : un mouvement littéraire
et culturel du XVIII^e siècle : les philosophes
des Lumières (seconde).

Corpus bac : les Lumières

TEXTE 1

Les Essais (1588), Montaigne.

Et nous trouvons étrange si, aux guerres qui pressent à cette heure notre État, nous voyons flotter les événements et diversifier d'une manière commune et ordinaire. C'est que nous n'y apportons rien que le nôtre. La justice qui est l'un des partis, elle n'y est que pour ornement et couverture ; elle y est bien alléguée mais elle n'y est ni reçue, ni logée, ni épousée ; elle y est comme dans la bouche de l'avocat, non comme dans le cœur et affection de la partie. Dieu doit son secours extraordinaire à la foi et à la religion, non pas à nos passions. Les hommes y sont conducteurs et s'y servent de la religion : ce devrait être tout le contraire.

Sentez si ce n'est pas par nos mains que nous la menons, à tirer comme de cire tant de figures contraires d'une règle si droite et si ferme. Quand c'est-il vu mieux qu'en France en nos jours ? Ceux qui l'ont prise à gauche, ceux qui l'ont prise à droite, ceux qui disent le noir, ceux qui disent le blanc l'emploient si pareillement à leurs violentes et ambitieuses entreprises, s'y conduisent d'un progrès si conforme en débordement et injustice, qu'ils rendent douteuse et malaisée à croire la diversité qu'ils prétendent de leurs opinions en choses de laquelle dépend la conduite et loi de notre vie. Peut-on voir partir de même école et discipline des mœurs plus unies, plus unes ?

L'œuvre à l'examen

TEXTE 2

> Lettre XXXV d'Usbek à Gemchid, son cousin dervis du brillant monastère de Tauris (p. 98).

TEXTE 3

> *Traité sur la tolérance* (1763), Voltaire.

CHAPITRE XV
Témoignages contre l'intolérance

C'est une impiété d'ôter, en matière de religion, la liberté aux hommes, d'empêcher qu'ils ne fassent choix d'une divinité : aucun homme, aucun dieu ne voudrait d'un service forcé. (Apologétique, ch. XXIV.).

Si on usait de violence pour la défense de la foi, les évêques s'y opposeraient. (Saint-Hilaire, livr. I^{er}.)

La religion forcée n'est plus religion : il faut persuader et non contraindre. La religion ne se commande point. (Lactance, livr. III.)

C'est une exécrable hérésie de vouloir attirer par la force, par les coups, par les emprisonnements, ceux qu'on n'a pas pu convaincre par la raison (Saint Athanase, livr. I^{er}.)

Rien n'est plus contraire à la religion que la contrainte (Saint Justin, martyr, livr. V.)

Persécuterons-nous ceux que Dieu tolère ? dit saint Augustin, avant que sa querelle avec les donatistes l'eût rendu sévère.

Qu'on ne fasse aucune violence aux juifs. (Quatrième concile de Tolède, cinquante-sixième canon.)

Conseillez, et ne forcez pas. (Lettre de saint Bernard.)

Nous ne prétendons point détruire les erreurs par la violence. (Discours du clergé de France à Louis XIII.)

Nous avons toujours désapprouvé les voies de rigueur. (Assemblée du clergé, 11 auguste 1560.)

L'œuvre à l'examen

TEXTE 4

▌ *Candide* (1606), Voltaire.

CHAPITRE XXIII

Comment on fit un bel auto-da-fé pour empêcher les tremblements de terre, et comment Candide fut fessé.

Après le tremblement de terre qui avait détruit les trois quarts de Lisbonne, les sages du pays n'avaient pas trouvé un moyen plus efficace pour prévenir une ruine totale que de donner au peuple un bel auto-da-fé ; il était décidé par l'université de Coïmbre que le spectacle de quelques personnes brûlées à petit feu, en grande cérémonie, est un secret infaillible pour empêcher la terre de trembler.

On avait en conséquence saisi un Biscayen convaincu d'avoir épousé sa commère[1], et deux Portugais qui en mangeant un poulet en avaient arraché le lard[2] : on vint lier après le docteur Pangloss et son disciple Candide, l'un pour avoir parlé et l'autre pour avoir écouté avec un air d'approbation : tous deux furent menés séparément dans des appartements d'une extrême fraîcheur, dans lesquels on n'était jamais incommodé du soleil ; huit jours après ils furent tous deux revêtus d'un san-benito, et on orna leurs têtes de mitres de papier : la mitre et le san-benito de Candide étaient peints de flammes renversées et de diables qui n'avaient ni queues ni griffes ; mais les diables de Pangloss portaient griffes et queues, et les flammes étaient droites. Ils marchèrent en procession ainsi vêtus, et entendirent un sermon très pathétique, suivi d'une belle musique en faux-bourdon. Candide fut fessé en cadence, pendant qu'on chantait ; le Biscayen et les deux hommes qui n'avaient point

1. **Commère :** « marraine », épouser sa marraine était interdit par la religion catholique.
2. La religion contraint les juifs à ne pas manger de lard.

voulu manger de lard furent brûlés, et Pangloss fut pendu, quoique ce ne fût pas la coutume. Le même jour la terre trembla de nouveau avec un fracas épouvantable.

SUJET

a. Question préliminaire (sur 4 points)

Vous reprendrez dans les différents textes du corpus les arguments majeurs qui invitent à pratiquer la tolérance. Ces textes vous paraissent-ils d'actualité ? Pourquoi ?

b. Travaux d'écriture (sur 16 points) – au choix

Sujet 1. Commentaire.

Vous ferez le commentaire composé de l'extrait de *Candide* de Voltaire.

Sujet 2. Dissertation.

Vous commenterez et au besoin discuterez cette citation de Jean Starobinski : « L'étonnement de Rica et d'Usbek oblige les Français à s'étonner à leur tour. Ces usages, ces coutumes, ces croyances paraissent insensés aux visiteurs orientaux : mais quels sont pour nous leur sens et leur raison ? Leur fondement est-il solide ? La relativité du sens et du non-sens éclate à nos yeux. » (*Montesquieu par lui-même*, Le Seuil, 1957).

Sujet 3. Écriture d'invention.

Vous êtes journaliste, vous avez mené une enquête sur des fanatiques. Vous rendez compte de cette enquête, puis vous essayez de convaincre vos lecteurs d'être tolérants et de respecter la liberté de conscience de chacun.

L'œuvre à l'examen

SUJET 3

Objet d'étude : la délibération.

Corpus bac : l'essai, le dialogue et l'apologue

TEXTE 1

Lettres persanes, Lettre LXXXVIII d'Usbek
à Rhédi, p. 210.

TEXTE 2

Les Aventures de Télémaque, « Livre 11 » (1699),
Fénelon.

Pour les enfants, Mentor disait :

– Ils appartiennent moins à leurs parents qu'à la république ; ils sont les enfants du peuple, ils en sont l'espérance et la force ; il n'est pas temps de les corriger quand ils sont corrompus. C'est peu de les exclure des emplois, lorsqu'on voit qu'ils s'en sont rendus indignes ; il vaut mieux prévenir le mal que d'être réduit à le punir. Le roi, ajoutait-il, qui est le père de tout son peuple, est encore plus particulièrement le père de toute la jeunesse, qui est la fleur de toute la nation. C'est dans la fleur qu'il faut préparer les fruits : que le roi ne dédaigne donc pas de veiller et de faire veiller sur l'éducation qu'on donne aux enfants. Qu'il tienne ferme pour faire observer les lois de Minos, qui ordonne qu'on élève les enfants dans le mépris de la douleur et de la mort ; qu'on mette l'honneur à fuir les délices et les richesses ; que l'injustice, le mensonge, l'ingratitude et la mollesse passent pour des vices infâmes ; qu'on leur apprenne, dès leur tendre enfance, à chanter les louanges des héros qui ont été aimés des dieux, qui ont fait des actions généreuses pour leurs patries et qui ont fait éclater leur courage dans les combats.

L'œuvre à l'examen

TEXTE 3

▌ *Le Contrat social* (1762), Rousseau.

Je suppose les hommes parvenus à ce point où les obstacles qui nuisent à leur conservation dans l'état de nature l'emportent, par leur résistance, sur les forces que chaque individu peut employer pour se maintenir dans cet état. Alors cet état primitif ne peut plus subsister : et le genre humain périrait s'il ne changeait de manière d'être.

Or, comme les hommes ne peuvent engendrer de nouvelles forces, mais seulement unir et diriger celles qui existent, ils n'ont plus d'autre moyen pour se conserver que de former par agrégation une somme de forces qui puisse l'emporter sur la résistance, de les mettre en jeu par un seul mobile, et de les faire agir de concert.

Cette somme des forces ne peut naître que du concours de plusieurs : mais la force et la liberté de chaque homme étant les premiers instruments de sa conservation, comment les engagera-t-il sans se nuire et sans négliger le soin qu'il se doit ? Cette difficulté, ramenée à mon sujet, peut s'énoncer en ces termes :

« Trouver une forme d'association qui défende et protège de toute la force commune la personne et les biens de chaque associé, et par laquelle chacun, s'unissant à tous, n'obéisse pourtant qu'à lui-même et reste aussi libre qu'auparavant. »

TEXTE 4

> Discours à l'Assemblée des communes
> le 16 juin 1789, Mirabeau.

On a cru m'opposer le plus terrible dilemme en me disant que le mot peuple signifie nécessairement ou trop, ou trop peu ; que si on l'explique dans le même sens que le latin *populus*, il signifie la nation, et qu'alors il a une acception plus étendue que le titre auquel aspire la généralité de l'Assemblée ; que si on l'entend dans un sens plus restreint, comme le latin *plebs*, alors il suppose des ordres, des différences d'ordres, et que c'est là ce que nous voulons prévenir. On a même été jusqu'à craindre que ce mot ne signifiât ce que les Latins appelaient *vulgus*, ce que les Anglais appellent *mob*, ce que les aristocrates, tant nobles que roturiers, appellent insolemment canaille...

À cet argument je n'ai que ceci à répondre : c'est qu'il est infiniment heureux que notre langue, dans sa stérilité, nous ait fourni un mot que les autres langues n'auraient pas donné dans leur abondance ; un mot qui présente tant d'acceptions différentes ; un mot qui, dans ce moment où il s'agit de nous constituer sans hasarder le bien public, nous qualifie sans nous avilir, nous désigne sans nous rendre terribles ; un mot qui ne puisse nous être contesté, et qui, dans son exquise simplicité, nous rende chers à nos commettants, sans effrayer ceux dont nous avons à combattre la hauteur et les prétentions ; un mot qui se prête à tout, qui, modeste aujourd'hui, puisse agrandir notre existence à mesure que les circonstances le rendront nécessaire, à mesure que, par leur obstination, par leurs fautes, les classes privilégiées nous forceront à prendre en main la défense des droits nationaux, de la liberté du peuple.

L'œuvre à l'examen

a. Question préliminaire (sur 4 points)

Est-on toujours dans la littérature lorsque le discours politique semble prépondérant ?

b. Travaux d'écriture (sur 16 points) – au choix

Sujet 1. Commentaire.

Vous ferez le commentaire composé du texte de Mirabeau.

Sujet 2. Dissertation.

En vous fondant sur les textes du corpus et sur votre connaissance des *Lettres persanes* de Montesquieu, vous commenterez cette citation de Marcel Proust : « Une œuvre où il y a des théories est comme un objet sur lequel on laisse la marque du prix. » (*Le Temps retrouvé*).

Sujet 3. Écriture d'invention.

Écrivez une lettre à la manière de Rica pour défendre vos idéaux républicains.

Documentation et compléments d'analyse sur :
www.petitsclassiqueslarousse.com

L'œuvre à l'examen

Objet d'étude : un mouvement littéraire,
les Lumières (première, toutes sections).

Lettres CXXXIII à CXXXVII

Sujet : comment ces lettres décrivent-elles une bibliothèque témoignant de la naissance des Lumières, au XVIIᵉ siècle ?

RAPPEL

Une lecture analytique peut suivre les étapes suivantes :
**I. situation du passage, puis lecture à haute voix
II. projet de lecture
III. composition du passage
IV. analyse précise du passage
V. conclusion – remarques à regrouper un jour d'oral
en fonction de la question posée**

I. Situation de ces lettres

Nos deux Persans sont à Paris. Curieux de tout, Rica s'y pro-
mène et narre ses trouvailles et ses rencontres. Il a parlé des
« Nouvellistes », journalistes qui se croient capables de prévoir
l'avenir (lettre CXXX), d'un café, lieu d'échange et de réflexion
au XVIIIᵉ siècle (lettre CXXXII), et on le retrouve à la lettre sui-
vante dans la bibliothèque d'un couvent.

II. Projet de lecture

Nous nous demanderons si cette bibliothèque témoigne de la
position de Montesquieu face à la raison, au savoir et à l'art lit-
téraire et en quoi elle fait de lui l'un des fondateurs du mouve-
ment des Lumières ?

L'œuvre à l'examen

III. Composition du passage

– Lettre CXXXIII : découverte de la bibliothèque et du « dervis » qui, tout en dirigeant le couvent qui la détient, est hermétique à ce qu'elle contient.
– Lettre CXXXIV : un nouveau guide, un « dervis » passionné par la bibliothèque, la présente. Il évoque d'abord les livres sur la religion.
– Lettre CXXXV : évocation éclectique des domaines du savoir.
– Lettre CXXXVI : parcours dans l'espace-temps, par les livres évoqués.
– Lettre CXXXVII : évocation des auteurs de la littérature.

IV. Analyse précise du passage

Introduction : qui ne lit pas est prisonnier de lui-même

La lettre CXXXIII, la plus courte, ouvre ce cycle de cinq lettres et introduit les quatre suivantes. Elle présente la découverte de la bibliothèque comme fortuite et donne au récit la configuration narrative d'une anecdote : « J'allai l'autre jour ». Le « jour » n'est pas précisé : le lieu importe bien davantage ici que le temps. Une bibliothèque est dans une certaine mesure destinée à être hors du temps. La tradition veut que la bibliothèque qui a inspiré ces pages à Montesquieu soit celle de l'abbaye Saint-Victor. Le plus intéressant est le « dervis », père catholique qu'on rencontre dans ce lieu : « un homme grave qui se promenait au milieu d'un nombre innombrable de volumes qui l'entouraient. » L'expression proche de l'oxymore (association de deux mots contradictoires) : « nombre innombrable » insiste sur la profusion des livres. Le passage au discours direct est destiné à mettre en valeur ce que la réponse de ce père à Rica a d'inattendu : il est dans une « terre étrangère ». Les livres l'entourent comme une tour ou une prison, mais c'est son esprit qui est prisonnier. Ainsi, par allusion, Montesquieu nous laisse-t-il entendre que celui qui ne lit pas est prisonnier de lui-même. Les livres qu'on ne lit pas sont une prison ; car ce sont ceux qu'on lit qui nous libèrent.

L'œuvre à l'examen

D'autre part, le premier père rencontré se croit occupé à des « exercices » sérieux, et méprise les activités du bibliothécaire. Il est aisé de comprendre que ce qui passe pour sérieux est sans doute dérisoire et que ce qui est méprisé doit être admiré : l'ironie renverse les valeurs affichées.

Celui qui lit s'ouvre aux autres et devient meilleur

La deuxième rencontre ouvrant la lettre CXXXIV est sciemment mise en contraste avec la première : à un homme « grave » succède « tout un autre homme », celui qui a été décrit par le précédent comme « bon à rien », et qui va guider Rica, lui faire découvrir la bibliothèque. Son portrait en fait un homme ouvert et bon, un humaniste : la fréquentation assidue de toutes sortes de livres a ouvert son esprit à la rencontre de l'autre : « sa physionomie spirituelle, et son abord, très affable ». Les livres qui entouraient le précédent dervis comme une prison sont, pour ce père bibliothécaire, une voie de liberté et de générosité. Par ses questions, Rica permet à Montesquieu de s'étonner qu'il y ait un si grand nombre d'interprètes de l'Écriture. Cela donne au bibliothécaire, devenu porte-parole de Montesquieu, l'occasion de dénoncer la fureur des exégèses qui « pillent » les Écritures pour imposer leur lecture, sans respecter les textes. Le respect du texte devrait conduire au respect de chacun, car les divergences d'interprétation mènent à la violence : « un champ de bataille où les nations ennemies... » Voilà comment on en arrive aux guerres de Religion. Ensuite, le bibliothécaire prend ses distances avec la théologie, la mystique (« Cet état est le délire de la dévotion »), le quiétisme, la casuistique, tout ce qui mène à l'excès en matière de religion. Seuls les moralistes sont sauvés : c'est parce qu'elle rend les hommes plus moraux, plus vertueux que la religion est utile.

Lire avec un esprit critique

La lettre CXXXV prend une forme énumérative et parcourt des domaines de savoir éclectiques : grammaire, éloquence, métaphysique, anatomie, chimie, sciences occultes...

L'œuvre à l'examen

Dans ce parcours, le bibliothécaire montre qu'il ne s'en laisse pas compter et s'est forgé un esprit critique qui lui permet de séparer les véritables connaissances des faux savoirs. Il assimile ainsi la « science occulte » à l'« ignorance occulte ». D'une manière générale, le bibliothécaire se défie de ceux qui ne se croient pas obligés d'avoir « du bon sens », des orateurs qui convainquent au-delà de la raison, des géomètres « qui obligent un homme, malgré lui, d'être persuadé » ; il y a donc un mauvais usage de l'art oratoire et même de la raison : lorsqu'elle est arrogante et ne préserve pas la liberté de la réflexion. Le bibliothécaire se défie aussi de l'astrologie comme de toutes les superstitions. On note une allusion à Law : « un seul de vos algébristes ». Ce n'est pas seulement des superstitions qu'il faut se méfier, mais aussi de ce qui prend l'apparence de la rationalité, mais n'a pas réellement prise sur le réel.

Un parcours dans l'espace-temps, annonciateur de L'Esprit des Lois

Montesquieu poursuit son énumération et commence par faire allusion à un autre de ses ouvrages, celui qui traitera de la décadence des Romains : *Considérations sur les causes de la grandeur des Romains et de leur décadence* (1734). Par la lecture, on peut voyager dans l'espace et le temps et mettre en perspective, comme le font nos deux Persans voyageurs, ce qu'on croit être vrai ou juste. L'homme des Lumières se pense citoyen du monde. Un tel parcours enseigne la relativité.

Montesquieu et la littérature

La lettre CXXXVII qui ferme ce cycle est consacrée aux belles-lettres. Montesquieu, par le truchement du bibliothécaire, révèle sa conception de l'œuvre littéraire. Les poètes évoqués en premier sont vilipendés : les hommes des Lumières n'écrivent pas pour enjoliver, mais pour témoigner de la réalité qui les entoure. La poésie semble d'ailleurs avoir disparu au XVIIIe siècle. Les poètes dramatiques sont en revanche vénérés comme « maîtres des passions ». C'est aussi en maître des passions que Montesquieu s'exprime dans ses *Lettres persanes*. Les lyriques, les auteurs d'églogues et d'idylles sont pareillement méprisés.

L'œuvre à l'examen

Les auteurs de romans sont également discrédités dès lors qu'ils s'éloignent de la réalité pour peindre des chimères que viennent représenter « les dragons ailés et les hippocentaures ». Montesquieu, en homme de son temps, méprise tous les ouvrages qui éloignent de la réalité. Dans le dernier paragraphe de cette lettre, Montesquieu nous livre en creux sa conception du roman : éviter tout ce qui éloigne de la nature. Peindre la réalité au plus près : le roman ne peut être un instrument au service de l'esprit critique que s'il est au plus près de la vérité des hommes et des mœurs.

V. Conclusion

L'ensemble de ces lettres obéit au principe de l'énumération et du catalogue. Le danger est donc d'ennuyer le lecteur. Mais Montesquieu est suffisamment spirituel et il distille assez d'allusions pour nous tenir en éveil. Ce parcours au cœur d'une bibliothèque est initiatique : il indique au lecteur comment lire les *Lettres persanes* : en développant son esprit critique. Montesquieu est, comme tous les philosophes des Lumières, persuadé que la connaissance libère les esprits et les rend meilleurs (c'est ce qui sous-tendra le projet de l'*Encyclopédie*). Pour lui, la littérature doit être au service d'une meilleure connaissance de l'âme humaine, des passions (ce que font les seuls poètes dramatiques). La littérature doit demeurer dans les bornes de la nature et de la raison ; elle ne peut s'éloigner de la réalité sans devenir un ornement inutile, et donc vain.

AUTRE SUJETS TYPES

• Éloge et blâme
Quels sont les ouvrages que Montesquieu admire, ceux qu'il critique : pourquoi ?
On pourra montrer quelle conception de l'homme, de la culture et de l'art, révèlent ces prises de position.

Documentation et compléments d'analyse sur :
www.petitsclassiqueslarousse.com

Outils de lecture

Calendrier persan/grégorien

Maharram : mars

Saphar : avril

Rebiab 1 : mai

Rebiab 2 : juin

Gemmadi 1 : juillet

Gemmadi 2 : août

Rhegeb : septembre

Chahbam : octobre

Rhamazan : novembre

Chalval : décembre

Zilcadé : janvier

Zilhagé : février

Classement des lettres par thèmes

Anaïs
CXLI

Angleterre
CIV.

Asphéridon
LXVII

Espagne
LXXVIII.

Mœurs
XXIV, XXVIII, XXX, XXXII, XXXIII, XXXVI, XLV, XLVIII, L, LII, LIV, LV, LVI, LVII, LVIII, LIX, LX, LXI, LXIII, LXVI, LXVIII, LXXII, LXXIII, LXXIV, LXXXII, LXXXIV, LXXXVI, LXXXVII, XCI, XCII, XCVIII, XCIX, CVII, CVIII, CIX, CX, CXXVIII, CXXX, CXXXII, CXXXIII à CXXXVII (des bibliothèques), CXL, CXLIV, CXLV.

Philosophie
LXIX, LXXI, LXXVI, LXXVII, LXXX, LXXXIII, LXXXVIII, XCIV, XCVII, CIII, CV, CVI, CXLIII, CXXIII.

Politique
XIX, XXIV, XXVII, XLIV, LXXX, LXXXVIII, XC, XCII, XCIV, XCV, C, CII, CIII, CIV, CVII, CXI, CXII à CXXII (de la dépopulation), CXXIV, CXXVI, CXXVII, CXXIX, CXXXI, CXXXVIII, CXLII, CXLVI.

Outils de lecture

Lexique rhétorique et stylistique

Accumulation
Assemblage de mots occupant
la même fonction dans
une phrase, énumération.

Allégorie
Image développée sous la forme
d'un récit ou d'un tableau,
utilisant une succession
de métaphores (plus
accessoirement des métonymies)
pour permettre à la fois
une lecture littérale et une lecture
symbolique. L'allégorie est donc
faite d'images organisées
en un réseau cohérent.

Antiphrase
Expression dans laquelle l'esprit
s'oppose à la lettre, formulation
qui est destinée à transmettre
une information opposée
à l'expression littérale.

Antithèse
Opposition entre deux idées dont
l'une met l'autre en relief.

Apocryphe
Adjectif s'appliquant, à l'origine,
à des textes que l'Église ne
reconnaît pas et, par extension,
à des textes dont l'authenticité
ou l'origine est douteuse.

Apologue
Tout récit porteur de signification
morale, récit le plus souvent
allégorique destiné à illustrer
une leçon de morale.

Casuistique
Partie de la théologie
et de la morale qui traite des cas
de conscience.

Connecteur
Terme qui permet de regrouper
l'usage de conjonctions

Outils de lecture

de coordination et celui
des adverbes placés en tête
de phrase et assurant
la cohérence temporelle ou
argumentative et logique
du discours.

Connotation
Signification secondaire
et souvent en partie subjective
d'un terme ou d'une expression.
Cette notion s'oppose
à la *dénotation*, qui désigne le ou
les sens stables
et communément admis.

Dogmatique
Adjectif renvoyant aux dogmes,
c'est-à-dire aux points
de doctrine admis comme
vérités ; plus couramment,
l'adjectif caractérise des vérités
considérées comme impossibles
à remettre en cause, affirmées
de manière péremptoire.

Embrayeurs
Terme de linguistique emprunté
à R. Jakobson (traduit de l'anglais
shifters) désignant les termes
comme « je », « ici », « maintenant »
qui n'ont de sens que rapportés
à la situation d'énonciation.

Énonciation
On appelle énonciation tout acte
individuel de production
de langage, toute mise en œuvre
de la langue par un locuteur ;
l'énoncé est le produit
linguistique singulier de cet acte
de langage.

Euphémisme
Figure qui tend à adoucir
l'expression d'une réalité
grossière, brutale ou susceptible
de provoquer des sentiments
de crainte ou de gêne.

Focalisation
Elle désigne le point de vue
adopté par le narrateur dans
la conduite du récit. La focalisation
de degré zéro (omnisciente ou
« regard par-derrière ») fournit
au lecteur toutes les informations
nécessaires. La focalisation
interne, ou « regard avec »,
restreint les informations
au point de vue d'un personnage.
La focalisation externe, ou
« vision du dehors »,
se caractérise par un déficit
d'informations, le narrateur
en sachant moins que
ses personnages.

Humour
Figure de pensée, l'humour est
un état d'esprit
(étymologiquement une humeur)
particulier qui consiste à présenter
la réalité de façon à en dégager
les aspects plaisants, le plus
souvent insolites. Il joue
sur les décalages,
les incongruités. Il s'adresse
à l'intelligence ; à la différence
de l'ironie, il n'est pas agressif
et n'a pas de cible.

Hyperbole
Ensemble des procédés
d'exagération de l'expression.

Outils de lecture

Il s'agit d'augmenter ou de diminuer exagérément une réalité que l'on veut exprimer de manière à produire une forte impression.

Hypotaxe
Prédilection pour la subordination, pour les phrases complexes (son antonyme est la parataxe).

Hypotypose
Description qui actualise la représentation d'un être ou d'un objet, d'un paysage, pour en faire un tableau saisissant, fascinant même.

Ironie
Figure de pensée, l'ironie procède de l'intention de railler (elle a donc une cible) et elle suscite une contradiction entre ce que semble dire un énoncé, et ce qu'il dit véritablement. L'ironie laisse donc entendre deux voix (et peut donc se décrire comme une polyphonie) : celle de la cible de l'ironie qui tient des propos absurdes ou scandaleux, et celle de l'ironiste qui met à distance ces propos en en montrant l'aspect ridicule.

Jansénisme
Doctrine théologique (de Jansen ou Jansenius, 1585-1638, évêque d'Ypres) sur la grâce, selon laquelle les hommes seraient prédestinés au salut ou à la damnation.

Jésuites
Religieux appartenant à la Compagnie ou Société de Jésus, ordre fondé en 1534 par Ignace de Loyola. Opposés aux jansénistes et accusés de pratiquer la casuistique de manière laxiste, de rechercher le pouvoir de manière hypocrite.

Paradoxe
Raisonnement qui contredit une idée généralement admise, association d'idées contradictoires.

Parataxe
Absence de subordination (par opposition à l'hypotaxe), prédilection pour les propositions simples juxtaposées ou coordonnées.

Parodie
Du grec *para*, « contre », et *ôdê*, « chant » ; imitation railleuse du style d'un écrivain.

Périphrase
Du grec *peri*, « autour », et *phrasis*, « expression », formulation qui contourne et définit en même temps un terme, en utilisant plus de mots que nécessaire.

Polyphonie
Du grec *polus* « nombreux », et *phonêma*, « son de la voix »,

mot qui désigne les différentes voix qui se font entendre dans une même œuvre (un roman par lettres polyphonique a plusieurs épistoliers), un même discours, un même énoncé.

Satire
Du latin *satura*, « pot-pourri, mélange », texte critique et moqueur attaquant les vices, les travers de la société ou de certains hommes.

Topos
Lieu commun, idée reçue, cliché (au pluriel : topoï).

Utopie
Pays imaginaire où règne l'harmonie, où l'ordre et le pouvoir s'organisent de sorte que tout le monde soit heureux ; conception imaginaire, idéale, irréalisable.

Bibliographie, filmographie

Éditions des *Lettres persanes*

- Roger Caillois, coll. « Bibliothèque de la Pléiade », Gallimard, 1990.

- Jean Starobinski, coll. « Folio Gallimard », 1973.

- Pierre Vernière, Garnier, 1960.

- Laurent Versini, coll. « des Lettres françaises », Imprimerie Nationale, 1986.

Sur Montesquieu et son œuvre

- Montesquieu, la liberté et l'histoire, Georges Benrekassa, Le Livre de poche, coll. Biblio-Essais, 1987.

- *Introduction à « De l'esprit des lois » de Montesquieu*, B. Binoche, PUF, 1998.

- *La Vertu politique : Machiavel et Montesquieu, H.* Drei, L'Harmattan, 1998.

- *Chronologie critique de la vie et des œuvres de Montesquieu, L.* Desgraves, Honoré Champion, 1998.

- *Montesquieu, la nature, les lois, la liberté, S.* Goyard-Fabre, PUF, 1993.

- *Montesquieu, une biographie critique, R.* Shackleton, Presses universitaires de Grenoble, 1977.

- *Montesquieu par lui-même,* Jean Starobinski, coll. « Écrivains de toujours », Le Seuil, 1953 (3e édition mise à jour, 1994).

Sur les *Lettres persanes*

- *Montesquieu ou l'alibi persan,* C. Dédéyan, SEDES, 1988. Revue *Europe,* n° 574 spécial Montesquieu, février 1977.

- *La Signification politique des Lettres persanes*, J. Ehrard, Archives des Lettres modernes, Minard, 1970.

Bibliographie • filmographie

• *Lettres persanes*, J. Goldzink, coll. « Études littéraires », PUF, 1989.

• *Approches des Lumières, Mélanges à J. Fabre*, « Questions sur la signification politique des Lettres persanes », J.-M. Goulemot, Klincksieck, 1974.

• *Le Français moderne*, n^os 20-21, « La Recette stylistique des *Lettres persanes* », P. Nardin, 1952-1953.

• *Études sur le XVIII^e siècle*, « Les Jeux du sens dans les *Lettres persanes*, temps du roman et temps de l'histoire », J.-P. Schneider, Société d'études du XVIII^e siècle, 1983.

• *Montesquieu, « Lettres persanes » : de l'anthropologie à la politique*, C. Spector, PUF, 1997.

Crédits photographiques

Direction de la collection : Carine GIRAC-MARINIER

Direction éditoriale : Jacques FLORENT
avec le concours de Romain LANCREY-JAVAL

Édition : Bertrand LOUËT,
avec la collaboration de Marie-Hélène CHRISTENSEN

Lecture-correction : service Lecture-correction Larousse

Recherche iconographique : Valérie PERRIN, Laure BACCHETTA

Direction artistique : Uli MEINDL

Couverture et maquette intérieure : Serge CORTESI

Responsable de fabrication : Marlène DELBEKEN

Photocomposition : CGI
Impression : Rotolito Lombarda - 305871/03
Dépôt légal : Août 2006 – N° de projet : 11023512 – Avril 2013
Imprimé en Italie